Sermões Escolhidos

ORGANIZAÇÃO E COORDENAÇÃO:
JOSÉ VERDASCA

COLEÇÃO A OBRA-PRIMA DE CADA AUTOR

Sermões Escolhidos
Padre Antônio Vieira

PESQUISA E ORGANIZAÇÃO:
JOSÉ VERDASCA

4ª EDIÇÃO

A ORTOGRAFIA DESTE LIVRO FOI ATUALIZADA SEGUNDO O
ACORDO ORTOGRÁFICO DA LÍNGUA PORTUGUESA (1990),
QUE PASSOU A VIGORAR EM 2009.

MARTIN CLARET

© *Copyright* desta edição: Editora Martin Claret Ltda., 2003.

CONSELHO EDITORIAL
Martin Claret

PRODUÇÃO EDITORIAL
Taís Gasparetti

ORGANIZAÇÃO E COORDENAÇÃO:
José Verdasca

CAPA
Ilustração: Litografia de Padre Antônio Vieira,
(1838) *Charles Legrand*

MIOLO
Revisão: Lucyana R. Oliveira Torchia /
Maria de Fátima C. A Madeira / Pedro Baraldi /
Alexander Barutti A. Siqueira
Projeto gráfico: José Duarte T. de Castro
Editoração eletrônica: Editora Martin Claret
Impressão e acabamento: Renovagraf

Dados Internacionais de Catalogação na Publicação (CIP)
(Câmara Brasileira do Livro, SP, Brasil)

Vieira, Antônio, 1608-1697.
  Sermões escolhidos / Padre Antônio Vieira. —
4. ed. — São Paulo: Martin Claret, 2011. —
(Coleção a obra-prima de cada autor; 146)

1. Oratória portuguesa 2. Sermões. I. Título.
II. Série.

11-06895   CDD-869. 5

Índices para catálogo sistemático:

1. Romances : Literatura portuguesa   869. 5

EDITORA MARTIN CLARET LTDA.
Rua Alegrete, 62 – Bairro Sumaré – CEP: 01254-010 – São Paulo – SP
Tel.: (11) 3672-8144
www.martinclaret.com.br
12ª reimpressão – 2022

Sumário

Palavras do editor 7
Apresentação 13
   Barroco 13
   Contexto histórico 13
O autor 14
O estilo de Antônio Vieira 15
Sobre os *Sermões* 15
Introdução 17

SERMÕES ESCOLHIDOS

Sermão da Primeira Dominga da Quaresma
   ou das Tentações 31
Sermão de Santo Antônio ou dos Peixes 49
Sermão da Sexagésima ou do Evangelho 83
Sermão do Bom Ladrão ou da Audácia 117
Sermão da Epifania ou do Evangelho 147
O Pranto e o Riso 193
Sermão pelo bom sucesso das armas de Portugal
   contra as de Holanda 205
Sermão de Quarta-Feira de Cinza em Roma, na Igreja de
   S. Antonio dos Portugueses. Ano de 1672 229
Sermão de Quarta-Feira de Cinza em Roma, na Igreja de
   S. Antonio dos Portugueses. Ano de 1673, aos 15 de fevereiro .. 275
Sermão de Quarta-Feira de Cinza, para a Capela real
   que se não pregou por enfermidade do autor 301

Guia de leitura 325
Questões de vestibular 329

PALAVRAS DO EDITOR

A história do livro e a coleção "A Obra-Prima de Cada Autor"

MARTIN CLARET

Que é o livro? Para fins estatísticos, na década de 1960, a UNESCO considerou o livro "uma publicação impressa, não periódica, que consta de no mínimo 56 páginas, sem contar as capas".
O livro é um produto industrial.
Mas também é mais do que um simples produto. O primeiro conceito que deveríamos reter é o de que o livro como objeto é o veículo, o suporte de uma informação. O livro é uma das mais revolucionárias invenções do homem.
A *Enciclopédia Abril* (1972), publicada pelo editor e empresário Victor Civita, no verbete "livro" traz concisas e importantes informações sobre a história do livro. A seguir, transcrevemos alguns tópicos desse estudo didático.

O livro na Antiguidade

Antes mesmo que o homem pensasse em utilizar determinados materiais para escrever (como, por exemplo, fibras vegetais e tecidos), as bibliotecas da Antiguidade estavam repletas de textos gravados em tabuinhas de barro cozido. Eram os primeiros "livros", depois progressivamente modificados até chegarem a ser feitos — em grandes tiragens — em papel impresso mecanicamente, proporcionando facilidade de leitura e transporte. Com eles, tornou-se possível, em todas as épocas, transmitir fatos, acontecimentos históricos, descobertas, tratados, códigos ou apenas entretenimento.

Como sua fabricação, a função do livro sofreu enormes modificações dentro das mais diversas sociedades, a ponto de constituir uma mercadoria especial, com técnica, intenção e utilização determinadas. No moderno movimento editorial das chamadas sociedades de consumo, o livro pode ser considerado uma mercadoria cultural, com maior ou menor significado no contexto socioeconômico em que é publicado. Enquanto mercadoria, pode ser comprado, vendido ou trocado. Isso não ocorre, porém, com sua função intrínseca, insubstituível: pode-se dizer que o livro é essencialmente um instrumento cultural de difusão de ideias, transmissão de conceitos, documentação (inclusive fotográfica e iconográfica), entretenimento ou ainda de condensação e acumulação do conhecimento. A palavra escrita venceu o tempo, e o livro conquistou o espaço. Teoricamente, toda a humanidade pode ser atingida por textos que difundem ideias que vão de Sócrates e Horácio a Sartre e McLuhan, de Adolf Hitler a Karl Marx.

Espelho da sociedade

A história do livro confunde-se, em muitos aspectos, com a história da humanidade. Sempre que escolhem frases e temas, e transmitem ideias e conceitos, os escritores estão elegendo o que consideram significativo no momento histórico e cultural que vivem. E, assim, fornecem dados para a análise de sua sociedade. O conteúdo de um livro — aceito, discutido ou refutado socialmente — integra a estrutura intelectual dos grupos sociais.

Nos primeiros tempos, o escritor geralmente vivia em contato direto com seu público, que era formado por uns poucos letrados, já cientes das opiniões, ideias, imaginação e teses do autor, pela própria convivência que tinham com ele. Muitas vezes, mesmo antes de ser redigido o texto, as ideias nele contidas já haviam sido intensamente discutidas pelo escritor e parte de seus leitores. Nessa época, como em várias outras, não se pensava na enorme porcentagem de analfabetos. Até o século XV, o livro servia exclusivamente a uma pequena minoria de sábios e estudiosos que constituíam os círculos intelectuais (confinados aos mosteiros durante o começo da Idade Média) e que tinham acesso às bibliotecas, cheias de manuscritos ricamente ilustrados.

Com o reflorescimento comercial europeu, nos fins do século XIV, burgueses e comerciantes passaram a integrar o mercado livreiro da época. A erudição laicizou-se e o número de escritores aumentou, surgindo também as primeiras obras escritas em línguas que não o latim e o grego (reservadas aos textos clássicos e aos assuntos considerados dignos de atenção). Nos séculos XVI e XVII, surgiram diversas literaturas nacionais, demonstrando, além do florescimento intelectual da época, que a população letrada dos países europeus estava mais capacitada a adquirir obras escritas.

Cultura e comércio

Com o desenvolvimento do sistema de impressão de Gutenberg, a Europa conseguiu dinamizar a fabricação de livros, imprimindo, em cinquenta anos, cerca de 20 milhões de exemplares para uma população de quase 10 milhões de habitantes, cuja maioria era analfabeta. Para a época, isso significou enorme revolução, demonstrando que a imprensa só se tornou uma realidade diante da necessidade social de ler mais.

Impressos em papel, feitos em cadernos costurados e posteriormente encapados, os livros tornaram-se empreendimento cultural e comercial: os editores passaram logo a se preocupar com melhor apresentação e redução de preços. Tudo isso levou à comercialização do livro. E os livreiros baseavam-se no gosto do público para imprimir, principalmente obras religiosas, novelas, coleções de anedotas, manuais técnicos e receitas.

Mas a porcentagem de leitores não cresceu na mesma proporção que a expansão demográfica mundial. Somente com as modificações socioculturais e econômicas do século XIX — quando o livro começou a ser utilizado também como meio de divulgação dessas modificações e o conhecimento passou a significar uma conquista para o homem, que, segundo se acreditava, poderia ascender socialmente se lesse — houve um relativo aumento no número de leitores, sobretudo na França e na Inglaterra, onde alguns editores passaram a produzir obras completas de autores famosos, a preços baixos. O livro era então interpretado como símbolo de liberdade, conseguida por conquistas culturais. Entretanto, na maioria dos países, não houve nenhuma grande modificação nos índices porcentuais até o fim da Primeira Guerra Mundial (1914/18), quando surgiram as primeiras grandes tiragens de um só livro, principalmente romances, novelas e textos didáticos. O número elevado de cópias, além de baratear o preço da unidade, difundiu ainda mais a literatura. Mesmo assim, a maior parte da população de muitos países continuou distanciada, em parte porque o livro, em si, tinha sido durante muitos séculos considerado objeto raro, atingível somente por um pequeno número de eruditos. A grande massa da população mostrou maior receptividade aos jornais, periódicos e folhetins, mais dinâmicos e atualizados, e acessíveis ao poder aquisitivo da grande maioria. Mas isso não chegou a ameaçar o livro como símbolo cultural de difusão de ideias, como fariam, mais tarde, o rádio, o cinema e a televisão.

O advento das técnicas eletrônicas, o aperfeiçoamento dos métodos fotográficos e a pesquisa de materiais praticamente imperecíveis fazem alguns teóricos da comunicação de massa pensarem em um futuro sem os livros tradicionais (com seu formato quadrado ou retangular, composto de folhas de papel, unidas umas às outras por um dos lados). Seu conteúdo e suas mensagens (racionais ou emocionais) seriam transmitidos por outros meios, como por exemplo microfilmes e fitas gravadas.

A televisão transformaria o mundo todo em uma grande "aldeia" (como afirmou Marshall McLuhan), no momento em que todas as sociedades decretassem sua prioridade em relação aos textos escritos. Mas a palavra escrita dificilmente deixaria de ser considerada uma das mais importantes heranças culturais, entre todos os povos.

Através de toda a sua evolução, o livro sempre pôde ser visto como objeto cultural (manuseável, com forma entendida e interpretada em função de valores plásticos) e símbolo cultural (dotado de conteúdo, entendido e interpretado em função de valores semânticos). As duas maneiras podem fundir-se no pensamento coletivo, como um conjunto orgânico (onde texto e arte se completam, por exemplo, em um livro de arte) ou apenas como um conjunto textual (onde a mensagem escrita vem em primeiro lugar — em um livro de matemática, por exemplo).

A mensagem (racional, prática ou emocional) de um livro é sempre intelectual e pode ser revivida a cada momento. O conteúdo, estático em si, dinamiza-se em função da assimilação das palavras pelo leitor, que pode discuti-las, reafirmá-las, negá-las ou transformá-las. Por isso, o livro pode ser considerado instrumento cultural capaz de liberar informação, sons, imagens, sentimentos e ideias através do tempo e do espaço. A quantidade e a qualidade de ideias colocadas em um texto podem ser aceitas por uma sociedade, ou por ela negadas, quando entram em choque com conceitos ou normas culturalmente admitidos.

Nas sociedades modernas, em que a classe média tende a considerar o livro como sinal de *status* e cultura (erudição), os compradores utilizam-no como símbolo mesmo, desvirtuando suas funções ao transformá-lo em livro-objeto. Mas o livro é, antes de tudo, funcional — seu conteúdo é que lhe dá valor (os livros de ciências, filosofia, religião, artes, história e geografia, que representam cerca de 75% dos títulos publicados anualmente em todo o mundo).

O mundo lê mais

No século XX, o consumo e a produção de livros aumentaram progressivamente. Lançado logo após a Segunda Guerra Mundial (1939/45), quando uma das características principais da edição de um livro eram as capas entreteladas ou cartonadas, o livro de bolso constituiu um grande êxito comercial. As obras — sobretudo *best sellers* publicados algum tempo antes em edições de luxo — passaram a ser impressas em rotativas, como as revistas, e distribuídas nas bancas de jornal. Como as tiragens elevadas permitiam preços muito baixos, essas edições de bolso popularizaram-se e ganharam importância em todo o mundo.

Até 1950, existiam somente livros de bolso destinados a pessoas de baixo poder aquisitivo; a partir de 1955, desenvolveu-se a categoria do livro de bolso "de luxo". As características principais destes últimos eram a abundância de coleções — em 1964 havia mais de duzentas, nos Estados Unidos — e a variedade de títulos, endereçados a um público intelectualmente mais refinado. A essa diversificação das categorias adiciona-se a dos pontos de venda, que passaram a abranger, além das bancas de jornal, farmácias, lojas, livrarias, etc. Assim, nos Estados Unidos, o número de títulos publicados em edições de bolso chegou a 35 mil em 1969, representando quase 35% do total dos títulos editados.

Enciclopédia Abril, vol. 7. São Paulo: Abril, 1973, p. 2840-2842.

Proposta da coleção
"A Obra-Prima de Cada Autor"

"Coleção" é uma palavra há muito tempo dicionarizada e define o conjunto ou reunião de objetos da mesma natureza ou que têm alguma relação entre si. Em um sentido editorial, significa o conjunto não limitado de obras de autores diversos, publicado por uma mesma editora, sob um título geral indicativo de assunto ou área, para atendimento de segmentos definidos do mercado.

A coleção "A Obra-Prima de Cada Autor" corresponde plenamente à definição acima mencionada. Nosso principal objetivo é oferecer, em formato de bolso, a obra mais importante de cada autor, satisfazendo o leitor que procura qualidade.*

Desde os tempos mais remotos existiram coleções de livros. Em Nínive, em Pérgamo e na Anatólia existiam coleções de obras literárias de grande importância cultural. Mas nenhuma delas superou a célebre biblioteca de Alexandria, incendiada em 48 a.C. pelas legiões de Júlio César, quando estas arrasaram a cidade.

A coleção "A Obra-Prima de Cada Autor" é uma série de livros a ser composta por mais de 400 volumes, em formato de bolso, com preço altamente competitivo, e pode ser encontrada em centenas de pontos de venda. O critério de seleção dos títulos foi o já estabelecido pela tradição e pela crítica especializada. Em sua maioria, são obras de ficção e filosofia, embora possa haver textos sobre religião, poesia, política, psicologia e obras de autoajuda. Inauguram a coleção quatro textos clássicos: *Dom Casmurro*, de Machado de Assis; *O Príncipe*, de Maquiavel; *Mensagem*, de Fernando Pessoa; e *O lobo do mar*, de Jack London.

Nossa proposta é fazer uma coleção quantitativamente aberta. A periodicidade é mensal. Editorialmente, sentimo-nos orgulhosos de poder oferecer a coleção "A Obra-Prima de Cada Autor" aos leitores brasileiros. Nós acreditamos na função do livro.

---

* Atendendo a sugestões de leitores, livreiros e professores, a partir de certo número da coleção começamos a publicar, de alguns autores, outras obras além da sua obra-prima.

Apresentação

Barroco

TAÍS GASPARETTI[1]

O Barroco foi um estilo artístico que se iniciou na Europa, no final do século XVI, e sucedeu o Renascimento.

Na literatura, o movimento é marcado pelo uso excessivo de figuras de linguagem — hipérboles, metáforas, anacolutos e antíteses —, configurando uma linguagem dramática e repleta de contrastes.

Contexto histórico

O Barroco surgiu inicialmente na Itália, que, nesse período, havia perdido muito de seu prestígio e de sua força política, apesar de culturalmente ainda ser a maior potência europeia. Em seguida, o movimento difundiu-se pelos países católicos da Europa e, posteriormente, da América.

Em Portugal, por ter se iniciado no século XVI, passou a ser chamado também de Seiscentismo.

O Barroco português surgiu em meio a uma grande turbulência político-econômica, social e religiosa marcada pelo término do Ciclo das Grandes Navegações, pela Reforma Protestante e pelo movimento católico de Contrarreforma.

---

[1] Graduada em Letras pela Unicamp, professora na rede particular e pública de ensino, redatora, *ghost writer* e revisora de textos.

No Brasil, o movimento tomou novas formas, consoante as violências às quais negros e índios estavam submetidos por conta do regime escravocrata. Desse modo, alguns autores, como Gregório de Matos e padre Antônio Vieira, acrescentaram uma configuração social ao movimento.

O autor

Notável orador e prosador, o padre Antônio Vieira (1608-1697) nasceu em Lisboa. No entanto, aos seis anos de idade, mudou-se com a família para o Brasil, fixando-se em Salvador.

Noviciado na Companhia de Jesus, ordenou-se sacerdote em 1635 e passou a pregar pelas aldeias baianas.

Em 1641, regressou a Portugal e, cativando os favores de D. João IV, dedicou-se a missões diplomáticas.

Em 1653, voltou ao Brasil, passando a residir no estado do Maranhão, onde lutou contra a exploração dos indígenas. No entanto, por ter incomodado os senhores de escravos, em virtude da defesa dos indígenas, em 1661 foi forçado a deixar o estado.

Regressou então a Portugal, onde, em 1665, foi preso pelo Tribunal do Santo Ofício, acusado de herege.

Anos depois foi anistiado, quando então partiu para Roma, onde ganhou notoriedade por combater a Inquisição.

Retornou a Portugal em 1675. No entanto, sem apoio político e decepcionado com a Igreja – em virtude da perseguição aos cristãos-
-novos –, em 1681, voltou para a Bahia, onde passou a residir até a morte, em 1697, na cidade de Salvador.

Deixou uma produção de cerca de 200 sermões.

O estilo de Antônio Vieira

Mestre inegável da oratória, o padre Antônio Vieira tornou-se uma das figuras mais importantes da nossa literatura. Barroco conceptista, dominava a retórica e costumava traçar paralelos entre os problemas cotidianos e as parábolas bíblicas.

Vivendo em meio a perseguições político-religiosas, desafiou a hipocrisia humana, a Companhia de Jesus e a própria Inquisição.

Considerado praticamente um filósofo cristão – tendo em vista a sua racionalidade –, sua linguagem é definida pela clareza, pela simplicidade e pelo rigor sintático-dialético.

O seu estilo é vigoroso e lógico, rico em paradoxos e efeitos persuasivos que transcendem o virtuosismo barroco, conduzindo à reflexão sobre fenômenos sociais e existenciais.

Sobre os *Sermões*

Na época de Antônio Vieira, o sermão era um dos principais meios de comunicação e de doutrinamento dos cristãos da Europa e do Novo Mundo. Daí a importância e a notoriedade de Vieira em sua época.

Sua fama percorreu o Brasil e alcançou as cortes europeias, onde chegou a ser confessor e pregador da rainha Cristina da Suécia.

Seus primeiros sermões foram impressos contra sua vontade por seus superiores, de modo a servir como modelo de pregação. Assim, para combater as versões não autorizadas e garantir a qualidade de sua prosa, passou a organizá-los e publicá-los ele mesmo. Segundo Luís Filipe Silvério Lima, professor de História Moderna da Universidade Federal de São Paulo, "publicar sua versão escrita dos sermões era, assim, uma marca da sua autoridade como exemplo de pregador e, ao mesmo tempo, um sinal da defesa da sua autoria sobre aqueles textos".[1]

Desse modo, os primeiros sermões editados por ele começaram a circular em 1679, e o último volume por ele organizado foi publicado em Salvador um ano após sua morte.

Nesta edição, a introdução de José Verdasca – escritor, poeta e jornalista, além de um dos maiores estudiosos de Vieira na atualida-

---

[1] Disponível em: http://www.brasiliana.usp.br/vieira_sermoes

de – completa a análise dos sermões, enfatizando alguns dos mais importantes, tais como o "Sermão da Primeira Dominga da Quaresma ou das Tentações", o "Sermão de Santo Antônio ou dos Peixes", o "Sermão da Sexagésima ou do Evangelho", o "Sermão do Bom Ladrão ou da Audácia" e o "Sermão da Epifania ou do Evangelho".

INTRODUÇÃO

Padre Antônio Vieira
O gigante da Oratória Sacra

JOSÉ VERDASCA[1]

Interrogar-se-á o leitor não católico, o estudioso profano, ou até mesmo o aluno agnóstico, anticlerical e pragmático, sobre a oportunidade, as razões, as vantagens e os inconvenientes que concorrem para a publicação e/ou decorrem dela, neste início do terceiro milênio, de uma obra do século XVII, com sermões escolhidos de Antônio Vieira, dado que se trata de prédicas de um padre nos púlpitos do Brasil e da Europa, numa época em que a Igreja — ainda todo-poderosa — presidia aos destinos do planeta, e o escravagismo se encontrava no seu apogeu, apesar de o Renascimento ter surgido no Velho Mundo com novas práticas e ideias, entre as quais pontificava o humanismo, arejando mentes e consciências; tal interrogação teria sua razão de ser, não fosse Vieira o maior autor de língua portuguesa do século XVII — e um dos maiores de todos os tempos — e não fora a sua obra fruto de um talento inexcedível e de uma erudição ímpar, resultado de uma capacidade de intervenção oportuna e vigorosa, e consequência de uma ousadia sem limites e de uma curiosidade intelectual única, o que a torna clássica, portanto, antológica.

---

[1] Escritor, poeta e jornalista. É oficial do exército português, licenciado em Ciências Militares pela Academia Militar de Lisboa e pós-graduado em Administração de Empresas pela Universidade Mackenzie, com o curso de língua e cultura francesas da Alliance Française. Pertence às Academias Cristã de Letras (patrono Antônio Vieira) e Paulista de História, às Ordens Nacional dos Bandeirantes e dos Escritores e ao Instituto Histórico e Geográfico de São Paulo, como sócio titular. Tem vários livros publicados em Portugal e no Brasil.

Entretanto, a obra do padre Vieira impõe-se, ainda — e sobremaneira —, pela elevação e beleza de sua estilística, pela firmeza e clareza de suas construções retóricas, e pela oportunidade e humanismo de suas intervenções político-sociais, em que ora defende índios e negros, ora ataca a corrupção e o abuso, sem se esquecer de defender os cristãos-novos, exilados, na tentativa de conseguir o retorno ao reino de seus capitais, tão necessários ao desenvolvimento de Portugal e do Novo Mundo, situação que ainda hoje perdura. Na realidade, os seus sermões — se bem que fossem clássicas peças de oratória sacra —jamais deixaram de ser, também, vibrantes, enérgicas e oportunas intervenções político-sociais, quer se tratasse da exploração do trabalho escravo, da corrupção administrativa ou da guerra contra os holandeses.

Quando estudamos Vieira, logo sobressaem as variadas facetas desse grande português do Brasil, onde avulta e brilha o primoroso escritor, o pregador sacro sem concorrente e o humanista e homem de ação sem paralelo, a um tempo defensor de negros e índios, da justiça e da liberdade, a par de sua postura contra os abusos da Inquisição, sem esquecer o político e diplomata de muitas causas e batalhas, ou o filólogo que falava sete dialetos nativos, nos quais pregava e escrevia os catecismos com que ensinava os índios. Assim sendo, não é de estranhar que a moderna língua portuguesa, saída do gênio de Camões, tenha sido lapidada e consolidada pela escrita e pela voz do padre Antônio Vieira, que elevou a prosa portuguesa à sua mais alta e pura expressão, como Camões tinha feito com a poesia épica.

Observe o leitor o que se vem passando nos lugares e países onde — com muita frequência — se desloca o Papa João Paulo II e repare nos milhões de fiéis e agnósticos, crentes e não tanto e, sobretudo, pessoas de todas as idades, religiões e condições sociais, que correm para ver o homem de carisma e saber, e ouvir aquele que personifica a fraternidade, o bom-senso, a bondade e a justiça. É que a resposta para as mais sérias e profundas indagações do ser humano — de onde viemos, quem somos e para onde vamos — ainda não foi conveniente e definitivamente encontrada, dado que ao nosso entendimento não basta, porque a nossa inteligência não aceita — pura e simplesmente —, que a missão na Terra e o destino final e fatal do homem sejam, apenas, a propagação da espécie, seguida do envelhecimento e morte física, quando tudo se acabe, à semelhança do que acontece com todo e qualquer animal ou vegetal.

Na realidade, as multidões que ouviam Santo Agostinho[2] em Hipona, que na Itália e na França acompanhavam deslumbradas os pronunciamentos de Santo Antônio de Lisboa,[3] que no Brasil, em Lisboa e em Roma assistiam aos sermões do padre Antônio Vieira e que correram para ver e ouvir João Paulo II procuravam e esperavam algo mais que um simples sermão, buscavam e desejavam mais que uma bela peça oratória, ansiavam e queriam muito mais que um espetáculo social ou humano porque, na realidade, precisavam do que ainda não haviam encontrado em suas existências, sejam novos indícios ou provas sobre a essência da vida, cintilantes luzes que conduzam a reveladores dados relativos ao destino do homem, e, até mesmo, visões que lhes permitam entender a missão dos homens à superfície da Terra, uma vez que a humanidade, com toda a sua história, com todo o seu acumulado saber, com toda a sua inteligência, com toda a sua obra, com toda a sua racionalidade, de modo algum pode nivelar-se a qualquer outro agrupamento animal irracional.

Estudar Antônio Vieira é abordar os mais complexos problemas da vida e mergulhar fundo na existência e na essência do homem, uma vez que a análise crítica de seus sermões nos põe em contato com fenômenos sociais e existenciais de todos os tempos, pois são de ontem, de hoje e de sempre, tanto a justiça quanto a liberdade, a ética como a fraternidade, a paz assim como a igualdade perante a lei, a alma e o espírito, que devem ser o fim primeiro e último de todo estudo e de todo estudante, quaisquer que sejam a sua especialização acadêmica, a sua ideologia política ou a sua crença religiosa. Além disso, o jesuíta Vieira escrevia e pregava como ninguém, tendo-nos deixado uma obra literária do mais puro vernáculo, original e pura, profunda e eclética, ética e estética, cujo estudo forma e engrandece, instrui e esclarece, eleva e enobrece, quando a sua leitura interessada e atenta encanta e delicia o leigo, o estudante, o professor ou o erudito.

Antônio Vieira foi um homem eclético e polivalente, porquanto encarnou vários personagens ao longo de sua atribulada vida, ou melhor, protagonizou, na vida real, e com perfeição, as variadas e importantíssimas funções de pregador, escritor, missionário, professor, diplomata, filósofo, conselheiro real e outras, no desempenho das

---

[2] Talvez o mais célebre dos padres dos séculos IV e V. Foi bispo de Hipona (África) e autor de *Confissões*.

[3] Célebre padroeiro dos namorados, nasceu em Lisboa, em 1195, e faleceu em 13 de junho de 1231, perto de Pádua, onde está sepultado.

quais sempre o brilho de sua inteligência, o vigor de sua palavra, o rigor de sua argumentação, a integridade de seu caráter e a retidão de sua personalidade, augustos atributos que, de tão raros, o tornaram alvo dos baixos sentimentos de todos quantos — por inveja, despeito ou interesses feridos — se sentiam ameaçados ou humilhados pela excelência e grandeza de suas qualidades. Em boa verdade, no padre Antônio Vieira concorriam o intelectual e o homem de ação, o erudito e o professor, o orador e o místico, o humanista e o mítico, e a tal ponto, e com tanta profundidade o jesuíta assumia e desempenhava essas nobres tarefas que, em toda a sua longa existência, sempre se mostrou um homem de eleição, admirado e respeitado por nobres e plebeus, negros e índios, governadores e almirantes, reis e cardeais, pois, cada um à sua maneira, reverenciava, em Vieira, um ou mais dos muitos homens que nele se abrigavam.

Naturalmente, o penetrante, eficaz e convincente instrumento de ação e comunicação do padre Antônio Vieira foi a linguagem — falada ou escrita — sempre apaixonada e eloquente, vigorosa e convincente, inteligível e abrangente, certeira e inteligente, oportuna e comovente, por meio da qual cumpriu um longo e brilhante apostolado, exercido quer junto aos primitivos índios da Bahia e do Grão-Pará e Maranhão[4] como perante os interesseiros colonos da sua capital São Luís; tanto em face dos defensores da cidade de São Salvador como dos seus reais ouvintes da Igreja de São Roque, em Lisboa; tanto perante os nobres da corte de D. João IV como diante dos ilustres e ilustrados cardeais e prelados do Vaticano; tanto em reunião com os eruditos frequentadores do palácio da rainha Cristina da Suécia, em Roma, como nas cortes europeias, onde desempenhou delicadas e conturbadas missões diplomáticas. E, em nenhum momento, a sua negritude — era neto de uma mulata africana — foi obstáculo aos seus objetivos. Na realidade, talvez o padre Antônio Vieira devesse à sua mestiçagem alguns de seus melhores atributos.

Entre os quatro principais modelos de oratória — acadêmica, política, judiciária e sagrada — o classicismo português distinguiu--se e brilhou nesta última, mercê do engenho e arte do padre Antônio Vieira, o gigante dos púlpitos do século XVII que, tanto no Brasil quanto na Europa, atingiu as culminâncias do prestígio e da fama,

---

[4] Então Estado independente do Brasil constituído pelas províncias do Maranhão e do Pará.

elevando, até as alturas, a oratória sacra em língua portuguesa, quando os seus Sermões deslumbraram índios e senhores de engenho, plebeus e nobres, simples e eruditos, reis e cardeais, altura em que o próprio papa se viu arrebatado pela demolidora dialética e pelas empolgantes construções retóricas do jesuíta português. Senhor de insuperável gênio verbal, caracterizado por um raciocínio dedutivo de irretocável lógica, o talentoso Vieira manipulava a riqueza vocabular da nossa língua portuguesa, com insuperável maestria, o que lhe permitiu atingir inigualável expressão oral, sem jamais macular a pureza do idioma. Como dizia Fidelino de Figueiredo: "Vieira é um modelo de expressão, de relevo enérgico e de eloquência. Maravilha-nos que ele conseguisse tais efeitos, com um léxico tão reduzido e uma sintaxe tão correntia... Um inimitável mestre na arte de combinar valores comuns em efeitos novos e relevantes. Esse dom nasceu com ele, morreu com ele".

Assim como Camões foi o grande artista da palavra escrita que, com sua obra, proporcionou à moderna língua portuguesa a "arte final" — que à superior beleza estética de sua poética adicionou uma linguagem vibrante e arrebatadora, e uma riqueza descritiva clara, objetiva e profunda, a tornarem *Os Lusíadas* um marco na história da poesia épica mundial, e a sua obra referência da língua dita "de Camões" — não é menos certo que, um século depois, aos sermões do padre Antônio Vieira se deveu não apenas a consagração definitiva do idioma luso como, ainda, e principalmente, a consolidação da nobre fala dos hoje mais de duzentos milhões de seres humanos, nos cinco continentes, língua que se aproxima dos 500 mil vocábulos. E tão marcante, permanente e definitiva foi — para a afirmação e perenização da "última flor do Lácio" — a contribuição da obra de Vieira, que o seu biógrafo, D. Francisco Alexandre Lobo, bispo de Viseu, sobre ela, assim se pronunciou:

> Se o uso da nossa língua se perder, e com ele por acaso acabarem todos os nossos escritos, que não *Os Lusíadas* e as obras de Vieira, o português, quer no estilo da prosa, quer no poético, ainda viverá na sua perfeita índole nativa e na sua riquíssima cópia e louçania.

A riquíssima e vasta obra do jesuíta padre Antônio Vieira — de quem conhecemos cerca de duzentos e vinte sermões, mais ou menos seiscentas e cinquenta cartas, muitos discursos apologéticos, gratulatórios e panegíricos, além de exortações, exórdios, prédicas, homílias e orações fúnebres, não esquecendo a sua defesa no processo que lhe foi movido pela Inquisição e, principalmente, uma relativamente curta peroração, mas encantadora obra-prima, que é Lágrimas de Heráclito[5] defendidas em Roma pelo padre Antônio Vieira contra o riso de Demócrito,[6] dizíamos, a obra de Vieira constitui o mais rico, variado e significativo conjunto de sermões e orações sacras em língua portuguesa, resultado do gênio e talento daquele que foi — indiscutivelmente — o maior e mais brilhante orador sacro do século dezessete e um dos pregadores mais talentosos e arrebatadores de sempre, ombreando com Santo Agostinho de Hipona e com Santo Antônio de Lisboa — chamado de Pádua — a par dos mais prestigiados, conhecidos e respeitados doutores da Igreja em todos os tempos e lugares.

Em Vieira, encanta e embriaga a beleza estética de sua parenética — enquanto eloquência sacra ou arte de pregar —, porquanto nenhum outro pregador da Idade Moderna tão belos sermões escreveu e disse, tão longe chegou na arte sermonária, tanto ousou, tão brilhante e convincente foi e, acima de tudo, tantas paixões extravasou e despertou como o amado Paiaçu (padre grande) dos índios do Grão-Pará e Maranhão, aos quais também muito amou e defendeu contra os abusos dos senhores da época, os quais, nada podendo contra a força de sua palavra e a capacidade de seus argumentos, acabaram por expulsá-lo para Portugal, assim como aos seus companheiros. Mas o que mais importa e se deve destacar na inigualável obra do padre Antônio Vieira é a oportunidade dos temas abordados, o sentido de justiça de suas intervenções e a atualidade de seu conteúdo e de sua doutrina, porquanto — hoje, como ontem — a violência é brutal e generalizada, a miséria injustificada e injusta e a injustiça social por demais desumana, para não falar da escandalosa e tolerada corrupção.

Da grandiosa, rica e erudita obra de Vieira, sobressaem naturalmente os sermões, que resplandecem como brilhantes, por serem empolgantes peças de oratória — acentuadamente barrocas[7] — onde metáforas e alegorias são muitas vezes magistralmente incluídas e manuseadas, de modo a enriquecer imagens e conceitos que ilustravam a sua linguagem e causavam profundo impacto no auditório; tais artifícios de discurso e linguagem, de inigualável e elegantíssimo

---

[5] Filósofo grego (século VI a.C.) autor da obra *Sobre o universo*.
[6] Filósofo grego (século V a.C.) autor da teoria do átomo.
[7] Estilo ou tendência que prioriza a sensibilidade.

estilo e de incisiva e clarividente oportunidade revelavam excepcional talento oratório, aguda e profunda sensibilidade e enciclopédica erudição, a qual dava mais luz ao já esfuziante brilho da sua palavra, onde sobressaía, indestrutível, a capacidade de argumentação, a tornar inatacáveis — porque conclusivas — suas perfeitas, arrojadas e belas construções retóricas, normalmente alicerçadas em princípios e revelações bíblicas, devidamente ilustradas com exemplos concretos, do dia a dia da vida de seus ouvintes.

Entre os cerca de duzentos e vinte sermões a que fizemos referência, contam-se trinta alusivos ao Rosário, vinte e cinco sobre a Quaresma, dezoito acerca de São Francisco Xavier (o grande apóstolo das Índias), catorze relativos à Eucaristia, nove invocando Santo Antônio de Lisboa — dito de Pádua —, o mais famoso dos quais é conhecido como Sermão de Santo Antônio ou dos Peixes, porque inspirado no célebre Sermão de Santo Antônio aos Peixes, oito sobre o lava-pés, sete relativos ao Advento, seis sobre o Mandato, quatro invocando São Roque e três abordando a Quarta-feira de Cinzas, além de outros sobre a Páscoa, o Espírito Santo, o Santíssimo Sacramento, o Pentecostes, sermões de Ação de Graças, muitos mais abordando temas como as Misericórdias, e todos eles belíssimas peças da oratória sagrada luso-brasileira, redigidos no mais puro e belo estilo da nossa língua portuguesa, se bem que — em alguns deles — possamos destacar atributos especiais, tais como a oportunidade dos temas, o vigor e precisão da linguagem, ou a elevada concepção artística, que o orador arquiteta de forma sublime, como no caso do Sermão do Espírito Santo, quando compara o trabalho do missionário[8] — que ele era — ao ofício do artista escultor, e o faz de um modo inigualável:

> Vede o que faz em uma pedra a arte. Arranca o estatuário uma pedra dessas montanhas — tosca, bruta, dura, informe — e depois que desbastou o mais grosso, toma o maço e o cinzel na mão e começa a formar um homem, primeiro membro a membro e depois feição por feição, até a mais miúda. Ondeia-lhe os cabelos, alisa-lhe a testa, rasga-lhe os olhos, afila-lhe o nariz, abre-lhe a boca, avulta-lhe as faces, torneia-lhe o pescoço, estende-lhe os braços, espalma-lhe as mãos, divide-lhe os dedos, lança-lhe os vestidos: aqui desprega, ali arruga, acolá recama, e fica um homem perfeito, talvez um santo que

---

[8] Vieira comparava o índio à pedra bruta, a quem o missionário transformava em "estátua".

se pode pôr no altar. O mesmo será, se à vossa indústria não faltar a graça divina.

Aqui chegados, cumpre-nos ressaltar o fato de o padre Antônio Vieira — escritor e orador sem paralelo, cuja obra reflete o esplendor da oratória sacra na milenar língua portuguesa, tendo em conta que Santo Antônio pregava em latim — ter-se revelado um homem de exceção, não apenas por meio dos sermões que o consagraram e/ou das cartas que o perpetuaram, mas, ainda, por meio da sua vastíssima obra como evangelizador, professor, diplomata, político e estadista, o que lhe granjeou a inveja e o ciúme de muitos de seus colegas e contemporâneos, baixos sentimentos a que ficou devendo perseguições e vinganças, ódios e rancores, traições e maus-tratos, como a sua expulsão do Maranhão pelos colonos ou o processo e julgamento a que foi submetido pela Inquisição, de que resultou a sua condenação a quatro anos de cárcere, dos quais cumpriu pouco mais da metade.

Entretanto, é mister apresentar-vos uma análise crítica específica e mais acurada, relativamente aos sermões escolhidos para figurarem nesta obra, não apenas esclarecendo os motivos de sua seleção — onde ressaltam a oportunidade dos temas, a profundidade e atualidade dos conceitos e, acima de tudo, a sua superior beleza estética e moralidade ética, valores perenes sempre presentes na obra do grande jesuíta — como ainda, e principalmente, esclarecer as circunstâncias que presidiram à sua feitura, porquanto em Vieira todos os pronunciamentos perseguiam um objetivo imediato, obedeciam a um humanista impulso de consciência e, muito especialmente, visavam a uma correção de rumos no sentido da justiça, da valorização da moral social e do bem-estar das comunidades, mormente das mais desfavorecidas, ignorantes e destituídas.

São sete os sermões selecionados para compor a presente obra — apresentados por ordem cronológica —, dentre os quais a brilhantíssima abordagem filosófica do pranto e do riso, conferência efetuada em Roma, no palácio da rainha Cristina da Suécia, perante os mais influentes prelados e dignitários da corte papal, que lá se reuniam frequentemente. Comentamos, a seguir, alguns dos sermões mais importantes.

01 - Sermão da Primeira Dominga da Quaresma
(ou das Tentações)

Pregado em São Luís do Maranhão, no primeiro Domingo da Quaresma de 1653, o Sermão das Tentações foi o resultado de um acordo entre o padre Antônio Vieira e o Capitão-Mor, na tentativa de encontrar uma saída para os protestos dos colonos contra o recente diploma real que mandava libertar todos os índios cativos. Esperava o orador — com este sermão — apaziguar os ânimos e, ao menos, aliviar a situação dos escravos, sem contudo inviabilizar a economia local, em decorrência da falta de mão de obra.

Na realidade, o sermão teve efeito instantâneo sobre os ouvintes, pois, naqueles tempos, a simples ameaça com o fogo do inferno sempre resultava; entretanto, passado o impacto das palavras do padre sobre o auditório, e perante as dificuldades advindas da falta dos serviçais, logo o instinto de sobrevivência vencia o medo, tornando os colonos novamente autoritários e ciosos de seus "direitos". Entre as autênticas pérolas deste brilhante sermão, podemos ressaltar a seguinte:

> Que vós, que vossas mulheres, que vossos filhos, e que todos nós nos sustentássemos dos nossos braços; porque melhor é sustentar do suor próprio que do sangue alheio.

Muitas vezes — e por muitos — criticada, porque ignorada e/ou incompreendida, à sobre-humana missão dos jesuítas no Brasil se ficou devendo não apenas a evangelização, mas, principalmente, um conjunto de atos, tratos e fatos que impediram os silvícolas de serem dizimados, à semelhança do que aconteceu na América do Norte. A eles se deve — ainda — a fundação dos colégios (os equivalentes das universidades de hoje) de Salvador e de Olinda, onde o padre Antônio Vieira estudou dos 6 aos 27 anos e adquiriu a sua vasta erudição, que procurou transmitir a seus alunos de teologia, filosofia e latim, matérias em que foi mestre. De qualquer modo, basta-nos o fato de Vieira ter efetuado todos os seus estudos no Brasil para aquilatar o nível destes, que tanto prestígio e fama granjearam ao jesuíta, logo que ele — com 33 anos — iniciou as suas pregações em Lisboa.

02 - Sermão de Santo Antônio
(ou dos Peixes)

Entre os nove sermões chamados de Santo Antônio, é este o mais conhecido e, quiçá, o mais brilhante, se bem que inspirado no proceder do santo, como logo de início declara Vieira: "Nas festas dos santos, é melhor pregar como eles que pregar deles".

Pregado a 13 de junho de 1654 — comemoramos o santo no dia de seu passamento — este sermão é como que uma continuação do anterior. Passado o encanto do Sermão das Tentações, os colonos logo esqueceram a ameaça do fogo do inferno e voltaram a exigir a posse dos escravos, sem qualquer controle dos jesuítas, pelo que o padre Antônio Vieira decidiu deslocar-se à corte de Lisboa, para tentar conseguir do monarca o cumprimento do diploma real. Antes, porém, achou por bem renovar a tentativa de — agora valendo-se de metáforas e alegorias — impressionar as "almas" de seus ouvintes, para conseguir algumas vantagens para os escravos, que eram, no fundo, a razão de seu apostolado.

Depois de dissertar sobre o tema "Vós sois o sal da Terra", o nosso eloquente orador passou a discorrer acerca dos "homens-peixes" para, a certa altura, desferir esta certeira assertiva:

> A primeira coisa que me desedifica de vós — peixes — é que vós comeis uns aos outros. Não só vós comeis uns aos outros, senão que os grandes comem os pequenos. Se fora pelo contrário, era menos mal. Se os pequenos comessem os grandes, bastaria um grande para muitos pequenos; mas como os grandes comem os pequenos, não bastam cem pequenos, nem mil, para um só grande e para que vejais como estes comidos na terra são os pequenos, e pelos mesmos modos que vós vos comeis no mar...

03 - Sermão da Sexagésima
(ou do Evangelho)

Se com o Sermão dos Peixes Antônio Vieira se despediu, temporariamente, dos colonos de São Luís do Maranhão, no Sermão da Sexagésima, pregado na Capela Real, em Lisboa, em 1655, ele discorreu brilhantemente sobre a missão do semeador da palavra divina — que ele mesmo era — e acerca das agruras por que os semeadores passavam, ilustrando-o com as vicissitudes por ele suportadas no Maranhão e estabelecendo o contraste com a suavidade da vida dos padres que se ficavam pela capital do reino. Escolhido pelo próprio autor para figurar em primeiro lugar na obra em que publicou os seus sermões, decerto Vieira considerava o Sermão da Sexagésima o seu *primus inter pares*, portanto, o melhor.

Neste sermão, o Paiaçu dos índios dá-nos uma lição de mestre sobre a arte de pregar, de bem falar, de bem dizer e de melhor convencer, conferindo-lhe alto valor literário e definindo, para nós, e para si mesmo, as normas e preceitos a que deve obedecer o bom orador, caracterizando o estilo que o imortalizou e a que devemos tantas e tão belas peças de seu sermonário. Tido como um desafio à ordem, sua rival, que muitas dores de cabeça já lhe causara, e muitas mais ainda havia de provocar-lhe, o Sermão da Sexagésima ficou-nos como uma cartilha, a que todos devem recorrer para aprender a arte retórica e a dialética, que infelizmente desapareceram do currículo de nossas faculdades!

Não era sem razão que o grande jesuíta ensinava:

> O estilo pode ser muito claro e muito alto. Tão claro que o entendam os que não sabem, e tão alto que tenham muito que entender [aprender] os que sabem... há de tomar o pregador uma só matéria; há de defini-la para que se conheça, há de dividi-la para que se distinga; há de prová-la com a Escritura, há de declará-la com a razão, há de confirmá-la com o exemplo; há de amplificá-la com as causas, com os efeitos, com as circunstâncias ["eu sou eu e minhas circunstâncias", diria Ortega y Gasset três séculos depois], com as conveniências que se hão de seguir, com os inconvenientes que se hão de evitar; há de responder às dúvidas, há de satisfazer às dificuldades; há de impugnar e refutar, com toda a força da eloquência, os argumentos contrários; e, depois disto, há de colher, há de apertar, há de concluir, há de persuadir, há de acabar.

Talvez aqui esteja o segredo do seu brilho, a chave de seu prestígio, a razão da sua perenidade.

04 - Sermão do Bom Ladrão
(ou da Audácia)

Pregado na igreja da Misericórdia, em Lisboa, na Quaresma de 1655, perante cortesãos e altos dignitários, este sermão temerário só poderia ter sido proferido pelo padre Antônio Vieira e, mesmo assim, antes que seus muitos inimigos tivessem minado o seu prestígio junto aos soberanos, o que — *pour cause* — logo viria a acontecer, porquanto a sua frontalidade, a sua ousadia e a sua verdade atingiam terrivelmente grande parte da elite da época, então — como agora — já simpatizante das contas na Suíça.

Valendo-se do mote de uma carta de São Francisco Xavier a D. João III, afirmando que, na Índia portuguesa, se conjugava o verbo *rapio,* ou "roubar", por todos os modos, Vieira desenvolveu o tema:

> O que eu posso acrescentar, pela experiência que tenho, é que não só do Cabo da Boa Esperança para lá, mas também das partes daquém, se usa igualmente a mesma conjugação. Conjugam por todos os modos o verbo *rapio*, porque furtam de todos os modos da arte (...). Tanto que lá chegam, começam a furtar pelo modo indicativo (...). Furtam pelo modo imperativo (...). Furtam pelo modo mandativo (...). Furtam pelo modo optativo (...). Furtam pelo modo conjuntivo (...). Furtam pelo modo potencial (...). Furtam pelo modo permissivo (...). Furtam pelo modo infinitivo porque não tem fim o furtar com o fim do governo, e sempre lá deixam raízes, em que se vão continuando os furtos.

Em seguida, referindo-se aos príncipes (governantes), declara-os companheiros dos ladrões:

> São companheiros dos ladrões porque os dissimulam; são companheiros dos ladrões porque os consentem; são companheiros dos ladrões porque lhes dão os postos e os poderes; são companheiros dos ladrões porque talvez os defendem, e são, finalmente, seus companheiros porque os acompanham, e hão de acompanhar ao inferno, onde os mesmos ladrões os levam consigo.

05 - Sermão da Epifania
(ou do Evangelho)

Belíssima e genuína peça da oratória de Vieira, pregada na Capela Real, em Lisboa, no dia de Reis de 1662 — em que se comemora a festa da Igreja em homenagem aos Reis Magos — logo após a chegada do padre à capital do reino —, o Sermão da Epifania revela-nos um

Antônio Vieira causídico, autêntico discípulo de Cícero, manejando com muita habilidade os argumentos a favor das missões jesuíticas, invocando a memória de seu grande amigo, protetor das missões, e de si mesmo — o falecido rei D. João IV, que tanta falta lhe iria fazer, mormente agora, após a sua expulsão do Maranhão pelos colonos. E esta violência seria a primeira de uma série que se iria prolongar, porquanto os ventos passaram a ser contrários ao grande jesuíta. Com a mudança de governo, Antônio Vieira acabaria por ser deportado para a cidade do Porto, de onde respondeu às acusações apresentadas pelos colonos de São Luís, cuja consequência foi a privação do poder temporal dos jesuítas e a proibição de Vieira — e só ele — retornar à sua província. Logo se seguiria o longo processo movido pela Inquisição (a sua defesa é outra peça de invulgar valor), pelo qual acabou condenado a quatro anos de cárcere, dos quais cumpriu pouco mais de metade, nas instalações da companhia em Coimbra.

06 - O Pranto e o Riso, ou as Lágrimas de Heráclito defendidasem Roma pelo padre Antônio Vieira contra o riso de Demócrito(Roma, palácio da rainha Cristina da Suécia, 1674)

Antônio Vieira foi, na realidade, um ser iluminado, que nos legou uma obra suficientemente vasta e reveladora do seu pensamento e, caso talvez único, toda ela escrita e transmitida por meio de suas próprias palavras, porquanto todos os seus sermões foram pregados nos púlpitos do mundo, muitos dos quais tiveram o condão de alterar o rumo da história. Entretanto, algumas de suas intervenções e/ou conferências públicas mantiveram-se infelizmente em uma quase penumbra, malgrado a profundidade dos temas, o altíssimo nível das análises e, principalmente, o nível do teor filosófico das teses e conceitos emitidos, mesmo que, por vezes, caracterizados pela subjetividade.

Entre outras peças não sacras, sobressaem a sua defesa perante o tribunal da Inquisição e a defesa das lágrimas de Heráclito (que sempre chorava) contra o riso de Demócrito (que sempre ria), efetuada em Roma, no palácio da rainha Cristina da Suécia; frequentado pelo escol da intelectualidade local, na época constituída — em sua maior parte — pelos cardeais e monsenhores da corte papal. Pronunciada na língua nativa, esta é — talvez — a intervenção de Vieira onde mais sobressai a agudeza de espírito do psicólogo e a capacidade de observação e análise do sociólogo, ambas servidas por um profundo conhecimento dos clássicos, em que avulta a posse e o domínio do gênio da língua, que só encontramos em Camões. Senão, vejamos:

> Há chorar com lágrimas, chorar sem lágrimas e chorar com riso: chorar com lágrimas é sinal de dor moderada; chorar sem lágrimas é sinal de maior dor; e chorar com riso é sinal de dor suma e excessiva. (...). A dor moderada solta as lágrimas, a grande as enxuga, as congela e as seca. (...) A mesma causa, quando é moderada e quando é excessiva, produz efeitos contrários: a luz moderada faz ver, a excessiva faz cegar; (...) a tristeza, se é moderada, faz chorar; se é excessiva, pode fazer rir (...). A ironia tem contrária significação do que soa: o riso de Demócrito era ironia do pranto (...).

Entretanto, se uma introdução por vezes consegue realçar os aspectos mais relevantes de uma obra, no caso de *Os sermões*, tal *desideratum* fica muito comprometido, dado que se trata de literatura de exceção, tão rica, profunda e original, que todos, e cada um de nós, sempre nela encontrará novos motivos pessoais e específicos de satisfação intelectual a recomendarem mais que uma leitura. Assim sendo, com muita atenção, tranquilidade e sem pressa, iniciemo-la.

São Paulo, maio de 2003.

Sermão da Primeira Dominga da Quaresma ou das Tentações[1]

Haec omnia tibi dabo, si cadens adoraveris me.[2]

I

Oh que temeroso dia! Oh que venturoso dia! Estamos no dia das tentações do demônio e no dia das vitórias de Cristo. Dia em que o demônio se atreve a tentar em campo aberto ao mesmo Filho de Deus: *Si Filius Dei es*:[3] oh que temeroso dia! Se até o mesmo Deus é tentado, que homem haverá que não tema ser vencido? Dia em que Cristo com três palavras venceu e derrubou três vezes ao demônio, oh que venturoso dia! A um inimigo três vezes vencido, quem não terá esperanças de o vencer? Três foram as tentações com que o demônio hoje acometeu a Cristo: na primeira, ofereceu; na segunda, aconselhou; na terceira, pediu. Na primeira, ofereceu *Dic ut lapides isti panes fiant*:[4] que fizesse das pedras pão; na segunda, aconselhou *Mitte te deorsum*: que se deitasse daquela torre abaixo; na terceira, pediu *Si cadens adoraveris me*:[5] que caído o adorasse. Vede que ofer-

---

[1] Foi este magnífico sermão pregado na cidade de São Luiz do Maranhão, no ano de 1653. Repassado de nobre e austera eloquência, este supremo discurso alcançou um máximo triunfo — a liberdade dos escravos mal-havidos concedida pelos senhores injustos e cruéis daquela colônia portuguesa. Neste sermão, Vieira atingiu o supremo ideal do perfeito orador: vencer e conquistar o ânimo alheio.
[2] *S. Mateus, IV, 9.*
[3] *Ibid., IV, 6. 3.*
[4] *Ibid., 3.*
[5] *S. Mateus, IV, 9.*

tas, vede que conselhos, vede que petições! Oferece pedras, aconselha precipícios, pede caídas. E com isto ser assim, estas são as ofertas que nós aceitamos, estes os conselhos que seguimos, estas as petições que concedemos. De todas estas tentações do demônio, escolhi só uma para tratar; porque para vencer três tentações é pouco tempo uma hora. E quantas vezes para ser vencido delas basta um instante! A que escolhi das três não foi a primeira nem a segunda, senão a terceira e última, porque ela é a maior, porque ela é a mais universal, ela é a mais poderosa e ela é a mais própria desta terra em que estamos. Não debalde a reservou o demônio para o último encontro, como a lança de que mais se fiava; mas hoje lha havemos de quebrar nos olhos. De maneira, cristãos, que temos hoje a maior tentação: queira Deus que tenhamos também a maior vitória. Bem sabeis que vitórias, e contra tentações, só as dá a graça divina; peçamo-la ao Espírito Santo por intercessão da Senhora; e peço-vos que a peçais com grande afeto, porque nos há de ser hoje mais necessária que nunca. Ave Maria.

II

Haec omnia tibi dabo, si cadens adoraveris me.

Que ofereça o demônio mundos, e que peça adorações! Oh quanto temos que temer: oh quanto temos que imitar nas tentações do demônio! Ter que temer, e muito que temer, nas tentações do demônio, coisa é mui achada e mui sabida: mas ter nas tentações do demônio que imitar? Sim, porque somos tais os homens por uma parte, e é tal a força da verdade por outra, que as mesmas tentações do demônio, que nos servem de ruim, nos podem servir de exemplo. Estai comigo.

Toma o demônio pela mão a Cristo, leva-o a um monte mais alto que essas nuvens, mostra-lhe dali os reinos, as cidades, as cortes de todo o mundo, suas grandezas e diz-lhe desta maneira: *Haec omnia tibi dabo, si cadens adoraveris me*: Tudo isto te darei, se dobrando o joelho me adorares. Há tal proposta? Vem cá, demônio, sabes o que dizes, ou o que fazes? É possível que promete o demônio um mundo por uma só adoração? É possível que oferece o demônio um mundo por um só pecado? É possível que não lhe parece muito ao demônio dar um mundo só por uma alma? Não; porque a conhece, e só quem conhece as coisas as sabe avaliar. Nós, os homens, como nos governamos pelos sentidos corporais, e a nossa alma é espiritual, não a conhecemos; e como não a conhecemos, não a estimamos, e por isso a damos tão barata. Porém o demônio, como é espírito, e a nossa alma também espírito, conhece muito bem o que ela é; e como a conhece, estima-a, e estima-a tanto, que do primeiro lanço oferece por uma alma o mundo todo; porque vale mais uma alma que todo o mundo. Vede se tentações do demônio que nos servem de ruína nos podem servir de exemplo. Aprendamos sequer do demônio a avaliar e a estimar nossas almas. Fique-nos, cristãos, que vale mais uma alma que todo o mundo. E é tão manifesta verdade esta que até o demônio, inimigo capital das almas, a não pode negar.

Mas já que o demônio nos dá doutrina, quero-lhe eu criar um quinau. Vem cá, demônio, outra vez. Tu, sábio? Tu, astuto? Tu, tentador? Vai-te daí, que não sabes tentar. Se tu querias que Cristo se ajoelhasse diante de ti, e souberas negociar, tu o renderas. Vais-lhe oferecer a Cristo mundos? Oh que ignorância! Se quando lhe davas um mundo, lhe tiraras uma alma, logo o tinhas de joelhos a teus pés. Assim aconteceu. Quando Judas* estava na Ceia, já o diabo estava em Judas: *Cum jam diabolus misisset in cor, ut traderet eum Judas*.[6] Vendo Cristo que o demônio lhe levava aquela alma, põe-se de joelhos aos pés de Judas, para lhos lavar e para o converter. Então, Senhor meu, reparai no que fazeis, não vedes que o demônio está assentado no coração de Judas? Não vedes que em Judas está revestido o demônio, e vós mesmo o dissestes: *Unus ex vobis diabolus est?*[7] Pois será bem que Cristo esteja ajoelhado aos pés do demônio? Cristo ajoelhado aos pés de Judas, assombro é, pasmo é; mas Cristo ajoelhado, Cristo de joelhos diante do diabo? Sim. Quando lhe oferecia o mundo, não o pôde conseguir: tanto que lhe quis levar uma alma, logo o teve a seus pés. Para que acabemos de entender os homens cegos, que vale mais a alma de cada um de nós que todo um mundo. As coisas estimam-se e avaliam-se pelo que custam. Que lhe custou a Cristo uma alma, e que lhe custou o mundo? O mundo custou-lhe uma palavra: *Ipse dixit, et facta sunt*:[8] uma alma custou-lhe a vida e o sangue todo. Pois se o mundo custa uma só palavra de Deus, e a alma custa todo o sangue de Deus, julgai se vale mais uma alma que

---

* O apóstolo que traiu Cristo por 30 dinheiros.
[6] *Joan., XIII.*
[7] *Ibid., VI, 71.*
[8] *Psalm., CXLVIII, 10.*

todo o mundo. Assim o julga Cristo e assim o não pode deixar de confessar o mesmo demônio. E só nós somos tão baixos estimadores de nossas almas, que lhas vendemos pelo preço que vós sabeis.

Espantamo-nos que Judas vendesse a seu Mestre e a sua alma por trinta dinheiros; e quantos há que andam rogando com ela ao demônio por menos de quinze! Os irmãos de José eram onze e venderam-no por vinte dinheiros; saiu-lhe por menos de dois dinheiros a cada um. Oh se considerássemos bem os nadas por que vendemos a nossa alma! Todas as vezes que um homem ofende a Deus mortalmente, vende a sua alma: *Venumdatus est, ut faceret malum*, diz a Escritura falando de Acab.[9] Eu, cristãos, não quero agora, nem vos digo que não vendais a vossa alma, porque sei que a haveis de vender; só vos peço que, quando a venderdes, que a vendais a peso. Pesai primeiro o que é uma alma, pesai primeiro o que vale e o que custou; e depois eu vos dou licença que a vendais embora. Mas em que balanças se há de pesar uma alma? Nas balanças do juízo humano não porque são mui falsas: *Mendaces filii hominum in stateris*.[10] Pois em que balanças logo? Cuidaríeis que vos havia de dizer que nas balanças de S. Miguel, o Anjo, onde as almas se pesam? Não quero tanto: digo que as peseis nas balanças do mesmo demônio, e eu me dou por contente. Tomai as balanças do demônio nas mãos; ponha em uma parte o mundo todo, e na outra uma alma, e achareis que pesa mais a vossa alma que todo o mundo. *Haec omnia tibi dabo, si cadens adoraveris me*: Tudo isto te darei, se me deres a tua alma. Não lhe atirou com menos bala a Cristo, que com o mundo inteiro. Mas já que vos dou licença para vender, ponhamos este contrato do demônio em prática e vejamos se é bom o partido.

Suponhamos primeiramente que o demônio no seu oferecimento falava verdade e que podia e havia de dar o mundo; suponhamos mais, que Cristo não fosse Deus senão um puro homem, e tão fraco, que pudesse e houvesse de cair na tentação. Pergunto: se este homem recebesse o mundo todo, e ficasse senhor dele, e entregasse sua alma ao demônio, ficaria bom mercador? Faria bom negócio? O mesmo Cristo o disse noutra ocasião: *Quid prodest homini si mundum universum lucretur: animae vero suae detrimentum patiatur?*[11] Que lhe aproveita ao homem ser senhor de todo o mundo, se tem a sua alma

---

[9] *3ª Livro dos Reis, XXI, 25*.
[10] *Psalm., LXI, 10*.
[11] *S. Mateus, XVI, 26*.

no cativeiro do demônio? Oh que divina consideração! Alexandre Magno e Júlio César foram senhores do mundo; mas as suas almas agora estão ardendo no inferno e arderão por toda a eternidade. Quem me dera agora perguntar a Júlio César e a Alexandre Magno, que lhes aproveitou haverem sido senhores do mundo, e se acharam que foi bom contrato dar a alma pelo adquirir. Alexandre, Júlio, foi bom serdes senhores do mundo todo, e estardes agora onde estais? Já que eles me não podem responder, respondei-me vós. Pergunto: tomáreis agora algum de vós ser Alexandre Magno? Tomáreis ser Júlio César? Deus nos livre. Como, se foram senhores de todo o mundo? É verdade, mas perderam as suas almas. Oh cegueira! E para Alexandre, para Júlio César, parece-vos mau dar a alma por todo o mundo; e para nós perece-vos bem dar a alma pelo que não é mundo nem tem de mundo o nome? Sabeis de que nasce tudo isto? De falta de consideração; de não tomardes o peso à vossa alma. *Quid prodest homini?*[12] — Que aproveitaria ao homem lucrar todo o mundo e perder a sua alma? *Aut quam dabit homo commutationem pro anima sua?* Oh que coisa há no mundo pela qual se possa uma alma trocar?

Todas as coisas deste mundo têm outra por que se possam trocar. O descanso pela fazenda, a fazenda pela vida, a vida pela honra, a honra pela alma; só a alma não tem por que se trocar. E sendo que não há no mundo coisa tão grande por que se possa trocar a alma, não há coisa no mundo tão pequena e tão vil por que a não troquemos, e a não demos. Ouvi uma verdade de Sêneca,* que por ser de um gentio, folgo de a repetir muitas vezes — *Nihil est homini se ipso vilius*: Não há coisa para conosco mais vil que nós mesmos. Revolvei a vossa casa, buscai a coisa mais vil de toda ela e achareis que é vossa própria alma. Provo. Se vos querem comprar a casa, o canavial, o escravo ou o cavalo, não lhe pondes um preço muito levantado e não o vendeis muito bem vendido? Pois se a vossa casa e tudo o que nela tendes o não quereis dar, senão pelo que vale; a vossa alma, que vale mais que o mundo todo; a vossa alma, que custou tanto como o sangue de Jesus Cristo, por que a haveis de vender tão vil e tão baixamente? Que vos fez, que vos desmereceu a triste alma? Não a tratareis sequer como o vosso escravo e como o vosso cavalo? Se vos perguntam acaso porque não vendeis a vossa fazenda por menos do que vale, dizeis

---

[12] *S. Mateus, IV, 6.*

* Grande filosófico e escritor, nasceu na Ibéria, daí Vieira chamá-lo "gentio".

que a não quereis queimar. E quereis queimar a vossa alma? Ainda mal porque a haveis de queimar e porque há de arder eternamente.

Ora, cristãos, não sejam assim: aprendamos ao menos do demônio a estimar nossa alma. Vejamos o que o demônio hoje fez por uma alma alheia para que nós nos corramos e confundamos do pouco que fazemos pelas próprias. Vai-se o demônio ao deserto, está-se nele quarenta dias e quarenta noites, como se fora um anacoreta; e em todo este tempo esteve vigiando, e espreitando ocasião, e tanto que a teve, não deixou pedra por mover para a conseguir. Vendo que não lhe sucedia, parte para Jerusalém, e sendo tão inimigo de Deus, vai-se ao Templo para persuadir a Cristo que se arrojasse do pináculo: *Mitte te deorsum*:[13] estuda livros, alega Escrituras, interpreta salmos: *Scriptum est enim, quia angelis suis mandavit de te, et in manibus tollent te, ne forte offendas ad lapidem pedem tuum*.[14] Resistindo também aqui, e vencido segunda vez o demônio, nem por isso desmaia: corre vales, atravessa montes, sobe ao mais alto de todos; e só por ver se podia fazer cair a Cristo, não repara em dar de uma só vez o mundo todo. E que o demônio faça tudo isto por uma alma alheia; e que façamos nós tão pouco pela própria! Que se ponha o demônio quarenta dias em um deserto para me tentar; e que eu nos quarenta dias da Quaresma não tome um quarto de hora de retiro para lhe saber resistir! Que vigie o demônio e espreite todas as ocasiões para me condenar; e que deixe eu passar tantas de minha salvação; e ocasiões que uma vez perdidas não se podem recuperar! Que vá o demônio ao Templo de Jerusalém distante tantas léguas, para me despenhar ao pecado; e que tendo eu a Igreja à porta, não me saiba ir meter em um canto dela, como o Publicano, para chorar meus pecados! Que o demônio, para me persuadir, estude e alegue os livros sagrados; e que eu não abra um só espiritual, para que Deus fale comigo, já que eu não sei falar com ele! Que o demônio, vencido a primeira e segunda vez, insista, e não desmaie para me render; e que se comecei acaso alguma obra boa, à primeira dificuldade desista e não tenha constância nem perseverança em nada! Que o demônio, para me fazer cair, desça vales e suba montes; e que eu não dê um passo para me levantar, tendo dado tantos para me perder! Finalmente, que o demônio, para granjear a minha alma, não repare em dar no primeiro lanço o mundo todo; e que

---

[13] *Ibid.*
[14] *Ibid.*

eu estime a minha alma tão pouco que bastem os mais vis interesses do mundo para a entregar ao demônio! Oh miséria! Oh cegueira! A que diferente preço compra hoje o demônio as almas do que oferecia por elas antigamente! Já nesta nossa terra, vos digo eu! Nenhuma feira tem o demônio no mundo, onde lhe saiam mais baratas: no nosso Evangelho ofereceu todos os reinos do mundo por uma alma; no Maranhão não é necessário ao demônio tanta bolsa para comprar todas; não é necessário oferecer mundos; não é necessário oferecer reinos; não é necessário oferecer cidades, nem vilas, nem aldeias. Basta acenar o diabo com um tujupar de pindoba e dois tapuias;* e logo está adorado com ambos os joelhos: *Si cadens adoraveris me.* Oh que feira tão barata! Negro por alma; e mais negra ela que ele! Esse negro será teu escravo esses poucos dias que viver, e a tua alma será minha escrava por toda a eternidade, enquanto Deus for Deus. Este é o contrato que o demônio faz convosco; e não só lho aceitais, senão que lhe dais o vosso dinheiro em cima.

III

Senhores meus, somos entrados à força do Evangelho na mais grave e mais útil matéria que tem este Estado. Matéria em que vai ou a salvação da alma ou o remédio da vida; vede se é grave e se é útil. É a mais grave, é a mais importante, é a mais intrincada, e sendo a mais útil, é a mais gostosa. Por esta última razão de menos gostosa, tinha eu determinado de nunca vos falar nela; e por isso também de não subir ao púlpito. Subir ao púlpito para dar desgosto não é de meu ânimo, e muito menos a pessoas a quem eu desejo todos os gostos e todos os bens. Por outra parte subir ao púlpito e não dizer a verdade é contra o ofício, contra a consciência, principalmente em mim, que tenho dito tantas verdades, e com tanta liberdade, e a tão grandes ouvidos. Por esta causa resolvi trocar um serviço de Deus por outro: e ir-me doutrinar os índios por essas aldeias.

Estando nesta resolução até quinta-feira, houve pessoas, a que não pude perder o respeito, que me obrigaram a que quisesse pregar na cidade esta Quaresma. Prometi-o uma vez e arrependi-me muitas; porque me tornei a ver na mesma perplexidade. É verdade que no juízo dos que tivessem juízo, sempre a minha boa intenção parece que

---

* Tapuia: índio cuja língua não pertence ao tronco tupi-guarani.

estava segura. Pergunto-vos: Qual é melhor amigo: aquele que vos avisa do perigo ou aquele que por vos não dar pena vos deixa perecer nele? Qual médico é mais cristão: aquele que vos avisa da morte ou aquele que, por vos não magoar, vos deixa morrer sem Sacramentos? Todas estas razões tinha por mim, mas não acabava de me deliberar. Fui na sexta-feira pela manhã dizer missa por esta tenção para que Deus me alumiasse e me inspirasse o que fosse mais glória sua; e ao ler da Epístola me disse Deus o que queria que fizesse, com as mesmas palavras dela. São de Isaías no capítulo cinquenta e oito.

Clama, ne cesses; quasi tuba exalta votem tuam, et annuntia populo meo scelera eorum.[15] Brada, ó pregador, e não cesses; levante a tua voz como trombeta, desengana o meu povo, anuncia-lhe seus pecados e dize-lhe o estado em que estão. Já o pregão do rei se lançou com tambores: agora, diz Deus, que se lance o seu com trombetas: *Quasi tuba exalta votem tuam.* Não vos assombre, senhores, o pregão, que como é pregão de Deus, eu vos prometo que seja mais brando e mais benigno que o do rei. E senão, vede as palavras que se seguem: *Me etenim de die in diem quaerunt, et scire vias meas volunt: quasi gens, quae justitiam fecerit, et judicium Dei sui non dereliquerit.*[16] E sabes por que quero que desenganes este meu povo, e por que quero que lhe declares seus pecados? Porque são uns homens, diz Deus, que me buscam todos os dias e fazem muitas coisas em meu serviço, e sendo que têm gravíssimos pecados de injustiças vivem tão desassustados, como se estiveram em minha graça: *Quasi gens, quae justitiam fecerit.* Pois, Senhor, que desengano é o que hei de dar a esta gente, e que é o que lhe hei de anunciar da parte de Deus?

Vede o que dizem as palavras do mesmo texto: *Non ne hoe est magis jejunium, quod elegi? Dissolve colligationes impietatis, et dimitte eos, qui confracti sunt, liberos.*[17] Sabeis, cristãos, sabeis, nobreza e povo do Maranhão, qual é o jejum que quer Deus de vós esta Quaresma? Que solteis as ataduras da injustiça e que deixeis ir livres os que tendes cativos e oprimidos. Estes são os pecados do Maranhão: estes são os que Deus me manda que vos anuncie: *Annuntia populo meo scelera eorum.* Cristãos, Deus me manda desenganar-vos, e eu vos desengano da parte de Deus. Todos estais em pecado mortal: todos

---

[15] *Isaías, LVIII, f.*
[16] *Ibid.*
[17] *Ibid.,* 6.

viveis e morreis em estado de condenação, e todos vós ides direitos ao inferno. Já lá estão muitos, e vós também estareis cedo com eles se não mudardes de vida.

Pois, valha-me Deus! Um povo inteiro em pecado? Um povo inteiro ao inferno? Quem se admira disto não sabe que coisa são cativeiros injustos. Desceram os filhos de Israel ao Egito, e depois da morte de José, cativou-os el-rei Faraó, e servia-se deles como escravos. Quis Deus dar liberdade a este miserável povo, mandou lá Moisés e não lhe deu mais escolta que uma vara. Achou Deus que para pôr em liberdade cativos, bastava uma vara, ainda que fosse libertá-los de um rei tão tirano como Faraó e de uma gente tão bárbara como a do Egito. Não quis faraó dar liberdade aos cativos; começam a chover as pragas sobre ele. A terra se convertia em rãs; o ar se convertia em mosquitos; os rios se convertiam em sangue; as nuvens se convertiam em raios e em coriscos: todo o Egito assombrado e perecendo! Sabeis quem traz as pragas às terras? Cativeiros injustos. Quem trouxe ao Maranhão a praga dos holandeses? Quem trouxe a praga das bexigas? Quem trouxe a fome e a esterilidade? Estes cativeiros. Insistiu e apertou mais Moisés para que Faraó largasse o povo; e que respondeu Faraó? Disse uma coisa e fez outra. O que disse foi: *Nescio Dominum, et Israel non dimittam*:[18] Não conheço a Deus, não hei de dar liberdade aos cativos. Ora, isso me parece bem; acabemos já de vos declarar. Sabeis por que não dais liberdade aos escravos mal-havidos? Porque não conheceis a Deus. Falta de fé é causa de tudo. Se vós tivéreis verdadeira fé, se vós crêreis verdadeiramente na imortalidade da alma, se vós crêreis que há inferno para toda a eternidade; bem me rio eu que quisésseis ir lá pelo cativeiro de um tapuia. Com que confiança vos parece que disse hoje o diabo: *Si cadens adoraveris me?* Com a confiança de lhe ter oferecido o mundo. Fez o demônio este discurso: Eu a este homem ofereço-lhe tudo: se ele é cobiçoso e avarento, há de aceitar; se aceita, sem dúvida me adora idolatrando; porque a cobiça e avareza são a mesma idolatria. É sentença expressa de S. Paulo: *Avaritiam, quae est simulacrorum servitus*.[19] Tal foi a avareza de Faraó em querer reter e não dar liberdade aos filhos de Israel cativos, confessando juntamente que não conhecia a Deus: *Nescio Dominam, et Israel non dimittam*. Isto foi o que disse.

---

[18] *Êxodo, v, 2.*
[19] *Coloss., III, 5.*

O que fez foi, que fugindo todos os israelitas cativos, sai o mesmo rei Faraó com todo o poder de seu reino para os tornar ao cativeiro: e que aconteceu? Abre-se o mar Vermelho, para que passassem os cativos a pé enxuto (que sabe Deus fazer milagres para libertar cativos). Não cuideis que mereceram isto os hebreus por suas virtudes; porque eram piores que esses tapuias: daí a poucos dias adoraram um bezerro; e de todos que eram seiscentos mil homens, só dois entraram na Terra da Promissão: mas é Deus tão favorecedor de liberdades, que os que desmereciam por maus, alcançavam por injustamente cativos. Passados à outra banda do mar Vermelho, entra Faraó pela mesma estrada, que ainda estava aberta, e o mar de uma e outra parte como em muralhas, caem sobre ele e sobre o seu exército as águas, e afogaram a todos. O que aqui reparo é o modo com que conta isto Moisés no seu cântico: *Operuit eos mare: submersi sunt quasi plumbum in aquis vehementibus. Extendisti manum tuam, et devoravit eos terra:*[20] que caiu sobre eles e os afogou o mar, e os comeu e engoliu a terra. Pois se os afogou o mar, como os tragou a terra? Tudo se foi; aqueles homens, como nós, tinham corpo e alma: os corpos afogou-os a água porque ficaram no fundo do mar; as almas tragou-as a terra porque desceram ao profundo do inferno. Todos ao inferno, sem ficar nenhum; porque onde todos perseguem e todos cativam, todos se condenam. Não está bom o exemplo? Vá agora à razão.

Todo homem que deve serviço ou liberdade alheia e podendo-a restituir não restitui, é certo que se condena: todos, ou quase todos os homens do Maranhão devem serviços e liberdades alheias, e podendo restituir, não restituem: logo, todos ou quase todos se condenam. Dir-me-eis que ainda que isto fosse assim, que eles não o cuidavam nem o sabiam; e que a sua boa-fé os salvaria. Nego tal; sim, cuidavam, e sim, sabiam, como também vós o cuidais e o sabeis; e se o não cuidavam nem o sabiam, deveram cuidá-lo e sabê-lo. A uns condena-os a certeza; a outros, a dúvida; a outros, a ignorância. Aos que têm certeza, condena-os o não restituírem; aos que têm dúvida, condena-os o não examinarem; aos que têm ignorância, condena-os o não saberem quando tinham obrigação de saber. Ah se agora se abrissem essas sepulturas e aparecesse aqui algum dos que morreram neste infeliz estado, como é certo que ao fogo das suas labaredas havíeis de ler claramente esta verdade! Mas sabeis por que Deus não permite que

---

[20] *Êxodo, XV, 10 e 12.*

vos apareça? É pelo que Abraão disse ao rico avarento quando lhe pedia que mandasse Lázaro a este mundo: *Habent Moysen, et prophetas*:[21] não é necessário que vá de cá do inferno quem lhe apareça e lhe diga a verdade; lá tem a Moisés e a Lei; lá tem os profetas e doutores. Meus irmãos, se há quem duvide disto, aí estão as leis, aí estão os letrados, perguntem-lho. Três religiões tendes neste Estado, onde há tantos sujeitos de tantas virtudes e tantas letras, perguntai, examinai, informai-vos. Mas não é necessário ir às religiões: ide à Turquia, ide ao inferno, porque não pode haver turco tão turco na Turquia nem demônio tão endemoninhado no inferno que diga que um homem livre pode ser cativo. Há algum de vós, só com o lume natural, que o negue? Pois em que duvidais?

IV

Vejo que me dizeis: Bem estava isso, se nós tivéramos outro remédio; e com o mesmo Evangelho no queremos defender. Qual foi mais apertada tentação, a primeira ou a terceira? Nós entendemos que a primeira; porque na primeira estava Cristo com fome de quarenta dias, e ofereceu-lhe, o demônio, pão; na terceira ofereceu-lhe reinos e monarquias: e um homem pode viver sem reinos e sem impérios, mas sem pão para a boca não pode viver, e neste aperto vivemos nós. Este povo, esta república, este Estado não se pode sustentar sem índios. Quem nos há de ir buscar um pote de água ou um feixe de lenha? Quem nos há de fazer duas covas de mandioca? Hão de ir nossas mulheres? Hão de ir nossos filhos? Primeiramente não são estes os apertos em que vos hei de pôr, como logo vereis; mas quando a necessidade e a consciência obriguem a tanto, digo que sim, e torno a dizer que sim, que vós, que vossas mulheres, que vossos filhos e que todos nós nos sustentássemos dos nossos braços; porque melhor é sustentar do suor próprio que do sangue alheio. Ah, fazendas do Maranhão, que se esses mantos e essas capas se torceram, haviam de lançar sangue! A samaritana ia com um cântaro buscar água à fonte, e foi tão santa como sabemos. Jesabel era mulher de el-rei Acab, rainha de Israel, e foi comida de cães e sepultada no inferno, porque tomou a Nabot uma vinha, que não lhe chegou a tomar a liberdade. Pergunto:

---

[21] *S. Lucas, XVI*, 29.

qual é melhor, levar o cântaro à fonte e ir ao céu como a samaritana, ou ser senhora, servida e rainha, e ir ao inferno como Jesabel? Melhor era que nós Adão, e tinha ofendido a Deus com menos pecados, e devia ao trabalho de suas mãos o bocado de pão que metia na boca. Filho de Deus era Cristo, e ganhava com um instrumento mecânico o com que sustentava a vida, que depois havia de dar por nós. Faz isto por nós o mesmo Deus; e nós desprezar-nos-emos de fazer outro tanto por guardar a sua lei?

Direis que os vossos chamados escravos são os vossos pés e mãos; e também podereis dizer que os amais muito, porque os criastes como filhos, e porque vos criara os vossos. Assim é; mas já Cristo respondeu a esta réplica: *Si oculus tuus scandalizat te, erue eum: et si manus, vel pes tuus scandalizat te, amputa illum.*[22] Não quer dizer Cristo que arranquemos os olhos nem que cortemos os pés e as mãos, mas quer dizer que se nos servir de escândalo aquilo que amarmos como os nossos olhos e aquilo que havemos mister como os pés e as mãos, que o lancemos de nós, ainda que nos doía, como se o cortáramos. Quem há que não ame muito o seu braço e a sua mão? Mas se nela lhe saltaram herpes, permite que lha cortem, por conservar a vida. O mercador ou passageiro que vem da Índia ou do Japão muito estima as drogas que tanto lhe custaram lá; mas se a vida periga, vai tudo ao mar, para que ela se salve. O mesmo digo no nosso caso. Se para segurar a consciência e para salvar a alma for necessário perder tudo, e ficar como um Jó,* perca-se tudo.

Mas, bom ânimo, senhores meus, que não é necessário chegar a tanto, nem a muito menos. Estudei o ponto com toda a diligência e com todo o afeto; e seguindo as opiniões mais largas e mais favoráveis, venho a reduzir as coisas a estado que entendo que com muito pouca perda temporal se podem segurar as consciências de todos os moradores deste Estado, e com muito grandes interesses podem melhorar suas conveniências para o futuro. Dai-me atenção.

Todos os índios deste Estado ou são os que vos servem como escravos, ou os que moram nas aldeias de el-rei como livres, ou os que vivem no sertão em sua natural e ainda maior liberdade: os quais por esses rios se vão comprar ou resgatar (como dizem) dando

---

[22] *S. Mateus, V, 29. S. Marcos, IX, 42 e 44.*

* Personagem bíblico, muito rico, foi tentado por satanás, que o levou à miséria. *O Livro de Jó* é uma obra-prima da literatura hebraica.

o piedoso nome de resgate a uma venda tão forçada e violenta, que talvez se faz com a pistola nos peitos. Quanto àqueles que vos servem, todos nesta terra são herdados, havidos e possuídos de má-fé, segundo a qual não farão pouco (ainda que o farão facilmente) em vos perdoar todo o serviço passado. Contudo, se depois de lhes ser manifesta esta condição de sua liberdade, por serem criados em vossa casa e com vossos filhos, ao menos os mais domésticos, espontânea e voluntariamente vos quiserem servir e ficar nela, ninguém, enquanto eles tiverem esta vontade, os poderá apartar de vosso serviço. E que se fará de alguns deles, que não quiserem continuar nesta sujeição? Estes serão obrigados a ir viver nas aldeias de el-rei, onde também vos servirão na forma que logo veremos. Ao sertão se poderão fazer todos os anos entradas, em que verdadeiramente se resgatem os que estiverem (como se diz) em cordas, para serem comidos: e se lhes comutará esta crueldade em perpétuo cativeiro. Assim serão também cativos todos os que sem violência forem vendidos como escravos de seus inimigos, tomados em justa guerra, da qual serão juízes o governador de todo o Estado, o ouvidor geral, o vigário do Maranhão ou do Pará e os prelados das quatro religiões — carmelitas, franciscanos, mercenários e da Companhia de Jesus. Todos os que deste juízo saírem qualificados por verdadeiramente cativos se repartirão aos moradores pelo mesmo preço por que foram comprados. E os que não constar que a guerra em que foram tomados fora justa, que se fará deles? Todos serão aldeados em novas povoações, ou divididos pelas aldeias que hoje há, donde, repartidos com os demais índios delas pelos moradores, os servirão em seis meses do ano alternadamente de dois em dois, ficando os outros seis meses para tratarem de suas lavouras e famílias. De sorte que nesta forma todos os índios deste Estado servirão aos portugueses; ou como próprios e inteiramente cativos, que são os de corda, os de guerra justa e os que livre e voluntariamente quiserem servir, como dissemos dos primeiros; ou como meios cativos, que são todos os das antigas e novas aldeias, que pelo bem e conservação do Estado me consta que, sendo livres, se sujeitarão a nos servir e ajudar a metade do tempo de sua vida. Só resta saber qual será o preço destes que chamamos meios cativos, ou meios livres, com que se lhes pagará o trabalho do seu serviço. É matéria de que se rirá qualquer outra nação do mundo e só nesta terra se não admira. O dinheiro desta terra é pano de algodão e o preço ordinário por que servem os índios, e servirão cada mês, são duas varas deste pano, que valem dois tostões! Donde se segue, que por menos de sete réis de cobre servirá um índio cada dia! Coisa que é indigna de se dizer, e muito mais indigna, de que por não pagar tão leve preço haja homens de entendimento e de cristandade que queiram condenar suas almas e ir ao inferno.

V

Pode haver coisa mais moderada? Pode haver coisa mais posta em razão que esta? Quem se não contentar e não satisfizer disto, uma de duas: ou não é cristão ou não tem entendimento. E senão, apertemos o ponto e pesemos os bens e os males desta proposta.

O mal é um só, que será haverem alguns particulares de perder alguns índios, que eu vos prometo, que sejam mui poucos. Mas aos que nisto repararem pergunto: Morreram-vos já alguns índios? Fugiram-vos já alguns índios? Muitos. Pois o que faz a morte, por que o não fará a razão? O que faz o sucesso da fortuna, por que o não fará o escrúpulo da consciência? Se vieram as bexigas e vo-los levaram todos, que havíeis de fazer? Havíeis de ter paciência. Pois não é melhor perdê-los por serviço de Deus que perdê-los por castigo de Deus? Isto não tem resposta.

Vamos aos bens, que são quatro os mais consideráveis. O primeiro é ficardes com as consciências seguras. Vede que grande bem este. Tirar-se-á este povo do estado de pecado mortal; vivereis como cristãos, confessar-vos-eis como cristãos, morrereis como cristãos, testareis de vossos bens como cristãos; enfim, ireis ao céu, não ireis ao inferno, ao menos certamente, que é triste coisa.

O segundo bem é que tirareis de vossas casas esta maldição. Não há maior maldição numa casa nem numa família que servir-se com suor e com sangue injusto. Tudo vai para trás: nenhuma coisa se logra, tudo leva o diabo. O pão que assim se granjeia é como o que hoje ofereceu o diabo a Cristo; pão de pedras, que quando se não atravessa na garganta, não se pode digerir. Vede-o nestes que tiram muito pão do Maranhão, vede se o digeriu algum, ou se se lhe logrou algum? Houve quem se lhe atravessou na garganta que nem confessar-se pôde.

O terceiro bem é que por este meio haverá muitos resgates com que se tirarão muitos índios; que doutra maneira não os haverá. Não dizeis vós que este Estado não se pode sustentar sem índios? Pois se os sertões se fecharem, se os resgates se proibirem totalmente, mortos estes poucos índios que há, que remédio tendes? Importa logo haver resgates, e só por este meio se poderão conceder.

Quarto e último bem, que feita uma proposta nesta forma, será digna de ir às mãos de Sua Majestade, e de que Sua Majestade a aprove e a confirme. Quem pede o ilícito e o injusto merece que lhe neguem o lícito e o justo; e quem requer com consciência, com justiça e com razão merece que lha façam. Vós sabeis a proposta que aqui fazíeis? Era uma proposta que nem os vassalos a podiam fazer em consciência, nem os ministros a podiam consultar em consciência, nem o rei a podia conceder em consciência. E ainda que por impossível el-rei tal permitisse ou dissimulasse, de que nos servia isso, ou que nos importava? Se el-rei permitir que eu jure falso, deixará o juramento de ser pecado? Se el-rei permitir que eu furte, deixará o furto de ser pecado? O mesmo passa nos índios. El-rei poderá mandar que os cativos sejam livres; mas que os livres sejam cativos, não chega lá sua jurisdição. Se tal proposta fosse ao reino, as pedras da rua se haviam de levantar contra os homens do Maranhão. Mas se a proposta for lícita, se for justa, se for cristã, as mesmas pedras se porão de vossa parte e quererá Deus que não sejam necessárias pedras nem pedreiras. Todos assinaremos, todos informaremos, todos ajudaremos, todos requereremos, todos encomendaremos a Deus, que ele é o Autor do bem e não pode deixar de favorecer intentos tanto de seu serviço. E tenho dito.

VI

Ora, cristãos e senhores da minha alma, se nestas verdades e desenganos, que acabo de vos dizer; se nesta minha breve proposta consiste todo o vosso bem e toda a vossa esperança espiritual e temporal; se só por este caminho vos podeis segurar nas consciências; se por este caminho vos podeis salvar e livrar vossas almas do inferno; se o que se perde, ainda temporariamente, é tão pouco e pode ser que não seja nada; e as conveniências e bens, que daí se esperam, são tão consideráveis e tão grandes; que homem haverá tão mau cristão, que homem haverá tão mal-entendido, que homem haverá tão esquecido de Deus, tão cego, tão desleal, tão inimigo de si mesmo, que se não contente de uma coisa tão justa e tão útil, que a não queira, que a não aprove, que a não abrace? Por reverência de Jesus Cristo, cristãos, e por aquele amor, com que aquele Senhor hoje permitiu ser tentado, para nos ensinar a ser vencedores das tentações; que metamos hoje o demônio debaixo dos pés e que vençamos animosamente esta cruel tentação que a tantos nesta terra tem levado ao inferno e nos vai levando também a nós. Demos esta vitória a Cristo, demos esta glória a Deus, demos este triunfo ao céu, demos este pesar ao inferno, demos este remédio à terra em que vivemos, demos esta honra à nação portuguesa, demos este exemplo à cristandade, demos esta fama ao mundo.

Saiba o mundo, saibam os hereges e os gentios, que não se enganou Deus quando fez aos portugueses conquistadores e pregadores de seu santo Nome. Saiba o mundo que ainda há verdade, que ainda há temor de Deus, que ainda há alma, que ainda há consciência e que não é o interesse tão absoluto e tão universal senhor de tudo, como se cuida. Saiba o mundo que ainda há quem por amor de Deus e da sua salvação meta debaixo dos pés os interesses. Quanto mais, senhores, que isto não é perder interesses, é multiplicá-los, é acrescentá-los, é semeá-los, é dá-los à usura. Dizei-me, cristãos, se tendes fé: os bens deste mundo, quem é que os dá; quem é que os reparte? Dizeis-me que é Deus. Pois pergunto: qual será melhor diligência para mover a Deus a que vos dê muitos bens, servi-lo ou ofendê-lo? Obedecer e guardar a sua lei ou quebrar todas as leis? Ora tenhamos fé e tenhamos uso de razão.

Deus, para vos sustentar e para vos fazer ricos, não depende de que tenhais um tapuia mais ou menos. Não vos pode Deus dar maior novidade com dez enxadas que todas as vossas diligências com trinta? Não é melhor ter dois escravos que vos vivam vinte anos, que ter quatro que vos morram ao segundo? Não rendem mais dez caixas de açúcar que cheguem a salvamento a Lisboa que quarenta levadas a Argel ou Zelândia? Pois se Deus é o senhor das novidades da terra; se Deus é o Senhor dos fôlegos dos escravos; se Deus é o Senhor dos ventos, dos mares, dos corsários e das navegações; se todo o bem ou mal está fechado na mão de Deus; se Deus tem tantos modos e tão fáceis de vos enriquecer ou de vos destruir; que loucura e que cegueira é cuidar que podeis ter bens algum, nem vós nem vossos filhos, que seja contra o serviço de Deus? Faça-se o serviço de Deus, acuda-se à alma e à consciência, e logo os interesses temporais estarão seguros: *Quaerite primum regnum Dei, et justitiam ejus, et haec omnia adjicientur vobis.*[23]

---

[23] S. Mateus, VI, 33.

Mas quando não forem nem se segurarem por esta via nossos interesses, faça-se o serviço de Deus, acuda-se à consciência, acuda--se à alma e corte-se por onde se cortar, ainda que seja pelo sangue e pela vida.

Dizei-me, cristãos: Se vos vireis em poder de um tirano que vos quisesse tirar a vida pela fé de Cristo, que havíeis de fazer? Dar a vida e mil vidas. Pois o mesmo é dar a vida pela fé de Deus que dar a vida pelo serviço de Deus. Não há mais cruel tirano que a pobreza e a necessidade; e padecer às mãos deste tirano por não ofender a Deus, também é ser mártir, diz Santo Agostinho. Nada disto há de ser necessário, como já vos tenho dito; mas quem é cristão verdadeiro há de estar com este ânimo e com esta resolução.

Senhor Jesus: este é o ânimo e esta é a resolução com que estão de hoje por diante estes vossos tão fiéis católicos. Ninguém há aqui que queira outro interesse mais que servir-vos; ninguém há aqui que queira outra conveniência mais que amar-vos; ninguém há que tenha outra ambição mais que de estar eternamente obediente e rendido a vossos pés. A vossos pés está a fazenda, a vossos pés estão os interesses, a vossos pés estão os escravos, a vossos pés estão os filhos, a vossos pés está o sangue, a vossos pés está a vida; para que corteis por ela e por eles, para que façais de tudo e de todos o que for mais conforme à vossa santa lei. Não é assim, cristãos? Assim é, assim o digo; assim o digo e prometo a Deus em nome de todos. Vitória, pois, por parte de Cristo, vitória; vitória contra a maior tentação do demônio. Morra o demônio, morram suas tentações, morra o pecado, morra o inferno, morra a ambição, morra o interesse; e viva só o serviço de Deus, viva a fé, viva a cristandade, viva a consciência, viva a alma, viva a lei de Deus e o que ela ordenar, viva Deus, e vivamos todos: nesta vida com muita abundância de bens, principalmente os da graça; e na outra por toda a eternidade os da glória: *Ad quam nos, etc.*

❖

Sermão de Santo Antônio
ou dos Peixes

Pregado na cidade de São Luís do Maranhão, no ano de 1654.

Vos estis sal terrae.[1]

Vós, diz Cristo, Senhor nosso, falando com os pregadores, sois o sal da terra: e chama-lhes sal da terra porque quer que façam na terra o que faz o sal. O efeito do sal é impedir a corrupção, mas quando a terra se vê tão corrupta como está a nossa, havendo tantos nela que têm ofício de sal, qual será, ou qual pode ser, a causa desta corrupção? Ou é porque o sal não salga ou porque a terra se não deixa salgar. Ou é porque o sal não salga e os pregadores não pregam a verdadeira doutrina; ou porque a terra se não deixa salgar e os ouvintes, sendo verdadeira a doutrina que lhes dão, a não querem receber. Ou é porque o sal não salga e os pregadores dizem uma coisa e fazem outra; ou porque a terra se não deixa salgar, e os ouvintes querem antes imitar o que eles fazem que fazer o que dizem. Ou é porque o sal não salga e os pregadores se pregam a si, e não a Cristo; ou porque a terra se não deixa salgar e os ouvintes, em vez de servir a Cristo, servem a seus apetites. Não é tudo isto verdade? Ainda mal!

Suposto, pois, que ou o sal não salgue ou a terra se não deixe salgar, que se há de fazer a este sal e que se há de fazer a esta terra? O que se há de fazer ao sal que não salga, Cristo o disse logo: *Quod si sal evanuerit, in quo salietur? Ad nihilum valet ultra, nisi ut mittatur foras, et conculcetur ab hominibus.*[2] "Se o sal perder a substância e a

---

[1] *S. Mateus, V, 13.* — Tradução: Vós sois o sal da terra.
[2] *S. Mateus, V, 13.* — O versículo, na íntegra, é o seguinte: Vós sois o sal da terra: e se o sal for insípido, com que se há de salgar? Para nada mais presta senão para se lançar fora e ser pisado pelos homens.

virtude, e o pregador faltar à doutrina e ao exemplo, o que se lhe há de fazer é lançá-lo fora como inútil para que seja pisado de todos." Quem se atrevera a dizer tal coisa, se o mesmo Cristo a não pronunciara? Assim como não há quem seja mais digno de reverência e de ser posto sobre a cabeça que o pregador, que ensina e faz o que deve; assim é merecedor de todo o desprezo e de ser metido debaixo dos pés o que com a palavra ou com a vida prega o contrário.

Isto é o que se deve fazer ao sal que não salga. E à terra que se não deixa salgar, que se lhe há de fazer? Este ponto não resolveu Cristo, Senhor nosso, no Evangelho; mas temos sobre ele a resolução do nosso grande português Santo Antônio,[3] que hoje celebramos, e a mais galharda e gloriosa resolução que nenhum santo tomou.

Pregava Santo Antônio em Itália, na cidade de Arimino,[4] contra os hereges, que nela eram muitos, e como erros de entendimento são dificultosos de arrancar, não só não fazia fruto o santo, mas chegou o povo a se levantar contra ele e faltou pouco para que lhe não tirassem a vida. Que faria neste caso o ânimo generoso do grande Antônio? Sacudiria o pó dos sapatos, como Cristo aconselha, em outro lugar? Mas Antônio, com os pés descalços, não podia fazer esta protestação; e uns pés, a que se não pegou nada da terra, não tinham que sacudir. Que faria logo? Retirar-se-ia? Calar-se-ia? Dissimularia? Daria tempo ao tempo? Isso ensinaria porventura a prudência ou a covardia humana; mas o zelo da glória divina, que ardia naquele peito, não se rendeu a semelhantes partidos. Pois que fez? Mudou somente o púlpito e o auditório, mas não desistiu da doutrina. Deixa as praças, vai-se às praias; deixa a terra, vai-se ao mar, e começa a dizer a altas vozes: Já que me não querem ouvir os homens, ouçam-me os peixes. Oh maravilhas do Altíssimo! Oh poderes do que criou o mar e a terra! Começam a ferver as ondas, começam a concorrer os peixes, os grandes, os maiores, os pequenos, e postos todos por sua ordem com as cabeças de fora da água, Antônio pregava, e eles ouviam.

Se a Igreja quer que preguemos de Santo Antônio sobre o Evangelho, dê-nos outro. *Vos estis sal terrae*. É muito bom texto para

---

[3] *... nosso grande português Santo Antônio* — Trata-se de Santo Antônio de Pádua, pregador, nascido em Lisboa em 1195 e que morreu perto de Pádua em 1231. Era profundo conhecedor da Bíblia e seus sermões impressionavam toda a gente.
[4] *Arimino* — Atual cidade de Rimini, banhada pelo Mar Adriático.

os outros santos doutores:[5] mas para Santo Antônio vem-lhe muito curto.* Os outros santos doutores da Igreja foram sal da terra; Santo Antônio foi sal da terra e foi sal do mar. Esse é o assunto que eu tinha para tomar hoje. Mas há muitos dias que tenho metido no pensamento que, nas festas dos santos, é melhor pregar como eles que pregar deles. Quanto mais que o sal da minha doutrina, qualquer que ele seja, tem tido nesta terra uma fortuna tão parecida à de Santo Antônio em Arimino, que é força segui-la em tudo. Muitas vezes vos tenho pregado nesta igreja e noutras, de manhã e de tarde, de dia e de noite, sempre com doutrina muito clara, muito sólida, muito verdadeira, e a que mais necessária e importante é a esta terra, para emenda e reforma dos vícios que a corrompem. O fruto que tenho colhido desta doutrina, e se a terra tem tomado o sal, ou se tem tomado dele, vós o sabeis, e eu por vós o sinto.

Isto suposto, quero hoje, à imitação de Santo Antônio, voltar-me da terra ao mar, e já que os homens se não aproveitam, pregar aos peixes. O mar está tão perto que bem me ouvirão. Os demais podem deixar o sermão, pois não é para eles. Maria, quer dizer, *Domina maris*: "Senhora do mar", e posto que o assunto seja tão desusado, espero que me não falte a costumada graça. *Ave Maria*.

II

Enfim, que havemos de pregar hoje aos peixes? Nunca pior auditório. Ao menos têm os peixes duas boas qualidades de ouvintes: ouvem e não falam. Uma só coisa pudera desconsolar ao pregador, que é serem gente os peixes que se não há de converter. Mas esta dor é tão ordinária que já pelo costume quase se não sente. Por esta causa não falarei hoje em céu nem inferno: e assim será menos triste este sermão do que os meus parecem aos homens, por encaminhá-los sempre à lembrança destes dois fins.

Vos estis sal terrae. Haveis de saber, irmãos peixes, que o sal, filho do mar como vós, tem duas propriedades, as quais em vós mesmos se experimentam: conservar o são e preservá-lo para que se não corrompa. Estas mesmas propriedades tinham as pregações

---

* Ou seja, é pouco para Santo Antônio.
[5] *Santos doutores* — Também chamados Padres da Igreja, nome dado aos escritores da Igreja nos primeiros séculos da religião cristã.

do vosso pregador Santo Antônio, como também as devem ter as de todos os pregadores. Uma é louvar o bem, outra repreender o mal: louvar o bem para o conservar e repreender o mal para preservar dele. Nem cuideis que isto pertence só aos homens porque também nos peixes tem seu lugar. Assim o diz o grande doutor da Igreja S. Basílio:[6] *Non carpere solum, reprehendereque possumus pisces, sed sunt in illis, et quae prosequenda sunt imitatione*: "Não só há que notar", diz o Santo, "e que repreender nos peixes, senão também que imitar e louvar". Quando Cristo comparou a sua Igreja à rede de pescar, *Sagenae missae in mare*,[7] diz que os pescadores recolheram os peixes bons e lançaram fora os maus: *Elegerunt bonos in vasa, malos autem foras miserunt*.[8] E onde há bons e maus, há que louvar e que repreender. Suposto isto, para que procedamos com clareza, dividirei, peixes, o vosso sermão em dois pontos: no primeiro louvar-vos-ei as vossas virtudes, no segundo repreender-vos-ei os vossos vícios. E desta maneira satisfaremos às obrigações do sal, que melhor vos está ouvi-las vivos que experimentá-las depois de mortos.

Começando, pois, pelos vossos louvores, irmãos peixes, bem vos pudera eu dizer que, entre todas as criaturas viventes e sensitivas, vós fostes as primeiras que Deus criou. A vós criou primeiro que as aves do ar, a vós primeiro que aos animais da terra, e a vós primeiro que ao mesmo homem. Ao homem deu Deus a monarquia e domínio de todos os animais dos três elementos, e nas provisões, em que o honrou com estes poderes, os primeiros nomeados foram os peixes: *Ut praesit piscibus maris et volatilibus caeli, et bestiis universaeque terrae*.[9] Entre todos os animais do mundo, os peixes são os mais e os

---

[6] *S. Basílio* — Era Padre da Igreja, bispo de Cesareia. A influência de Basílio foi tanta que até hoje a Igreja Ortodoxa baseia-se nos princípios estabelecidos por ele. Basílio foi um dos quatro doutores da Igreja, ao lado de Atanásio, João Crisóstomo e Gregório Nazianzeno.

[7] *S. Mateus, XIII, 47.* — A passagem do Evangelho a que Vieira se refere é esta: Igualmente o reino dos céus é semelhante a uma rede lançada ao mar, e que apanha toda qualidade de peixes.

[8] *S. Mateus, XIII, 48.* — Tradução: apanham para o cesto os bons; os maus, porém, lançam fora.

[9] *Gênesis, I, 26.* — Eis este famoso versículo na íntegra: "E disse Deus: façamos o homem à nossa imagem, conforme à nossa semelhança; e domine sobre os peixes do mar, e sobre as aves dos céus, e sobre o gado, e sobre toda a terra, e sobre todo réptil que se move sobre a terra."

peixes os maiores. Que comparação tem em número as espécies das aves e a dos animais terrestres com a dos peixes? Que comparação na grandeza o elefante com a baleia? Por isso Moisés,[10] cronista da criação, calando os nomes de todos os animais, só a ela nomeou pelo seu: *Creavit Deus cete grandia*.[11] E os três músicos da fornalha de Babilônia o cantaram também como singular entre todos: *Benedicite, cete et omnia quae moventur in aquis, Domino*.[12] Estes e outros louvores, estas e outras excelências de vossa geração e grandeza vos pudera dizer, ó peixes; mas isto é lá para os homens, que se deixam levar destas vaidades, e é também para os lugares em que tem lugar a adulação, e não para o púlpito.

Vindo pois, irmãos, às vossas virtudes, que são as que só podem dar o verdadeiro louvor, a primeira, que se me oferece aos olhos hoje, é aquela obediência, com que chamados acudistes todos pela honra de vosso Criador e Senhor, e aquela ordem, quietação e atenção com que ouvistes a palavra de Deus da boca de seu servo Antônio. Oh grande louvor verdadeiramente para os peixes e grande afronta e confusão para os homens! Os homens perseguindo a Antônio, querendo-o lançar da terra e ainda do mundo, se pudessem, porque lhes repreendia seus vícios, porque não lhes queria falar à vontade e condescender com seus erros, e no mesmo tempo os peixes em inumerável concurso acudindo à sua voz, atentos e suspensos às suas palavras, escutando com silêncio e com sinais de admiração e assenso (como se tiveram entendimento) o que não entendiam. Quem olhasse neste passo para o mar e para a terra, e visse na terra os homens tão furiosos e obstinados e no mar os peixes tão quietos e tão devotos, que havia de dizer? Poderia cuidar que os peixes irracionais se tinham convertido em homens, e os homens não em peixes, mas em feras. Aos homens deu Deus uso de razão, e não aos peixes; mas neste caso os homens tinham a razão sem o uso, e os peixes o uso sem a razão.

---

[10] *Moisés* — Profeta hebreu que viveu aproximadamente no século XV a.C. O mais importante personagem político e religioso do Antigo Testamento. Libertou seu povo da escravidão no Egito e fundou a teocracia judaica. Vieira o chama de "cronista da criação" porque o *Gênesis* é atribuído a Moisés.

[11] *Gênesis, I, 21*. — Tradução: Deus criou as grandes baleias.

[12] *Daniel, III, 79*. —Tradução: Bendizei o Senhor, baleias e tudo que se move nas águas.

Muito louvor mereceis, peixes, por este respeito e devoção que tivestes aos pregadores da palavra de Deus, e tanto mais quanto não, foi só esta a vez em que assim o fizestes. Ia Jonas,[13] pregador do mesmo Deus, embarcado em um navio, quando se levantou aquela grande tempestade; e como o trataram os homens, como o trataram os peixes? Os homens lançaram-no ao mar a ser comida dos peixes, e o peixe que o comeu levou-o às praias de Nínive, para que lá pregasse e salvasse aqueles homens. É possível que os peixes ajudam à salvação dos homens, e os homens lançam ao mar os ministros da salvação? Vede, peixes, e não vos venha vanglória, quanto melhores sois que os homens. Os homens tiveram entranhas para deitar Jonas ao mar, e o peixe recolheu nas entranhas a Jonas, para o levar vivo à terra.

Mas porque nestas duas ações teve maior parte a onipotência que a natureza (como também em todas as milagrosas que obram os homens), passo às virtudes naturais e próprias vossas. Falando dos peixes, Aristóteles[14] diz que só eles, entre todos os animais, se não domam nem domesticam. Dos animais terrestres o cão é tão doméstico, o cavalo tão sujeito, o boi tão serviçal, o bugio[15] tão amigo ou tão lisonjeiro, e até os leões e os tigres com arte e benefícios se amansam. Dos animais do ar, afora aquelas aves que se criam e vivem conosco, o papagaio nos fala, o rouxinol nos canta, o açor[16] nos ajuda e nos recreia; e até as grandes aves de rapina, encolhendo as unhas, reconhecem a mão de quem recebem o sustento. Os peixes, pelo contrário, lá se vivem nos seus mares e rios, lá se mergulham nos seus pegos,[17] lá se escondem nas suas grutas, e não há nenhum tão grande que se fie do homem nem tão pequeno que não fuja dele. Os

---

[13] *Jonas* — Foi um dos 12 profetas menores que, de acordo com a *Bíblia*, foi encarregado por Deus de ir a Nínive pregar penitência em seu nome. Ao resistir ao apelo divino e embarcar em Jafa em um navio fenício, foi lançado ao mar pela tripulação e engolido por uma baleia. Ao fim de três dias, a baleia o lançou numa praia. Arrependido, Jonas foi imediatamente para Nínive.

[14] *Aristóteles* — Foi um célebre filósofo grego, discípulo de Platão e instrutor de Alexandre Magno, que desenvolvia uma teoria sistemática da lógica, baseada no silogismo.

[15] *Bugio* — Macaco.

[16] *Açor* — Ave de rapina, diurna, semelhante ao gavião e menor que a águia.

[17] *Pegos* — Abismos marítimos.

autores comumente condenam esta condição dos peixes e a deitam à pouca docilidade ou demasiada bruteza; mas eu sou de mui diferente opinião. Não condeno, antes louvo muito aos peixes este seu retiro, e me parece que, se não fora natureza, era grande prudência. Peixes! Quanto mais longe dos homens, tanto melhor: trato e familiaridade com eles, Deus vos livre. Se os animais da terra e do ar querem seus familiares, façam-no muito embora que com suas pensões o fazem. Cante-lhes aos homens o rouxinol, mas na sua gaiola; diga-lhe ditos o papagaio, mas na sua cadeia; vá com eles à caça o açor, mas nas suas pioses;[18] faça-lhes bufonarias o bugio, mas no seu cepo;[19] contente-se o cão de lhes roer um osso, mas levado onde não quer pela trela;[20] preze-se o boi de lhe chamarem formoso ou fidalgo, mas com o jugo sobre a cerviz,[21] puxando pelo arado e pelo carro; glorie-se o cavalo de mastigar freios dourados, mas debaixo da vara e da espora; e se os tigres e os leões lhe comem a ração de carne, que não caçaram no bosque, sejam presos e encerrados com grades de ferro. E entretanto vós, peixes, longe dos homens, e fora dessas cortesanias, vivereis só convosco, sim, mas como peixe na água. De casa e das portas a dentro tendes o exemplo de toda esta verdade, o qual vos quero lembrar, porque há filósofos que dizem que não tendes memória.

No tempo de Noé, sucedeu o dilúvio que cobriu e alagou o mundo; e de todos os animais, quais se livraram melhor? Dos leões escaparam dois, leão e leoa, e assim dos outros animais da terra: das águias escaparam duas, fêmea e macho, e assim das outras aves. E dos peixes? Todos escaparam, antes não só escaparam todos, mas ficaram muito mais largos que dantes porque a terra e mar tudo era mar. Pois se morreram naquele universal castigo todos os animais da terra e todas as aves, por que não morreram também os peixes? Sabeis por quê? Diz Santo Ambrósio:[22] porque os outros animais, como mais domésticos ou mais vizinhos, tinham mais comunicação com os homens; os peixes viviam longe e retirados deles. Facilmente

---

[18] *Pioses* — Correias que certas aves, empregadas na caça, como os falcões, por exemplo, trazem nos pés.

[19] *Cepo* — Tronco de árvore (ao qual o macaco está atado).

[20] *Trela* — Correia com que se prende o cão.

[21] *Cerviz* — Pescoço, cabeça.

[22] *Ambrósio* — Santo Ambrósio foi Padre da Igreja latina e arcebispo de Milão. Suas obras, todas impregnadas de doçura, foram deixadas para transparecer todo seu belo caráter.

pudera Deus fazer que as águas fossem venenosas e matassem todos os peixes, assim como afogaram todos os outros animais. Bem o experimentais na força daquelas ervas com que, infeccionados os poços e lagos, a mesma água vos mata; mas como o dilúvio era um castigo universal que Deus dava aos homens por seus pecados e ao mundo pelos pecados dos homens, foi altíssima providência da divina justiça que nele houvesse esta diversidade ou distinção para que o mesmo mundo visse que da companhia dos homens lhe viera todo o mal; e que, por isso, os animais que viviam perto deles foram também castigados e os que andavam longe ficaram livres.

Vede, peixes, quão grande bem é estar longe dos homens. Perguntado um grande filósofo qual era a melhor terra do mundo, respondeu que a mais deserta, porque tinha os homens mais longe. Se isto vos pregou também Santo Antônio — e foi este um dos benefícios de que vos exortou a dar graças ao Criador — bem vos pudera alegar consigo que quanto mais buscava a Deus, tanto mais fugia dos homens. Para fugir dos homens deixou a casa de seus pais e se recolheu ou acolheu a uma religião, onde professasse perpétua clausura. E porque nem aqui o deixavam os que ele tinha deixado, primeiro deixou Lisboa,* depois Coimbra e, finalmente, Portugal. Para fugir e se esconder dos homens, mudou de hábito, mudou de nome e até a si mesmo se mudou, ocultando sua grande sabedoria debaixo da opinião de idiota, com que não fosse conhecido nem buscado, antes deixado de todos, como lhe sucedeu com seus próprios irmãos no capítulo geral de Assis.[23] Dali se retirou a fazer vida solitária em um ermo, do qual nunca saíra, se Deus como por força o não manifestara, e por fim acabou a vida em outro deserto tanto mais unido com Deus quanto mais apartado dos homens.

III

Este é, peixes, em comum o natural que em todos vós louvo e a felicidade de que vos dou o parabéns, não sem inveja. Descendo ao

---

* Santo Antônio nasceu em Lisboa (1195), terminou seus estudos em Coimbra, viajou para Marrocos, aportou na Itália e não mais retornou a Portugal.

[23] Capítulo geral de Assis — Alusão à assembleia geral dos franciscanos realizada em 1221.

particular, infinita matéria fora se houvera de discorrer pelas virtudes de que o autor da natureza a dotou e fez admirável em cada um de vós. De alguns somente farei menção. E o que tem o primeiro lugar entre todos, como tão celebrado na Escritura, é aquele santo peixe de Tobias, a quem o texto sagrado não dá outro nome que de grande, como verdadeiramente o foi nas virtudes interiores, em que só consiste a verdadeira grandeza. Ia Tobias caminhando com o anjo S. Rafael, que o acompanhava, e descendo a lavar os pés do pó do caminho nas margens de um rio, eis que o investe um grande peixe com a boca aberta em ação de que o queria tragar. Gritou Tobias assombrado, mas o anjo lhe disse que pegasse no peixe pela barbatana e o arrastasse para terra; que o abrisse e lhe tirasse as entranhas e as guardasse, porque lhe haviam de servir muito. Fê-lo assim Tobias, e perguntando que virtude tinham as entranhas daquele peixe que lhe mandara guardar, respondeu o anjo que o fel era bom para sarar da cegueira, e o coração para lançar fora os demônios: *Cordis ejus particulam, si super carbones ponas, fumus ejus extricat omne genus Daemoniorum; et fel valet ad ungendos oculos, in quibus fuerit albugo, et sanabuntur.*[24] Assim o disse o anjo, e assim o mostrou logo a experiência, porque sendo o pai de Tobias cego, aplicando-lhe o filho aos olhos um pequeno do fel,[25] cobrou inteiramente a vista; e tendo um demônio, chamado Asmodeu, morto sete maridos a Sara, casou com ela o mesmo Tobias; e queimando na casa parte do coração, fugiu dali o demônio e nunca mais tornou. De sorte que o fel daquele peixe tirou a cegueira a Tobias, o velho, e lançou os demônios de casa a Tobias, o moço. Um peixe de tão bom coração e de tão proveitoso fel quem o não louvará muito? Certo que se a este peixe o vestiram de burel[26] e o ataram com uma corda, parecia um retrato marítimo de Santo Antônio.

Abria Santo Antônio a boca contra os hereges e enviava-se a eles levado do fervor e zelo da fé e glória divina. E eles, que faziam?

---

[24] *Tobias, VI, 8.* — Tradução: Se puseres um pedaço do coração sobre brasas, a sua fumaça expulsará todo o gênero de demônios, e o fel é eficaz para ungir os olhos e aqueles em que houver belida (isto é, névoa no olho) curar-se-ão.

[25] *Um pequeno do fel* — O mesmo que "um pouco de fel".

[26] *Burel* — Tecido grosseiro de lã com que os religiosos se vestiam; hábito de religioso.

Gritavam como Tobias e assombravam-se com aquele homem e cuidavam que os queria comer. Ah homens, se houvesse um anjo que vos revelasse qual é o coração desse homem e esse fel que tanto vos amarga, quão proveitoso e quão necessário vos é! Se vós lhe abrísseis esse peito e lhe vísseis as entranhas; como é certo que havíeis de achar e conhecer claramente nelas que só duas coisas pretende de vós, e convosco: uma é alumiar e curar vossas cegueiras, e outra lançar-vos os demônios fora de casa.

Pois a quem vos quer tirar as cegueiras, a quem vos quer livrar dos demônios perseguis vós? Só uma diferença havia entre Santo Antônio e aquele peixe: que o peixe abria a boca contra quem se lavava, e Santo Antônio abria a sua contra os que se não queriam lavar. Ah moradores do Maranhão, quanto eu vos pudera agora dizer neste caso! Abri, abri estas entranhas; vede, vede este coração. Mas ah! Sim, que me não lembrava! Eu não vos prego a vós, prego aos peixes.

Passando dos da Escritura aos da história natural, quem haverá que não louve e admire muito a virtude tão celebrada da rêmora?[27] No dia de um santo menor, os peixes menores devem preferir aos outros. Quem haverá, digo, que não admire a virtude daquele peixezinho tão pequeno no corpo e tão grande na força e no poder, que não sendo maior de um palmo, se se pega ao leme de uma nau da Índia, apesar das velas, e dos ventos, e de seu próprio peso e grandeza, a prende e amarra mais que as mesmas âncoras, sem se poder mover nem ir por diante? Oh se houvera uma rêmora na terra que tivesse tanta força como a do mar, que menos perigo haveria na vida e que menos naufrágios no mundo!

Se alguma rêmora houvera na terra, foi a língua de Santo Antônio, na qual, como na rêmora, se verifica o verso de S. Gregório Nazianzeno:[28] *Lingua quiden parva est, sed viribus omnia vincit.* O apóstolo

---

[27] *Rêmora* — Peixe também conhecido por vários outros nomes, como agarrador, pegador, peixe-pegador, peixe-piolho, piolho-de-tubarão. Possui um disco adesivo elipsoidal sobre a cabeça, com o qual se prende aos tubarões para se locomover.

[28] *S. Gregório Nazianzeno* — Faz alusão a São Gregório, de Nazianzo, antiga cidade da Capadócia, na Ásia menor. Foi teólogo, Padre da Igreja grega e bispo de Constantinopla, e foi também o que mais se aproximou da perfeição clássica. — Tradução: Língua verdadeiramente pequena, mas que vencia a todos.

Santiago,[29] naquela sua eloquentíssima Epístola,[30] compara a língua ao leme da nau e ao freio do cavalo. Uma e outra comparação juntas declaram maravilhosamente a virtude da rêmora, a qual, pegada ao leme da nau, é freio da nau e leme do leme. E tal foi a virtude e força da língua de Santo Antônio. O leme da natureza humana é o alvedrio, o piloto é a razão: mas quão poucas vezes obedecem à razão os ímpetos precipitados do alvedrio?[31] Neste leme, porém, tão desobediente e rebelde, mostrou a língua de Antônio quanta força tinha, como rêmora, para domar e parar a fúria das paixões humanas. Quantos, correndo fortuna na nau Soberba, com as velas inchadas do vento e da mesma soberba (que também é vento), se iam desfazer nos baixos, que já rebentavam por proa, se a língua de Antônio, como rêmora, não tivesse mão no leme, até que as velas se amainassem, como mandava a razão, e cessasse a tempestade de fora e a de dentro? Quantos, embarcados na nau Vingança, com a artilharia abocada e os botafogos acesos, corriam enfunados a dar-se batalha, onde se queimariam ou deitariam a pique, se a rêmora da língua de Antônio lhes não detivesse a fúria, até que, composta a ira e ódio, com bandeiras de paz se salvassem amigavelmente? Quantos, navegando na nau Cobiça, sobrecarregada até às gáveas e aberta com o peso por todas as costuras, incapaz de fugir nem se defender, dariam nas mãos dos corsários com perda do que levavam e do que iam buscar, se a língua de Antônio os não fizesse parar, como rêmora, até que, aliviados da

---

[29] *Santiago* — Pescador, como seu irmão e companheiro São João Evangelista, foi escolhido por Cristo para, ao lado de Pedro e João, testemunhar sua agonia e transfiguração. Tiago foi o primeiro dos apóstolos a ser martirizado, passado a fio de espada por ordem do rei Herodes Agripa I em 44 d.C. Acreditam alguns que, após o martírio, seu corpo foi levado de Jerusalém para a Espanha. Em fins da Idade Média, seu túmulo em Santiago de Compostela foi um dos maiores centros de peregrinação da cristandade e é ainda muito visitado.

[30]*Epístola* — Vieira está se referindo especificamente ao capítulo III da Epístola de São Tiago, em que o apóstolo fala dos "pecados da língua"; eis a comparação a que Vieira se refere: "Quando pomos o freio na boca dos cavalos, para que nos obedeçam, governamos também todo o seu corpo. Vede também os navios: por grandes que sejam e embora agitados por ventos impetuosos, são governados com um pequeno leme à vontade do piloto. Assim também a língua é um pequeno membro, mas pode gloriar--se de grandes coisas". S. Tiago, III, 3-5.

[31] *Alvedrio* — Vontade própria, arbítrio.

carga injusta, escapassem do perigo e tomassem porto? Quantos, na nau Sensualidade, que sempre navega com cerração, sem sol de dia nem estrelas de noite, enganados do canto das sereias e deixando-se levar da corrente, se iriam perder cegamente, ou em Cila ou em Caribides,[32] onde não aparecesse navio nem navegante, se a rêmora da língua de Antônio os não contivesse, até que esclarecesse a luz e se pusessem em via?

Esta é a língua, peixes, do vosso grande pregador, que também foi rêmora vossa, enquanto o ouvistes; e porque agora está muda (posto que ainda se conserva inteira[33]) se veem e choram na terra tantos naufrágios.

Mas para que da admiração de uma tão grande virtude vossa passemos ao louvor ou inveja de outra não menor, admirável é igualmente a qualidade daquele outro peixezinho, a que os latinos chamaram torpedo. Ambos estes peixes conhecemos cá mais de fama que de vista; mas isto têm as virtudes grandes, que quanto são maiores, mais se escondem. Está o pescador com a cana na mão, o anzol no fundo e a boia sobre a água, e, em lhe picando na isca o torpedo, começa a lhe tremer o braço. Pode haver maior, mais breve e mais admirável efeito? De maneira que, num momento, passa a virtude do peixezinho da boca ao anzol, do anzol à linha, da linha à cana e da cana ao braço do pescador. Com muita razão, disse que este vosso louvor o havia de referir com inveja. Quem dera aos pescadores do nosso elemento, ou quem lhes pusera esta qualidade tremente, em tudo o que pescam na terra! Muito pescam, mas não me espanto do muito; o que me espanta é que pesquem tanto e que tremam tão pouco. Tanto pescar e tão pouco tremer!

Pudera-se fazer problema; onde há mais pescadores e mais modos e traças de pescar, se no mar ou na terra? E é certo que na terra. Não quero discorrer por eles, ainda que fora grande consolação para os peixes; basta fazer a comparação com a cana, pois é o instrumento do nosso caso. No mar pescam as canas, na terra pescam as varas (e

---

[32] *Cila e Caribides* — Rochedos célebres do estreito de Messina, terror dos antigos navegantes; quando evitavam um, iam muitas vezes despedaçar-se de encontro ao outro. Daí provém a expressão "cair de Cila em Caribides", isto é, evitar um perigo para cair noutro pior.

[33] *Ainda se conserva inteira* — Vieira alude ao fato de que se guarda esta relíquia na sua basílica de Pádua.

tanta sorte de varas), pescam as ginetas, pescam as bengalas, pescam os bastões e até os cetros[34] pescam, e pescam mais que todos, porque pescam cidades e reinos inteiros. Pois é possível que, pescando os homens coisas de tanto peso, lhes não trema a mão e o braço? Se eu pregara aos homens e tivera a língua de Santo Antônio, eu os fizera tremer.

Vinte e dois pescadores destes se acharam acaso a um sermão de Santo Antônio e as palavras do Santo os fizeram tremer todos, de sorte que todos, tremendo, se lançaram a seus pés, todos, tremendo, confessaram seus furtos, todos, tremendo, restituíram o que podiam (que isto é o que faz tremer mais neste pecado que nos outros), todos enfim mudaram de vida e de ofício, e se emendaram.

Quero acabar este discurso dos louvores e virtudes dos peixes com um, que não sei se foi ouvinte de Santo Antônio e aprendeu dele a pregar. A verdade é que me pregou a mim, e se eu fora outro, também me convertera. Navegando daqui para o Pará (que é bem não fiquem de fora os peixes da nossa costa), vi correr pela tona da água de quando em quando, a saltos, um cardume de peixinhos que não conhecia; e como me dissessem que os portugueses lhes chamavam quatro-olhos, quis averiguar ocularmente a razão deste nome, e achei que verdadeiramente têm quatro olhos, em tudo cabais e perfeitos. Dá graças a Deus, lhe disse, e louva a liberdade de sua divina providência para contigo; pois às águias, que são os linces do ar, deu somente dois olhos, e aos linces, que são as águias da terra, também dois; e a ti, peixezinho, quatro. Mais me admirei ainda considerando nesta maravilha a circunstância do lugar. Tantos instrumentos de vista a um bichinho do mar, nas praias daquelas mesmas terras vastíssimas, onde permite Deus que estejam vivendo em cegueira tantos milhares de gentes há tantos séculos? Oh quão altas e incompreensíveis são as razões de Deus, e quão profundo o abismo de seus juízos!

Filosofando, pois, sobre a causa natural desta providência, notei que aqueles quatro olhos estão lançados um pouco fora do lugar ordinário, e cada par deles unido como os dois vidros de um relógio de areia, em tal forma que os da parte superior olham direitamente para cima, e os da parte inferior direitamente para baixo. E a razão desta nova arquitetura é porque estes peixezinhos, que sempre andam na

---

[34] *Varas, ginetas, bengalas, bastões, cetros* — Vieira alude às insígnias de, respectivamente, juiz, capitão, mestre de campo, marechal e rei.

superfície da água, não são só perseguidos dos outros peixes maiores do mar, senão também de grande quantidade de aves marítimas, que vivem naquelas praias; e como têm inimigos no mar e inimigos no ar, dobrou-lhes a natureza as sentinelas e deu-lhes dois olhos que direitamente olhassem para cima, para se vigiarem das aves, e outros dois que direitamente olhassem para baixo, para se vigiarem dos peixes.

Oh! Que bem informara estes quatro-olhos uma alma racional, e que bem empregada fora neles, melhor que em muitos homens! Esta é a pregação que me fez aquele peixezinho, ensinando-me que, se tenho fé e uso da razão, só devo olhar direitamente para cima e só direitamente para baixo: para cima, considerando que há céu, e para baixo, considerando que há inferno. Não me alegou para isso passo da Escritura; mas então me ensinou o que quis dizer Davi[35] em um, que eu não entendia: *Averte oculos meos, ne videant vanitatem.*[36] "Voltai-me, Senhor, os olhos para que não vejam a vaidade." Pois Davi não podia voltar os seus olhos para onde quisesse? Do modo que ele queria, não. Ele queria voltados os seus olhos de modo que não vissem a vaidade, e isto não o podia fazer neste mundo, para qualquer parte que voltasse os olhos, porque neste mundo "tudo é vaidade": *Vanitas vanitatum et omnia vanitas.*[37] Logo, para não verem os olhos de Davi a vaidade, havia-lhos de voltar Deus de modo que só vissem e olhassem para o outro mundo em ambos seus hemisférios; ou para o de cima, olhando direitamente só para o céu, ou para o de baixo, olhando direitamente só para o inferno. E esta é a mercê que pedia a Deus aquele grande profeta, e esta a doutrina que me pregou aquele peixezinho tão pequeno.

Mas ainda que o céu e o inferno se não fez para vós, irmãos peixes, acabo, e dou fim a vossos louvores, com vos dar as graças do muito que ajudais a ir ao céu e não ao inferno os que se sustentam de vós. Vós sois os que sustentais as Cartuxas[38] e os Buçacos[39] e

---

[35] *Davi* — Rei de Israel e Judá (1010-970 a.C.), considerado pela tradição um grande poeta, atribuindo-lhe a autoria de 73 salmos, além de cânticos para o culto. Era perito na execução da harpa. Ficou célebre a luta contra o gigante Golias, o que lhe deu enorme popularidade.
[36] *Salmos, CXIX,* 37.
[37] *Eclesiastes, I, 2.* — Tradução: Vaidade de vaidades! É tudo vaidade.
[38] *Cartuxas* — Alusão aos conventos e mosteiros de uma ordem religiosa muito austera, fundada por S. Bruno no século XI. As cartuxas eram construídas em lugares muito solitários.
[39] *Buçacos* — Referência aos religiosos do convento da Serra do Buçaco,

todas as santas famílias, que professam mais rigorosa austeridade; vós os que a todos os verdadeiros cristãos ajudais a levar a penitência das quaresmas; vós aqueles com que o mesmo Cristo festejou a sua Páscoa, as duas vezes que comeu com seus discípulos depois de ressuscitado. Prezem-se as aves e os animais terrestres de fazer esplêndidos e custosos os banquetes dos ricos, e vós gloriai-vos de serem companheiros do jejum e da abstinência dos justos! Tendes todos quantos sois tanto parentesco e simpatia com a virtude, que proibindo Deus no jejum a pior e mais grosseira carne, concede o melhor e mais delicado peixe. E posto que na semana só dois se chamam vossos, nenhum dia vos é vedado. Um só lugar vos deram os astrólogos entre os signos celestes, mas os que só de vós se mantêm na terra são os que têm mais seguros os lugares do céu. Enfim, sois criaturas daquele elemento, cuja fecundidade entre todas é própria do Espírito Santo: *Spiritus Domini foecundabat aquas*.[40]

Deitou-vos Deus a bênção, que crescêsseis e multiplicásseis; e para que o Senhor vos confirme essa bênção, lembrai-vos de não faltar aos pobres com o seu remédio. Entendei que no sustento dos pobres tendes seguros os vossos aumentos. Tomai o exemplo nas irmãs sardinhas. Por que cuidais que as multiplica o Criador em número tão inumerável? Porque são sustento de pobres. Os solhos[41] e os salmões são muito contados, porque servem à mesa dos reis e dos poderosos; mas o peixe que sustenta a fome dos pobres de Cristo, o mesmo Cristo o multiplica e aumenta. Aqueles dois peixes companheiros dos cinco pães do deserto multiplicaram tanto, que deram de comer a cinco mil homens. Pois, se peixes mortos que sustentam a pobres multiplicam tanto, quanto mais e melhor o farão os vivos! Crescei, peixes, crescei e multiplicai, e Deus vos confirme a sua bênção.

---

em Portugal, fundado em 1630, destinado aos monges carmelitas dados à penitência.

[40] *Gênesis*, I, 5. — Tradução: O espírito do Senhor fecundava as águas. A referência bíblica neste passo é equivocada, posto que o versículo não possui o texto citado por Vieira.

[41] *Solhos* — Espécie de peixe a que pertence o esturjão, com cujas ovas se faz o caviar.

IV

Antes, porém, que vos vades, assim como ouvistes os vossos louvores, ouvi também agora as vossas repreensões. Servir-vos-ão de confusão, já que não seja de emenda.

A primeira coisa que me desedifica, peixes, de vós, é que vos comeis uns aos outros. Grande escândalo é este, mas a circunstância o faz ainda maior. Não só vos comeis uns aos outros, senão que os grandes comem os pequenos. Se fora pelo contrário, era menos mal. Se os pequenos comeram os grandes, bastara um grande para muitos pequenos; mas como os grandes comem os pequenos, não bastam cem pequenos, nem mil, para um só grande. Olhai como estranha isto Santo Agostinho:[42] *Homines pravis, praeversisque cupiditatibus facti sunt, sicut pisces inuicen se devorantes.* "Os homens, com suas más e perversas cobiças, vêm a ser como os peixes que se comem uns aos outros." Tão alheia coisa é, não só da razão, mas da mesma natureza, que sendo todos criados no mesmo elemento, todos cidadãos da mesma pátria e todos finalmente irmãos, vivais de vos comer. Santo Agostinho, que pregava aos homens, para encarecer a fealdade deste escândalo, mostrou-lho nos peixes; e eu, que prego aos peixes, para que vejais quão feio e abominável é, quero que o vejais nos homens.

Olhai, peixes, lá do mar para a terra. Não, não: não é isso o que vos digo. Vós virais os olhos para os matos e para o sertão? Para cá, para cá; para a cidade é que haveis de olhar. Cuidais que só os tapuias se comem uns aos outros? Muito maior açougue é o de cá, muito mais se comem os brancos. Vedes vós todo aquele bulir, vedes todo aquele andar, vedes aquele concorrer às praças e cruzar as ruas; vedes aquele subir e descer as calçadas, vedes aquele entrar e sair sem quietação nem sossego? Pois tudo aquilo é andarem buscando os homens como hão de comer e como se hão de comer. Morreu algum deles, vereis logo tantos sobre o miserável a despedaçá-lo e comê-lo. Comem-no os herdeiros, comem-no os testamenteiros, comem-no os legatários, comem-no os acredores; comem-no os oficiais dos orfãos, e os dos defuntos e ausentes; come-o o médico que o curou ou ajudou a morrer, come-o o sangrador que lhe tirou o sangue; come-o a mesma

---

[42] Santo Agostinho — Nasceu em 354, na África romana, e morreu em 430. Foi bispo em Hipona, na África, e tornou-se o mais célebre dos Padres da Igreja latina.

mulher que de má vontade lhe dá para mortalha o lençol mais velho da casa; come-o o que lhe abre a cova, o que lhe tange os sinos e os que, cantando, o levam a enterrar: enfim, ainda o pobre defunto o não comeu a terra, e já o tem comido toda a terra.

Já se os homens se comeram somente depois de mortos, parece que era menos horror e menos matéria de sentimento. Mas para que conheçais a que chega a vossa crueldade, considerai, peixes, que também os homens se comem vivos assim como vós. Vivo estava Jó,[43] quando dizia: *Quare perse quimini me, et carnibus meis saturamini*? "Por que me perseguis tão desumanamente vós, que me estais comendo vivo e fartando-vos da minha carne?" Quereis ver um Jó desses? Vede um homem desses que andam perseguidos de pleitos ou acusados de crimes, e olhai quantos o estão comendo. Come-o o meirinho, come-o o carcereiro, come-o o escrivão, come-o o solicitador, come-o o advogado, come-o o inquiridor, come-o a testemunha, come-o o julgador, e ainda não está sentenciado, já está comido. São piores os homens que os corvos. O triste que foi à forca, não o comem os corvos senão depois de executado e morto; e o que anda em juízo ainda não está executado nem sentenciado, e já está comido.

E para que vejais como estes comidos na terra são os pequenos, e pelos mesmos modos com que vós vos comeis no mar, ouvi a Deus queixando-se deste pecado: *Nonne cognoscent omnes, qui operantur iniquitatem, qui devorant plebem meam, ut cibum panis?*[44] "Cuidais, diz Deus, que não há de vir tempo em que conheçam e paguem o seu merecido aqueles que cometem a maldade?" E que maldade é esta, à qual Deus singularmente chama a maldade, como se não houvera outra no mundo? E quem são aqueles que a cometem? A maldade é comerem-se os homens uns aos outros, e os que a cometem são os maiores que comem os pequenos: *Qui devorant plebem meam, ut cibum panis*.

Nestas palavras, pelo que vos toca, importa, peixes, que advertais muito outras tantas coisas, quantas são as mesmas palavras. Diz Deus

---

[43] Jó — Personagem bíblico do livro homônimo. Jó se queixa amargamente de sua sorte, pois Deus castiga um homem inocente. *O livro de Jó* é uma reflexão sobre a conciliação do sofrimento não merecido com a justiça de Deus e também sobre a integração do sofrimento na existência humana.

[44] *Salmos, XIII, 4*. —Tradução: Não terão conhecimento os obreiros da iniquidade, que comem o meu povo como se comessem pão?

que comem os homens não só o seu povo, senão declaradamente a sua plebe, *plebem meam*, porque a plebe e os plebeus, que são os mais pequenos, os que menos podem e os que menos avultam na república, estes são os comidos. E não só diz que os comem de qualquer modo, senão que os engolem e os devoram: *Qui devorant*. Porque os grandes que têm o mando das cidades e das províncias, não se contenta a sua fome de comer os pequenos um por um, ou poucos a poucos, senão que devoram e engolem os povos inteiros: *Qui devorant plebem meam*. E de que modo se devoram e comem? *Ut cibum panis*: não como os outros comeres senão como pão. A diferença que há entre pão e os outros comeres é que para a carne, há dias de carne, e para o peixe, dias de peixe, e para as frutas, diferentes meses no ano; porém, o pão é comer de todos os dias, que sempre e continuadamente se come: isto é o que padecem os pequenos. São o pão cotidiano dos grandes; e assim como o pão se come com tudo, assim com tudo e em tudo são comidos os miseráveis pequenos, não tendo nem fazendo ofício em que os não carreguem, em que os não multem, em que os não defraudem, em que os não comam, traguem e devorem: *Qui devorant plebem meam, ut cibum panis*. Parece-vos bem isto, peixes? Representa-se-me que com o movimento das cabeças estais todos dizendo que não, e com olhardes uns para os outros, vos estais admirando e pasmando de que entre os homens haja tal injustiça e maldade! Pois isto mesmo é o que vós fazeis. Os maiores comeis os pequenos; e os muito grandes não só os comem um por um, senão os cardumes inteiros, e isto continuadamente, sem diferença de tempos, não só de dia, senão também de noite, às claras e às escuras, como também fazem os homens.

Se cuidais, porventura, que estas injustiças entre vós se toleram e passam sem castigo, enganai-vos. Assim como Deus as castiga nos homens, assim também por seu modo as castiga em vós. Os mais velhos, que me ouvis e estais presentes, bem vistes neste Estado, e quando menos ouviríeis murmurar aos passageiros nas canoas, e muito mais lamentar aos miseráveis remeiros delas, que os maiores que cá foram mandados, em vez de governar e aumentar o mesmo Estado, o destruíram; porque toda a fome que de lá traziam, a fartavam em comer e devorar os pequenos. Assim foi; mas se entre vós se acham acaso alguns dos que seguindo a esteira dos navios vão com eles a Portugal e tornam para os mares pátrios, bem ouviram estes lá no Tejo que esses mesmos maiores, que cá comiam os pequenos, quando lá chegam acham outros maiores que os comam também a eles. Este é o estilo da divina justiça, tão antigo e manifesto que até os gentios[45] o conheceram e celebraram.

> *Vos quibus rector maris, atque terrae*
> *Jus dedit magnum necis, atque vitae;*
> *Ponite inflatos, tumidosque vultus;*
> *Quidquid a vobis minor extimescit,*
> *Maior hoc vobis dominus minatur.*[46]

Notai, peixes, aquela definição de Deus: *Rector maris atque terrae*. "Governador do mar e da terra", para que não duvideis que o mesmo estilo que Deus guarda com os homens na terra observa também convosco no mar. Necessário é logo que olheis por vós e que não façais pouco caso da doutrina que vos deu o grande doutor da Igreja Santo Ambrósio, quando, falando convosco, disse: *Cave nedum alium insequeris, incidas in validiorem*.[47] Guarde-se o peixe que persegue o mais fraco para o comer não se ache na boca do mais forte, que o engula a ele. Nós o vemos aqui cada dia. Vai o xaréu correndo atrás do bagre, como o cão após a lebre, e não vê o cego que lhe vem nas costas o tubarão com quatro ordens de dentes, que o há de engolir de um bocado. É o que com maior elegância vos disse também Santo Agostinho: *Praedo minoris fit praeda maioris*.[48] Mas não bastam, peixes, estes exemplos para que acabe de se persuadir a vossa gula, que a mesma crueldade que usais com os pequenos tem já aparelhado o castigo na voracidade dos grandes?

Já que assim o experimentais com tanto dano vosso, importa que daqui por diante sejais mais repúblicos e zelosos do bem comum, e que este prevaleça contra o apetite particular de cada um, para que não suceda que, assim como hoje vemos a muitos de vós tão diminuídos, vos venhais a consumir de todo. Não vos bastam tantos inimigos de fora, e tantos perseguidores tão astutos e pertinazes, quantos são os pescadores, que nem de dia nem de noite deixam de vos pôr em cerco

---

[45] *Gentios* — Pagãos.
[46] Texto de Sêneca, da tragédia Thyestes, versos 606-610. Tradução: Vós, a quem o senhor do mar e da terra deu o magno direito da morte e da vida, inclinai os vultos altivos e orgulhosos; com tudo aquilo que o mais fraco de vós teme, vos ameaça o senhor que está acima de vós.
[47] Tradução: O ladrão do mais fraco torna-se presa do mais forte.
[48] Tradução: O ladrão do menor faz-se presa do maior.

e fazer guerra por tantos modos? Não vedes que contra vós se emalham e entralham as redes, contra vós se tecem as maças,[49] contra vós se torcem as linhas, contra vós se dobram e farpam os anzóis, contra vós as fisgas e os arpões? Não vedes que contra vós até as canas são lanças e as cortiças, armas ofensivas? Não vos basta, pois, que tenhais tantos e tão armados inimigos de fora, senão também vós de vossas portas a dentro haveis de ser mais cruéis, perseguindo-vos com uma guerra mais que civil e comendo-vos uns aos outros? Cesse, cesse já, irmãos peixes, e tenha fim algum dia esta tão perniciosa discórdia; e pois vos chamei e sois irmãos, lembrai-vos das obrigações deste nome. Não estáveis vós muito quietos, muito pacíficos e muito amigos todos, grandes e pequenos, quando vos pregava Santo Antônio? Pois continuai assim e sereis felizes.

Dir-me-eis (como também dizem os homens) que não tendes outro modo de vos sustentar. E de que se sustentam entre vós muitos que não comem os outros? O mar é muito largo, muito fértil, muito abundante, e só com o que bota às praias pode sustentar grande parte dos que vivem dentro dele. Comerem-se uns animais aos outros é voracidade e sevícia e não estatuto da natureza. Os da terra e do ar, que hoje se comem, no princípio do mundo não se comiam, sendo assim conveniente e necessário para que as espécies de todos se multiplicassem. O mesmo foi (ainda mais claramente) depois do dilúvio, porque, tendo escapado somente dois de cada espécie, mal se podiam conservar se se comessem. E finalmente no tempo do mesmo dilúvio, em que todos viveram juntos dentro na Arca, o lobo estava vendo o cordeiro, o gavião a perdiz, o leão o gamo, e cada um aqueles em que se costuma cevar; e se acaso lá tiveram essa tentação, todos lhe resistiram e se acomodaram com a ração no paiol comum que Noé lhes repartia. Pois se os animais dos outros elementos mais cálidos foram capazes desta temperança, por que o não serão os da água? Enfim, se eles em tantas ocasiões, pelo desejo natural da própria conservação e aumento, fizeram da necessidade virtude, fazei-o vós também; ou fazei a virtude sem necessidade e será maior virtude.

Outra coisa muito geral, que não tanto me desedifica quanto me lastima em muitos de vós, é aquela tão notável ignorância e cegueira que em todas as viagens experimentam os que navegam para estas

---

[49] *Maças* — Armas de ferro ou de outro material, com uma extremidade esférica provida de pontas aguçadas.

partes. Toma um homem do mar um anzol, ata-lhe um pedaço de pano cortado e aberto em duas ou três pontas, lança-o por um cabo delgado até tocar na água, e, em o vendo o peixe, arremete cego a ele e fica preso e boqueando até que, assim suspenso no ar, ou lançado no convés, acaba de morrer. Pode haver maior ignorância e mais rematada cegueira que esta? Enganados por um retalho de pano, perder a vida?

Dir-me-eis que o mesmo fazem os homens. Não vo-lo nego. Dá um exército batalha contra outro exército, metem-se os homens pelas pontas dos piques, dos chuços[50] e das espadas, e por quê? Porque houve quem os engodou e lhes fez isca com dois retalhos de pano. A vaidade entre os vícios é o pescador mais astuto e que mais facilmente engana os homens. E que faz a vaidade? Põe por isca nas pontas desses piques, desses chuços e dessas espadas dois retalhos de pano, ou branco, que se chama hábito de Malta; ou verde, que se chama de Aviz; ou vermelho, que se chama de Cristo e de Santiago; e os homens, por chegarem a passar esse retalho de pano ao peito, não reparam em tragar e engolir o ferro. E depois, que sucede? O mesmo que a vós. O que engoliu o ferro, ou ali ou noutra ocasião, ficou morto; e os mesmos retalhos de pano tornaram outra vez ao anzol para pescar outros. Por este exemplo vos concedo, peixes, que os homens fazem o mesmo que vós, posto que me parece que não foi este o fundamento da vossa resposta ou escusa porque cá no Maranhão, ainda que se derrame tanto sangue, não há exércitos nem esta ambição de hábitos.

Mas nem por isso vos negarei que também cá se deixam pescar os homens pelo mesmo engano, menos honrada e mais ignorantemente. Quem pesca as vidas a todos os homens do Maranhão, e com quê? Um homem do mar com os retalhos de pano. Vem um mestre de navio de Portugal com quatro varreduras[51] das lojas, com quatro panos e quatro sedas, que já se lhes passou a era e não têm gasto; e que faz? Isca com aqueles trapos aos moradores da nossa terra: dá-lhes uma sacadela e dá-lhes outra, com que cada vez lhes sobe mais o preço; e os bonitos, ou os que querem parecer, todos esfaimados aos trapos, e ali ficam engasgados e presos, com dívidas de um ano para outro ano, e de uma safra para outra safra, e lá vai a vida. Isto não é encarecimento. Todos a trabalhar toda a vida, ou na roça, ou na cana, ou no engenho, ou no tabacal; e este trabalho de toda a

---

[50] *Piques e chuços* — Tipos de lanças antigas.
[51] *Varreduras* — Restos.

vida, quem o leva? Não o levam os coches, nem as liteiras, nem os cavalos, nem os escudeiros, nem os pajens, nem os lacaios, nem as tapeçarias, nem as pinturas, nem as baixelas, nem as joias; pois em que se vai e despende toda a vida? No triste farrapo com que saem à rua, e para isso se matam todo o ano.

Não é isto, meus peixes, grande loucura dos homens com que vos escusais? Claro está que sim; nem vós o podeis negar. Pois se é grande loucura esperdiçar a vida por dois retalhos de pano quem tem obrigação de se vestir, vós a quem Deus vestiu do pé até a cabeça, ou de peles de tão vistosas e apropriadas cores ou de escamas prateadas e douradas, vestidos que nunca se rompem, nem gastam com o tempo, nem se variam, ou podem variar com as modas; não é maior ignorância e maior cegueira deixardes-vos enganar ou deixardes-vos tomar pelo beiço com duas tirinhas de pano? Vede o vosso Santo Antônio, que pouco o pôde enganar o mundo essas vaidades. Sendo moço e nobre, deixou as galas de que aquela idade tanto se preza, trocou-as por uma loba[52] de sarja e uma correia de cônego regrante: e depois que se viu assim vestido, parecendo-lhe que ainda era muito custosa aquela mortalha, trocou a sarja pelo burel e a correia pela corda. Com aquela corda e com aquele pano, pescou ele muitos, e só estes se não enganaram e foram sisudos.

V

Descendo ao particular, direi agora, peixes, o que tenho contra alguns de vós. E começando aqui pela nossa costa: no mesmo dia em que cheguei a ela, ouvindo os roncadores e vendo o seu tamanho, tanto me moveram a riso como a ira. É possível que sendo vós uns peixinhos tão pequenos, haveis de ser as roncas do mar? Se, com uma linha de coser e um alfinete torcido, vos pode pescar um aleijado, por que haveis de roncar tanto? Mas por isso mesmo roncais. Dizei-me: o espadarte[53] por que não ronca? Porque, ordinariamente, quem tem

---

[52] *Loba* —Batina.
[53] *Espadarte* — Peixe raramente encontrado em águas brasileiras; seu comprimento chega a até 4 metros e pesa até 308 quilos. Tem a maxila prolongada em forma de uma lâmina de espada cortante, por isso também é conhecido como peixe-espada. Segundo algumas lendas, o espadarte costuma atacar as baleias.

muita espada tem pouca língua. Isto não é regra geral; mas é regra geral que Deus não quer roncadores e que tem particular cuidado de abater e humilhar aos que muito roncam. S. Pedro, a quem muito bem conheceram vossos antepassados, tinha tão boa espada, que ele, só, avançou contra um exército inteiro de soldados romanos; e se Cristo lha não mandara meter na bainha, eu vos prometo que havia de cortar mais orelhas que a de Malco.[54] Contudo, que lhe sucedeu naquela mesma noite? Tinha roncado e barbateado[55] Pedro, que se todos fraqueassem, só ele havia de ser constante até morrer, se fosse necessário; e foi tanto pelo contrário, que só ele fraqueou mais que todos, e bastou a voz de uma mulherzinha para o fazer temer e negar. Antes disso tinha já fraquejado na mesma hora em que prometeu tanto de si. Disse-lhe Cristo, no horto, que o vigiasse, e, vindo daí a pouco a ver se o fazia, achou-o dormindo com tal descuido, que não só o acordou do sono, senão também do que tinha blasonado:[56] *Sic non potuisti una hora vigilare mecum?*[57] "Vós, Pedro, sois o valente que havíeis de morrer por mim e não pudestes uma hora vigiar comigo?" Pouco há tanto roncar, e agora tanto dormir? Mas assim sucedeu. O muito roncar antes da ocasião é sinal de dormir nela. Pois que vos parece, irmãos roncadores? Se isto sucedeu ao maior pescador, que pode acontecer ao menor peixe? Medi-vos, e logo vereis quão pouco fundamento tendes de blasonar, nem roncar.

Se as baleias roncaram, tinha mais desculpa a sua arrogância na sua grandeza. Mas ainda nas mesmas baleias não seria essa arrogância segura. O que é a baleia entre os peixes, era o gigante Golias[58] entre os homens. Se o Rio Jordão[59] e o Mar dos Tiberíades[60] têm comunicação

---

[54] Malco — Servo de Caifás, a quem S. Pedro, no momento em que aquele prendia Jesus no Jardim das Oliveiras, cortou a orelha direita. *S. João, XVIII, 10.*

[55] *Barbateado* — Particípio do verbo barbatear, hoje muito pouco usado: jactar-se de valente.

[56] *Blasonado* — Particípio do verbo blasonar: ostentar, alardear, apregoar.

[57] *S. Marcos, XIV, 37.*

[58] *Golias* — Gigante filisteu que, tendo lançado um desafio ao exército de Israel, foi morto por uma pedrada que Davi lhe desferiu com uma funda e que o atingiu na fronte.

[59] *Jordão* — Rio da Palestina que deságua no Mar Morto; possui 215km de extensão. O Jordão tem grande papel na história do cristianismo; nas suas águas foi Jesus Cristo batizado por S. João Batista.

[60] *Mar dos Tiberíades* — Também conhecido como Mar da Galileia, lago da Palestina, atravessado pelo Rio Jordão, a 194 metros abaixo do nível do mar.

com o Oceano, como devem ter, pois dele manam todos, bem deveis de saber que este gigante era a ronca dos Filisteus.[61] Quarenta dias contínuos esteve armado no campo, desafiando a todos os arraiais de Israel, sem haver quem se lhe atrevesse; e no cabo, que fim teve toda aquela arrogância? Bastou um pastorzinho com um cajado e uma funda, para dar com ele em terra. Os arrogantes e soberbos tomam-se com Deus; e quem se toma com Deus sempre fica debaixo. Assim que, amigos roncadores, o verdadeiro conselho é calar e imitar a Santo Antônio. Duas coisas há nos homens que os costumam fazer roncadores, porque ambas incham: o saber e o poder. Caifás[62] roncava de saber: *Vos nescitis quidquam.*[63] Pilatos roncava de poder: *Nescis quia potestatem habeo?*[64] E ambos contra Cristo. Mas o fiel servo de Cristo, Antônio, tendo tanto saber, como já vos disse, e tanto poder, como vós mesmos experimentastes, ninguém houve jamais que o ouvisse falar em saber ou poder, quanto mais blasonar disso. E porque tanto calou, por isso deu tamanho brado.

Nesta viagem, de que fiz menção, e em todas as que passei a linha equinocial, vi debaixo dela o que muitas vezes tinha visto e notado nos homens, e me admirou que se houvesse estendido esta ronha[65] e pegado também aos peixes. Pegadores se chamam estes de que agora falo, e com grande propriedade, porque sendo pequenos, não só se chegam a outros maiores; mas de tal sorte se lhes pegam aos costados, que jamais os desaferram. De alguns animais de menos força e indústria[66] se conta que vão seguindo de longe aos leões na caça, para se sustentarem do que a eles sobeja. O mesmo fazem estes pegadores, tão seguros ao perto, como aqueles ao longe; porque o peixe grande não pode dobrar a cabeça, nem voltar a boca sobre os que traz às costas, e assim lhes sustenta o peso e mais a fome. Este modo de vida, mais astuto que generoso, se acaso se passou e pegou de um elemento a outro, sem dúvida que o aprenderam os peixes

---

[61] *Filisteus* — Povo não semita estabelecido no litoral da Palestina desde o século XII a.C. Oprimiram o povo judeu até que Saul e Davi o libertaram.

[62] *Caifás* — Foi sumo sacerdote e soberano sacrificador judeu, da seita dos Saduceus, e presidiu à sessão do tribunal em que ficou resolvida a morte de Cristo.

[63] *S. João, XI, 49.* — Tradução: Vós nada sabeis.

[64] *Ibid., XIX, 10.* — Tradução: Não sabes tu que tenho poder?

[65] *Ronha* — Sarna, doença.

[66] *Indústria* — Destreza, perícia, astúcia.

do alto, depois que os nossos portugueses o navegaram; porque não parte vice-rei ou governador para as conquistas que não vá rodeado de pegadores, os quais se arrimam a eles, para que cá lhes matem a fome, de que lá não tinham remédio. Os menos ignorantes, desenganados da experiência, despegam-se e buscam a vida por outra via; mas os que se deixam estar pegados à mercê e fortuna dos maiores, vêm-lhes a suceder no fim o que aos pegadores do mar.

Rodeia a nau o tubarão nas calmarias da linha[67] com os seus pegadores às costas, tão cerzidos com a pele, que mais parecem remendos ou manchas naturais que hóspedes ou companheiros. Lançam-lhe um anzol de cadeia com a ração de quatro soldados, arremessa-se furiosamente à presa, engole tudo de um bocado e fica preso. Corre meia companha[68] a alá-lo acima, bate fortemente o convés com os últimos arrancos; enfim, morre o tubarão, e morrem com ele os pegadores. Parece-me que estou ouvindo a S. Mateus, sem ser Apóstolo pescador, descrevendo isto mesmo na terra. Morto Herodes, diz o Evangelista, apareceu o anjo a José no Egito e disse-lhe que já se podia tornar para a pátria, porque "eram mortos todos aqueles que queriam tirar a vida ao Menino": *Defuncti sunt enim quaerebant animam Pueri*.[69] Os que queriam tirar a vida a Cristo Menino eram Herodes e todos os seus, toda a sua família, todos os seus aderentes, todos os que seguiam e pendiam da sua fortuna. Pois é possível que todos estes morressem juntamente com Herodes? Sim: porque em morrendo o tubarão, morrem também com ele os pegadores: *Defuncto Herode, defuncti sunt qui quaerebant animam Pueri*.[70] Eis aqui, peixinhos ignorantes e miseráveis, quão errado e enganoso é este modo de vida que escolhestes. Tomai exemplo nos homens, pois eles o não tomam de vós nem seguem, como devem, o de Santo Antônio.

Deus também tem os seus pegadores. Um destes era Davi, que dizia: *Mihi autem adhaerere Deo bonum est*.[71] Peguem-se outros aos grandes da terra, que "eu só me quero pegar a Deus". Assim o fez também Santo Antônio, e senão, olhai para o mesmo Santo, e vede como está pegado com Cristo e Cristo com ele. Verdadeiramente se

---

[67] *Linha* — Entenda-se: linha equinocial.

[68] *Companha* — Termo antigo, já desusado: grupo de pescadores.

[69] *S. Mateus, 11, 20*.

[70] Tradução: Morto Herodes, morreram os que procuravam a alma do Menino.

[71] *Salmos, LXXII, 2*.

pode duvidar qual dos dois é ali o pegador; e parece que é Cristo, porque o menor é sempre o que se pega ao maior, e o Senhor fez-se tão pequenino para se pegar a Antônio. Mas Antônio também se fez menor para se pegar mais a Deus. Daqui se segue que todos os que se pegam a Deus, que é imortal, seguros estão de morrer como os outros pegadores. E tão seguros, que ainda no caso em que Deus se fez homem e morreu, só morreu para que não morressem todos os que se pegassem a ele: *Si ergo me quaeritis, sinite hos abire*:[72] "Se me buscais a mim, deixai ir a estes". E posto que deste modo só se podem pegar os homens, e vós, meus peixinhos, não, ao menos devereis imitar aos outros animais do ar e da terra, que quando se chegam aos grandes e se amparam do seu poder, não se pegam de tal sorte que morram juntamente com eles. Lá diz a Escritura daquela famosa árvore, em que era significado o grande Nabucodonosor,[73] que todas as aves do céu descansavam sobre seus ramos, e todos os animais da terra se recolhiam à sua sombra, e uns e outros se sustentavam de seus frutos; mas também diz que, tanto que foi cortada esta árvore, as aves voaram e os outros animais fugiram. Chegai-vos embora aos grandes; mas não de tal maneira pegados, que vos mateis por eles nem morrais com eles.

Considerai, pegadores vivos, como morreram os outros que se pegaram àquele peixe grande, e por quê. O tubarão morreu porque comeu, e eles morreram pelo que não comeram. Pode haver maior ignorância que morrer pela fome e boca alheia? Que morra o tubarão porque comeu, matou-o a sua gula; mas que morra o pegador pelo que não comeu, é a maior desgraça que se pode imaginar! Não cuidei que também nos peixes havia pecado original! Nós, os homens, fomos tão desgraçados, que outrem comeu e nós o pagamos. Toda a nossa morte teve princípio na gulodice de Adão e Eva; e que hajamos de morrer pelo que outrem comeu, grande desgraça! Mas nós lavamo--nos desta desgraça com uma pouca de água, e vós não vos podeis lavar da vossa ignorância com quanta água tem o mar.

Com os voadores tenho também uma palavra, e não é pequena a queixa. Dizei-me, voadores, não vos fez Deus para peixes? Pois por

---

[72] *S. João, XVIII, 8*.
[73] *Nabucodonosor* — Rei da Galdeia de 605 a 562 a.C. Guerreou contra o Egito, destruiu o reino de Judá, deportando em massa os judeus da Palestina para a Babilônia; cercou Babilônia de enormes muralhas. O episódio a que Vieira se refere é relatado no livro de *Daniel, IV, 10-26*.

que vos meteis a ser aves? O mar fê-lo Deus para vós, e o ar para elas. Contentai-vos com o mar e com nadar, e não queirais voar, pois sois peixes. Se acaso vos não conheceis, olhai para as vossas espinhas e para as vossas escamas, e conhecereis que não sois ave, senão peixe, e ainda entre os peixes não dos melhores. Dir-me-eis, voador, que vos deu Deus maiores barbatanas que aos outros de vosso tamanho. Pois porque tivestes maiores barbatanas, por isso haveis de fazer das barbatanas asas? Mas ainda mal porque tantas vezes vos desengana o vosso castigo. Quisestes ser melhor que os outros peixes, e por isso sois mais mofino que todos. Aos outros peixes, do alto, mata-os o anzol ou a fisga, a vós, sem fisga nem anzol, mata-vos a vossa presunção e o vosso capricho. Vai o navio navegando e o marinheiro dormindo, e o voador toca na vela ou na corda, e cai palpitando. Aos outros peixes mata-os a fome e engana-os a isca, ao voador mata-o a vaidade de voar, e a sua isca é o vento. Quanto melhor lhe fora mergulhar por baixo da quilha e viver que voar por cima das antenas e cair morto.

Grande ambição é que, sendo o mar tão imenso, lhe não basta a um peixe tão pequeno todo o mar, e queira outro elemento mais largo. Mas vede, peixes, o castigo da ambição. O voador fê-lo Deus peixe, e ele quis ser ave, e permite mesmo Deus que tenha os perigos de ave e mais os de peixe. Todas as velas para ele são redes, como peixe, e todas as cordas, laços, como ave. Vê, voador, como correu pela posta[74] o teu castigo. Há pouco nadavas vivo ao mar com as barbatanas, e agora jazes em um convés amortalhado nas asas. Não contente com ser peixe, quisestes ser ave, e já não és ave nem peixe; nem voar poderás já, nem nadar. A natureza deu-te a água, tu não quiseste senão o ar, e eu já te vejo posto ao fogo. Peixes, contente--se cada um com o seu elemento. Se o voador não quisera passar do segundo ao terceiro, não viera a parar no quarto. Bem seguro estava ele do fogo, quando nadava na água, mas porque quis ser borboleta das ondas, vieram-lhe a queimar as asas.

À vista deste exemplo, peixes, tomai todos na memória esta sentença: Quem quer mais do que lhe convém, perde o que quer e o que tem. Quem pode nadar e quer voar, tempo virá em que não voe nem nade. Ouvi o caso de um voador da terra: Simão Mago, a quem a arte mágica, na qual era famosíssimo, deu o sobrenome, fingindo-se que

---

[74] *Correu pela posta* — Expressão equivalente a ir pela posta: ir ou correr velozmente.

ele era o verdadeiro filho de Deus, sinalou o dia em que aos olhos de toda Roma havia de subir ao céu, e com efeito começou a voar muito alto; porém, a oração de S. Pedro, que se achava presente, voou mais depressa que ele, e caindo lá de cima o mago, não quis Deus que morresse logo, senão que nos olhos também de todos quebrasse, como quebrou os pés.

Não quero que repareis no castigo, senão no gênero dele. Que caia Simão, está muito bem caído; que morra, também estaria muito bem morto, que o seu atrevimento e a sua arte diabólica o merecia. Mas que de uma queda tão alta não rebente, nem quebre a cabeça ou os braços, senão os pés? Sim, diz S. Máximo,[75] porque tem pés para andar, e quer asas para voar, justo é que perca as asas e mais os pés. Elegantemente o Santo Padre: *Ut qui paulo ante volare tentaverat, subito ambulare non posset; et qui pennas assumpserat, plantas amitteret.*[76] Se Simão tem pés e quer asas, pode andar e quer voar, pois quebrem-se-lhe as asas, para que não voe, e também os pés para que não ande. Eis aqui, voadores do mar, o que sucede aos da terra, para que cada um se contente com o seu elemento. Se o mar tomara exemplo nos rios, depois que Ícaro[77] se afogou no Danúbio, não haveria tantos ícaros no Oceano.

Oh alma de Antônio, que vós tivestes asas e voastes sem perigo, porque soubestes voar para baixo e não para cima! Já S. João viu no *Apocalipse* aquela mulher, cujo ornato gastou todas as suas luzes

---

[75] *S. Máximo* — Às vezes chamado de O Confessor, nasceu por volta de 580 em Constantinopla e morreu em 662. Por ter desafiado o imperador Constâncio II foi preso e sentenciado ao açoite, a ter a língua e a mão direita decepadas, e à prisão perpétua. S. Máximo foi um importante teólogo e místico, lembrado hoje particularmente por seus escritos místicos e ascéticos. Um deles, *Quatro séculos de caridade*, consistindo de pequenos aforismos e reflexões, tem sido encarado como um dos mais profundos e belos trabalhos de toda a literatura cristã.

[76] Tradução: Para quem pouco antes tentara voar, de súbito não pudesse andar; e quem tinha tomado asas, perdesse os pés.

[77] *Ícaro* — Personagem mitológico, filho de Dédalo, com quem fugiu do labirinto da ilha de Creta, graças às asas que o pai fabricara. Antes que levantasse voo, ícaro recebeu a recomendação de não se aproximar demais do sol. O jovem, entretanto, no entusiasmo de poder voar, ignorou os conselhos do pai e os raios do sol derreteram a cera que fixava suas asas, e elas se desprenderam, fazendo com que ícaro caísse no mar que, depois, tomou seu nome.

ao firmamento, e diz que "lhe foram dadas duas grandes asas de águia": *Datae sunt mulieri alae duae aquilae magnae*.[78] E para quê? *Ut volaret in desertum*: "Para voar ao deserto". Notável coisa, que não debalde lhe chamou o mesmo Profeta grande maravilha. Esta mulher estava no céu: *Signum magnum apparauit in caelo, mulier amicta sole*.[79] Pois se a mulher estava no céu e o deserto, na terra, como lhe dão asas para voar ao deserto? Porque há asas para subir e asas para descer. As asas para subir são muito perigosas, as asas para descer, muito seguras; e tais foram as de Santo Antônio. Deram-se à alma de Santo Antônio duas asas de águia, que foi aquela duplicada sabedoria natural e sobrenatural tão sublime, como sabemos. E ele, que fez? Não estendeu as asas para subir, encolheu-as para descer; e tão encolhidas que, sendo a Arca do Testamento, era reputado, como já vos disse, por leigo e sem ciência. Voadores do mar (não falo com os da terra), imitai o vosso santo pregador. Se vos parece que as vossas barbatanas vos podem servir de asas, não as estendais para subir, porque vos não suceda encontrar com alguma vela ou algum costado; encolhei-as para descer, ide-vos meter no fundo em alguma cova; e se aí estiverdes mais escondidos, estareis mais seguros.

Mas já que estamos nas covas do mar, antes que saiamos delas, temos lá o irmão polvo, contra o qual têm suas queixas, e grandes, não menos que S. Basílio e Santo Ambrósio. O polvo, com aquele seu capelo, parece um monge; com aqueles seus raios estendidos, parece uma estrela; com aquele não ter osso nem espinha, parece a mesma brandura, a mesma mansidão. E debaixo desta aparência tão modesta, ou desta hipocrisia tão santa, testemunham contestemente os dois grandes doutores das Igrejas latina e grega que o dito polvo é o maior traidor do mar. Consiste esta traição do polvo primeiramente em se vestir ou pintar das mesmas cores de todas aquelas cores a que está pegado. As cores, que no camaleão são gala, no polvo são malícia; as figuras, que em Proteu são fábula, no polvo são verdade e artifício. Se está nos limos, faz-se verde; se está na areia, faz-se branco; se está no lodo, faz-se pardo; e se está em alguma pedra, como mais ordinariamente costuma estar, faz-se da cor da mesma pedra. E daqui, que sucede? Sucede que outro peixe, inocente da traição, vai passando desacautelado, e o salteador, que está de emboscada

---

[78] *Apocalipse, II, 14.*
[79] Tradução: Esta maravilha apareceu no céu, uma mulher vestida de sol.

dentro do seu próprio engano, lança-lhe os braços de repente, e fá-lo prisioneiro. Fizera mais Judas? Não fizera mais porque não fez tanto. Judas abraçou a Cristo, mas outros o prenderam; o polvo é o que abraça e mais o que prende. Judas com os braços faz o sinal, e o polvo dos próprios braços faz as cordas. Judas é verdade que foi traidor, mas com lanternas diante; traçou a traição às escuras, mas executou-a muito às claras. O polvo, escurecendo-se a si, tira a vista aos outros e a primeira traição e roubo que faz é à luz, para que não distinga as cores. Vê, peixe aleivoso e vil, qual é a tua maldade, pois Judas em tua comparação já é menos traidor.

Oh que excesso tão afrontoso e tão indigno de um elemento tão puro, tão claro e tão cristalino como o da água, espelho natural não só da terra, senão do mesmo céu! Lá disse o Profeta, por encarecimento, que "nas nuvens do ar até a água é escura": *Tenebrosa aqua in nubibus aeris*.[80] E disse nomeadamente nas nuvens do ar, para atribuir a escuridade ao outro elemento, e não à água; a qual em seu próprio elemento é sempre clara, diáfana e transparente, em que nada se pode ocultar, encobrir, nem dissimular. E que neste mesmo elemento se crie, se conserve e se exercite com tanto dano do bem público um monstro tão dissimulado, tão fingido, tão astuto, tão enganoso e tão conhecidamente traidor!

Vejo, peixes, que pelo conhecimento que tendes nas terras em que batem os vossos mares, me estais respondendo e convindo que também nelas há falsidades, enganos, fingimentos, embustes, ciladas e muito maiores e mais perniciosas traições. E sobre o mesmo sujeito que defendeis, também podereis aplicar aos semelhantes outra propriedade muito própria; mas, pois vós a calais, eu também a calo. Com grande confusão, porém, vos confesso tudo, e muito mais do que dizeis, pois não o posso negar. Mas ponde os olhos em Antônio, vosso pregador, e vereis nele o mais puro exemplar de candura, da sinceridade e da verdade, onde nunca houve dolo, fingimento ou engano. E sabei também que para haver tudo isto em cada um de nós, bastava antigamente ser português, não era necessário ser santo.

Tenho acabado, irmãos peixes, os vossos louvores e repreensões, e satisfeito, como vos prometi, às duas obrigações de sal, posto que do mar e não da terra: *Vos estis sal terrae*. Só resta fazer-vos uma advertência muito necessária, para os que viveis nestes mares. Como

---

[80] *Salmos, XVII, 12*.

eles são tão esparcelados[81] e cheios de baixios, bem sabeis que se perdem e dão à costa muitos navios, com que se enriquece o mar, e a terra se empobrece. Importa, pois, que advertais que nesta mesma riqueza tendes um grande perigo, porque todos os que se aproveitam dos bens dos naufragantes ficam excomungados e malditos. Esta pena de excomunhão, que é gravíssima, não se pôs a vós, senão aos homens, mas tem mostrado Deus por muitas vezes que quando os animais cometem materialmente o que é proibido por esta lei, também eles incorrem, por seu modo, nas penas dela, e no mesmo ponto começam a definhar, até que acabam miseravelmente.

Mandou Cristo a S. Pedro que fosse pescar, e que na boca do primeiro peixe que tomasse acharia uma moeda com que pagar certo tributo. Se Pedro havia de tomar mais peixe que este, suposto que ele era o primeiro, do preço dele e dos outros podia fazer o dinheiro com que pagar aquele tributo, que era uma só moeda de prata, e de pouco peso. Com que mistério manda logo o Senhor que se tire da boca deste peixe e que seja ele o que morra primeiro que os demais? Ora estais atento. Os peixes não batem moeda no fundo do mar, nem têm contratos com os homens, donde lhes possa vir dinheiro; logo, a moeda que este peixe tinha engolido era de algum navio que fizera naufrágio naqueles mares. E quis mostrar o Senhor que as penas que S. Pedro ou seus sucessores fulminam contra os homens que tomam os bens dos naufragantes, também os peixes por seu modo as incorrem, morrendo primeiro que os outros, e com o mesmo dinheiro que engoliram atravessado na garganta.

Oh que boa doutrina era esta para a terra se eu não pregara para o mar! Para os homens não há mais miserável morte que morrer com o alheio atravessado na garganta; porque é pecado de que o mesmo S. Pedro e o mesmo Sumo Pontífice não pode absolver. E posto que os homens incorrem à morte eterna, de que não são capazes os peixes, eles contudo apressam a sua temporal, como neste caso, se materialmente, como tenho dito, se não abstêm dos bens dos naufragantes.

---

[81] *Esparcelados* — Que tem parcéis: escolhos, recifes.

VI

Com esta última advertência vos despido, ou me despido de vós, meus peixes. E para que vedes consolados do sermão, que não sei quando ouvireis outro, quero-vos aliviar de uma desconsolação mui antiga, com que todos ficastes desde o tempo em que se publicou o Levítico.[82] Na lei eclesiástica, ou ritual do Levítico, escolheu Deus certos animais que lhe haviam de ser sacrificados; mas todos eles, ou animais terrestres ou aves, ficando os peixes totalmente excluídos dos sacrifícios. E quem duvida que exclusão tão universal era digna de um elemento tão nobre, que mereceu dar a matéria ao primeiro sacramento?[83] O motivo principal de serem excluídos os peixes foi porque os outros podiam ir vivos ao sacrifício, e os peixes geralmente não, senão mortos; e coisa morta não quer Deus que se lhe ofereça, nem chegue aos seus altares. Também este ponto era mui importante e necessário aos homens, se eu lhes pregara a eles. Oh quantas almas chegam àquele altar mortas, porque chegam e não têm horror de chegar, estando em pecado mortal! Peixes, dai muitas graças a Deus de vos livrar deste perigo, porque melhor é não chegar ao sacrifício que chegar morto. Os outros animais ofereçam a Deus o ser sacrificados; vós oferecei-lhe o não chegar ao sacrifício; os outros sacrifiquem a Deus o sangue e a vida; vós sacrificai-lhe o respeito e a reverência.

Ah, peixes, quantas invejas vos tenho a essa natural irregularidade! Quanto melhor me fora não tomar a Deus nas mãos, que tomá-lo tão indignamente! Em tudo o que vos excedo, peixes, vos reconheço muitas vantagens. A vossa bruteza é melhor que a minha razão, e o vosso instinto, melhor que o meu alvedrio. Eu falo, mas vós não ofendeis a Deus com as palavras; eu lembro-me, mas vós não ofendeis a Deus com a memória; eu discorro, mas vós não ofendeis a Deus com o entendimento; eu quero, mas vós não ofendeis a Deus com a vontade. Vós fostes criados por Deus para servir ao homem, e conseguis o fim para que fostes criados; a mim criou-me para o servir a ele, e eu não consigo o fim para que me criou. Vós não haveis de ver a Deus, e podereis aparecer diante dele muito confiadamente, porque o não ofendestes; eu espero que o hei de ver; mas com que rosto hei

---

[82] *Levítico* — Terceiro livro bíblico, assim chamado por conter os regulamentos e observações que dizem respeito aos sacerdotes e levitas (ministros do culto na tribo de Levi). Representa o ritual da religião hebraica.

[83] *Primeiro sacramento* — Ou seja, o batismo.

de aparecer diante do seu divino acatamento, se não cesso de o ofender? Ah, que quase estou por dizer que me fora melhor ser como vós, pois de um homem que tinha as minhas mesmas obrigações, disse a Suma Verdade que "melhor lhe fora não nascer homem": *Si natus non fuisset homo ille*. E pois os que nascemos homens, respondemos tão mal às obrigações de nosso nascimento, contentai-vos, peixes, e dai muitas graças a Deus pelo vosso.

Benedicite, cete et omnia quae moventur in aquis, Domino: "Louvai, peixes, a Deus, os grandes e os pequenos", e repartidos em dois coros tão inumeráveis, louvai-o todos uniformemente. Louvai a Deus, porque vos criou em tanto número; louvai a Deus, que vos distinguiu em tantas espécies; louvai a Deus, que vos vestiu de tanta variedade e formosura; louvai a Deus, que vos habilitou de todos os instrumentos necessários à vida; louvai a Deus, que vos deu um elemento tão largo e tão puro; louvai a Deus, que vindo a este mundo, viveu entre vós, e chamou para si aqueles que convosco e de vós viviam; louvai a Deus, que vos sustenta; louvai a Deus, que vos conserva; louvai a Deus, que vos multiplica; louvai a Deus, enfim, servindo e sustentando ao homem, que é o fim para que vos criou; e assim como no princípio vos deu a sua bênção, vo-la dê também agora. Amém. Como não sois capazes de glória nem graça, não acaba o vosso sermão em graça e glória.

❖

Sermão da Sexagésima
ou do Evangelho

Pregado na Capela Real no ano de 1655.

Semen est verbum dei.[1]

I

Ese quisesse Deus que este tão ilustre e tão numeroso auditório saísse hoje tão desenganado da pregação, como vem enganado com o pregador! Ouçamos o Evangelho, e ouçamo-lo todo, que todo é do caso que me levou e trouxe de tão longe.

Ecce exiit qui seminat, seminare.[2] Diz Cristo que "saiu o pregador evangélico a semear" a palavra divina. Bem parece este texto dos livros de Deus. Não só faz menção do semear, mas também faz caso do sair: *Exiit*, porque no dia da messe hão-nos de medir a semeadura e hão-nos de contar os passos. O mundo, aos que lavrais com ele, nem vos satisfaz o que despendeis nem vos paga o que andais. Deus não é assim. Para quem lavra com Deus até o sair é semear, porque também das passadas colhe fruto. Entre os semeadores do Evangelho há uns que saem a semear, há outros que semeiam sem sair. Os que saem a semear são os que vão pregar à Índia, à China, ao Japão: os que semeiam sem sair são os que se contentam com pregar na pátria. Todos terão sua razão, mas tudo tem sua conta. Aos que têm a seara em casa, pagar-lhes-ão a semeadura: aos que vão buscar a seara tão longe, hão-lhes de medir a semeadura e hão-lhes de contar os passos. Ah Dia do Juízo! Ah pregadores! Os de cá, achar-vos-ei com mais paço; os de lá, com mais passos: *Exiit seminare*.

---

[1] *S. Lucas, VIII, 11.*— Tradução: A semente é a palavra de Deus.
[2] *S. Mateus, XIII, 3.* — Tradução: Eis que o semeador saiu a semear.

Mas daqui mesmo vejo que notais (e me notais) que diz Cristo que o semeador do Evangelho saiu, porém não diz que tornou, porque os pregadores evangélicos, os homens que professam pregar e propagar a fé, é bem que saiam, mas não é bem que tornem. Aqueles animais de Ezequiel,[3] que tiravam pelo carro triunfal da glória de Deus e significavam os pregadores do Evangelho, que propriedades tinham? *Nec revertebantur, cum ambularent*.[4] "Uma vez que iam não tornavam." As rédeas por que se governavam era o ímpeto do espírito, como diz o mesmo texto; mas esse espírito tinha impulsos para os levar, não tinha regresso para os trazer; porque sair para tornar, melhor é não sair. Assim arguis com muita razão, e eu também assim o digo. Mas pergunto: E se esse semeador evangélico, quando saiu, achasse o campo tomado; e se se armassem contra ele os espinhos; e se se levantassem contra ele as pedras, e se lhe fechassem os caminhos, que havia de fazer?

Todos estes contrários que digo e todas estas contradições experimentou o semeador do nosso Evangelho. Começou ele a semear (diz Cristo), mas com pouca ventura. "Uma parte do trigo caiu entre os espinhos, e afogaram-no os espinhos": *Aliud cecidit inter spinas et simul exortae spinae suffocaverunt illud*. "Outra parte caiu sobre pedras e secou-se nas pedras por falta de umidade": *Aliud cecidit super petram, et natum aruit, quia non habebat humorem*. "Outra parte caiu no caminho, e pisaram-no os homens e comeram-no as aves": *Aliud cecidit secus viam, et conculcatum est, et volucres coeli comederunt illud*. Ora vede como todas as criaturas do mundo se armaram contra esta sementeira. Todas as criaturas quantas há no mundo se reduzem a quatro gêneros: criaturas racionais, como os homens; criaturas sensitivas, como os animais; criaturas vegetativas, como as plantas; criaturas insensíveis, como as pedras; e não há mais. Faltou alguma destas, que se não armasse contra o semeador? Nenhuma. A natureza insensível o perseguiu nas pedras, a vegetativa, nos espinhos, a sensitiva, nas aves, a racional, nos homens. E notai a desgraça do trigo, que onde só podia esperar razão, ali achou maior agravo. As pedras secaram-no, os espinhos afogaram-no, as

---

[3] *Ezequiel, 1, 12*. — Citação completa do versículo: E cada qual caminhava para a frente; iam para o lado aonde os impelia o espírito; não se voltavam quando iam andando.
[4] *S. Gregório, in* Ezequiel.

aves comeram-no; e os homens? Pisaram-no: *Conculcatum est. Ab hominibus*, diz a Glossa.

Quando Cristo mandou pregar os Apóstolos pelo mundo, disse--lhes desta maneira: *Euntes in mundum universum, praedicate omni creaturae*:[5] "Ide, e pregai a toda a criatura". Como assim, Senhor? Os animais não são criaturas? As árvores não são criaturas? As pedras não são criaturas? Pois hão os Apóstolos de pregar às pedras? Hão de pregar aos troncos? Hão de pregar aos animais? Sim, diz S. Gregório, depois de Santo Agostinho. Porque como os Apóstolos iam pregar a todas as nações do Mundo, muitas delas bárbaras e incultas, haviam de achar os homens degenerados em todas as espécies de criaturas: haviam de achar homens homens, haviam de achar homens brutos, haviam de achar homens troncos, haviam de achar homens pedras. E quando os pregadores evangélicos vão pregar a toda a criatura, que se armem contra eles todas as criaturas? Grande desgraça!

Mas ainda a do semeador do nosso Evangelho não foi a maior. A maior é a que se tem experimentado na seara aonde eu fui, e para onde venho. Tudo o que aqui padeceu o trigo, padeceram lá os semeadores. Se bem advertirdes, houve aqui trigo mirrado, trigo afogado, trigo comido e trigo pisado. Trigo mirrado: *Natum aruit, quia non habebat humorem*; trigo afogado: *Exorta spinae suffocaverunt illud*; trigo comido: *Volucres caeli comederunt illud*; trigo pisado: *Conculcatum est*. Tudo isto padeceram os semeadores evangélicos da missão do Maranhão de doze anos a esta parte. Houve missionários afogados, porque uns se afogaram na boca do grande rio das Amazonas; houve missionários comidos, porque a outros comeram os bárbaros na ilha dos Aroãs; houve missionários mirrados, porque tais tornaram os da jornada dos Tocantins, mirrados da fome e da doença, onde tal houve, que andando vinte e dois dias perdidos nas brenhas, mataram somente a sede com o orvalho que lambiam das folhas. Vede se lhe quadra bem o *Natum aruit, quia non habebat humorem!* E que sobre mirrados, sobre afogados, sobre comidos, ainda se vejam pisados e perseguidos dos homens: *Conculcatum est!* Não me queixo nem o digo, Senhor, pelos semeadores; só pela seara o digo, só pela seara o sinto. Para os semeadores, isto são glórias; mirrados sim, mas por amor de Vós mirrados; afogados sim, mas por amor de Vós afogados; comidos sim, mas por amor de Vós comidos; pisados e perseguidos sim, mas por amor de Vós perseguidos e pisados.

---

[5] *S. Marcos, XVI, 15*.

Agora torna a minha pergunta: E que faria neste caso, ou que devia fazer o semeador evangélico, vendo tão mal logrados seus primeiros trabalhos? Deixaria a lavoura? Desistiria da sementeira? Ficar-se-ia ocioso no campo, só porque tinha lá ido? Parece que não. Mas se tornasse muito depressa a casa a buscar alguns instrumentos com que alimpar a terra das pedras e dos espinhos, seria isto desistir? Seria isto tornar atrás? Não, por certo. No mesmo texto de Ezequiel, com que arguistes, temos a prova. Já vimos como dizia o texto, que aqueles animais da carroça de Deus "quando iam não tornavam": *Nec revertebantur, cum ambularent*.[6] Lede agora dois versos mais abaixo, e vereis que diz o mesmo texto que "aqueles animais tornavam, à semelhança de um raio ou corisco": *Ibant et revertebantur in similitudinem fulgoris coruscantis*.[7] Pois se os animais iam e tornavam, à semelhança de um raio, como diz o texto que quando iam não tornavam? Porque quem vai e volta como um raio, não torna. Ir e voltar como raio, não é tornar, é ir por diante. Assim o fez o semeador do nosso Evangelho. Não o desanimou, nem a primeira, nem a segunda, nem a terceira perda: continuou por diante no semear, e foi com tanta felicidade que nesta quarta e última parte do trigo se restauraram com vantagem as perdas dos demais: nasceu, cresceu, espigou, amadureceu, colheu-se, mediu-se, achou-se que por um grão multiplicara cento: *Et fecit fructum centuplum*.

Oh que grandes esperanças me dá esta sementeira! Oh que grande exemplo me dá este semeador! Dá-me grandes esperanças a sementeira, porque, ainda que se perderam os primeiros trabalhos, lograr-se-ão os últimos. Dá-me grande exemplo o semeador, porque depois de perder a primeira, segunda e a terceira parte do trigo, aproveitou a quarta e última e colheu dela muito fruto. Já que se perderam as três partes da vida, já que uma parte da idade a levaram os espinhos, já que outra parte a levaram as pedras, já que outra parte a levaram os caminhos, e tantos caminhos, esta quarta e última parte, este último quartel da vida, por que se perderá também? Por que não dará fruto? Por que não terão também os anos o que tem o ano? O ano tem tempo para as flores e tempo para os frutos. Por que não terá também o seu outono a vida? As flores, umas caem, outras secam, outras murcham, outras leva-as o vento; aquelas poucas que se pegam ao tronco e se convertem em fruto, só essas são as venturosas, só essas são as dis-

---

[6] *Ezequiel, I, 12*.
[7] *Ibid, I, 14*.

cretas, só essas são as que duram, só essas são as que aproveitam, só essas são as que sustentam o Mundo. Será bem que o Mundo morra à fome? Será bem que os últimos dias se passem em flores? Não será bem, nem Deus quer que seja, nem há de ser. Eis aqui por que eu dizia ao princípio que vindes enganados com o pregador. Mas para que possais ir desenganados com o sermão, tratarei nele uma matéria de grande peso e importância. Servirá como de prólogo aos sermões que vos hei de pregar e aos mais que ouvirdes esta Quaresma.

II

Semen est verbum Dei.

O trigo que semeou o pregador evangélico, segundo Cristo, é a palavra de Deus. Os espinhos, as pedras, o caminho e a terra boa em que o trigo caiu são os diversos corações dos homens. Os espinhos são os corações embaraçados com cuidados, com riquezas, com delícias; e nestes afoga-se a palavra de Deus. As pedras são os corações duros e obstinados; e nestes seca-se a palavra de Deus, e se nasce, não cria raízes. Os caminhos são os corações inquietos e perturbados com a passagem e tropel das coisas do Mundo, umas que vão, outras que vêm, outras que atravessam, e todas passam; e nestes é pisada a palavra de Deus, porque a desatendem ou a desprezam. Finalmente, a terra boa são os corações bons, ou os homens de bom coração; e nestes prende e frutifica a palavra divina, com tanta fecundidade e abundância que se colhe cento por um: *Et fructum fecit centuplum*.

Este grande frutificar da palavra de Deus é o em que reparo hoje; e é uma dúvida ou admiração que me traz suspenso e confuso depois que subo ao púlpito. Se a palavra de Deus é tão eficaz e tão poderosa, como vemos tão pouco fruto da palavra de Deus? Diz Cristo que a palavra de Deus frutifica cento por um, e já eu me contentara com que frutificasse um por cento. Se com cada cem sermões se convertera e emendara um homem, já o mundo fora santo. Este argumento de fé, fundado na autoridade de Cristo, se aperta ainda mais na experiência, comparando os tempos passados com os presentes. Lede as histórias eclesiásticas, e achá-las-eis todas cheias dos admiráveis efeitos da pregação da palavra de Deus. Tantos pecadores convertidos, tanta mudança de vida, tanta reformação de costumes; os grandes desprezando as riquezas e vaidades do Mundo; os reis renunciando os cetros e as coroas; as mocidades e as gentilezas metendo-se pelos desertos e pelas covas; e hoje? Nada disto. Nunca na Igreja de Deus houve tantas pregações nem tantos pregadores como hoje. Pois se tanto se semeia a palavra de Deus, como é tão pouco o fruto?

Não há um homem em que um sermão entre em si e se resolva, não há um moço que se arrependa, não há um velho que se desengane. Que é isto? Assim como Deus não é hoje menos onipotente, assim a sua palavra não é hoje menos poderosa do que dantes era. Pois se a palavra de Deus é tão poderosa, se a palavra de Deus tem hoje tantos pregadores, por que não vemos hoje nenhum fruto da palavra de Deus? Esta tão grande e tão importante dúvida será a matéria do sermão. Quero começar pregando-me a mim. A mim será, e também a vós; a mim, para aprender a pregar; a vós, para que aprendais a ouvir.

III

Fazer pouco fruto a palavra de Deus no Mundo pode proceder de um de três princípios: ou da parte do pregador, ou da parte do ouvinte, ou da parte de Deus. Para uma alma se converter por meio de um sermão, há de haver três concursos: há de concorrer o pregador com a doutrina, persuadindo; há de concorrer o ouvinte com o entendimento, percebendo; há de concorrer Deus com a graça, alumiando. Para um homem se ver a si mesmo, são necessárias três coisas: olhos, espelho e luz. Se tem espelho e é cego, não se pode ver por falta de olhos; se tem espelho e olhos, e é de noite, não se pode ver por falta de luz. Logo, há mister luz, há mister espelho e há mister olhos. Que coisa é a conversão de uma alma senão entrar um homem dentro em si e ver-se a si mesmo? Para esta vista são necessários olhos, é necessária luz e é necessário espelho. O pregador concorre com o espelho, que é a doutrina; Deus concorre com a luz, que é a graça; o homem concorre com os olhos, que é o conhecimento. Ora suposto que a conversão das almas por meio da pregação depende destes três concursos: de Deus, do pregador e do ouvinte; por qual deles havemos de entender que falta? Por parte do ouvinte, ou por parte do pregador, ou por parte de Deus?

Primeiramente, por parte de Deus, não falta nem pode faltar. Esta proposição é de fé, definida no Concílio Tridentino,[8] e no nosso

---

[8] *Concílio Tridentino* — Concílio realizado na cidade de Trento, de 1545

Evangelho a temos. Do trigo que deitou à terra o semeador, uma parte se logrou e três se perderam. E por que se perderam estas três? A primeira perdeu-se, porque a afogaram os espinhos; a segunda, porque a secaram as pedras; a terceira, porque a pisaram os homens e a comeram as aves. Isto é o que diz Cristo; mas notai o que não diz. Não diz que parte alguma daquele trigo se perdesse por causa do sol ou da chuva. A causa por que ordinariamente se perdem as sementeiras é pela desigualdade e pela intemperança dos tempos, ou porque falta ou sobeja a chuva ou porque falta ou sobeja o sol. Pois por que não introduz Cristo na parábola do Evangelho algum trigo que se perdesse por causa do sol ou da chuva? Porque o sol e a chuva são as influências da parte do Céu, e deixar de frutificar a semente da palavra de Deus nunca é por falta do Céu, sempre é por culpa nossa. Deixará de frutificar a sementeira ou pelo embaraço dos espinhos, ou pela dureza das pedras, ou pelos descaminhos dos caminhos, mas por falta das influências do Céu, isso nunca é nem pode ser. Sempre Deus está pronto de sua parte, com o sol para aquentar e com a chuva para regar; com o sol para alumiar e com a chuva para amolecer, se os nossos corações quiserem: *Qui solem suum oriri facit super bonos et malos, et pluit super justos et injustos.*[9] Se Deus dá o seu sol e a sua chuva aos bons e aos maus; aos maus que se quiserem fazer bons, como a negará? Este ponto é tão claro que não há para que nos determos em mais prova. *Quid debui facere vineae meae, et non feci?*[10] Disse o mesmo Deus por Isaías.

Sendo, pois, certo que a palavra divina não deixa de frutificar por parte de Deus, segue-se que ou é por falta do pregador ou por falta dos ouvintes. Por qual será? Os pregadores deitam a culpa aos ouvintes, mas não é assim. Se fora por parte dos ouvintes, não fizera a palavra de Deus muito grande fruto, mas não fazer nenhum fruto e nenhum efeito, não é por parte dos ouvintes. Provo.

Os ouvintes ou são maus ou são bons: se são bons, faz neles grande fruto a palavra de Deus; se são maus, ainda que não faça

---

a 1553, para opor ao protestantismo um conjunto de dogmas e de reformas disciplinares capazes de manter a unidade católica. Neste concílio definiu--se, por exemplo, a edição oficial da *Bíblia*, a justificação do dogma dos sacramentos, a existência do Purgatório, a legitimidade das indulgências e a invocação dos santos.

[9] *S. Mateus, V, 45.*
[10] *Isaías, V, 4.* — Tradução: Que tive eu de fazer à minha vinha e não fiz?

neles fruto, faz efeito. No Evangelho o temos. O trigo que caiu nos espinhos nasceu, mas afogaram-no: *Simul exortae spinae suffocaverunt illud*. O trigo que caiu nas pedras nasceu também, mas secou-se: *Et natum aruit*. O trigo que caiu na boa terra nasceu e frutificou com grande multiplicação: *Et natum fecit fructum centuplum*. De maneira que o trigo que caiu na boa terra nasceu e frutificou; o trigo que caiu na má terra não frutificou, mas nasceu; porque a palavra de Deus é tão fecunda que nos bons faz muito fruto e é tão eficaz que nos maus, ainda que não faça fruto, faz efeito; lançada nos espinhos, não frutificou, mas nasceu até nos espinhos; lançada nas pedras, não frutificou, mas nasceu até nas pedras. Os piores ouvintes que há na Igreja de Deus são as pedras e os espinhos. E por quê? Os espinhos por agudos, as pedras por duras. Ouvintes de entendimentos agudos e ouvintes de vontades endurecidas são os piores que há. Os ouvintes de entendimentos agudos são maus ouvintes, porque vêm só a ouvir sutilezas, a esperar galanterias, a avaliar pensamentos e às vezes também a picar a quem os não pica. *Aliud cecidit inter spinas*: O trigo não picou os espinhos, antes os espinhos o picaram a ele: e o mesmo sucede cá. Cuidais que o sermão vos picou a vós, e não é assim; vós sois os que picais o sermão. Por isto são maus ouvintes os de entendimentos agudos. Mas os de vontades endurecidas ainda são piores, porque um entendimento agudo pode-se ferir pelos mesmos fios e vencer-se uma agudeza com outra maior; mas contra vontades endurecidas nenhuma coisa aproveita a agudeza, antes dana mais, porque quando as setas são mais agudas, tanto mais facilmente se despontam na pedra. Oh! Deus nos livre de vontades endurecidas, que ainda são piores que as pedras. A vara de Moisés abrandou as pedras e não pôde abrandar uma vontade endurecida: *Percutiens virga bis silicem, et egressae sunt aquae largissimaen*.[11] *Induratum est cor Pharaonis*.[12] E com os ouvintes de entendimentos agudos e os ouvintes de vontades endurecidas serem os mais rebeldes, é tanta a força da divina palavra que, apesar da agudeza, nasce nos espinhos, e apesar da dureza, nasce nas pedras.

Pudéramos arguir ao lavrador do Evangelho de não cortar os espinhos e de não arrancar as pedras antes de semear, mas de indústria deixou no campo as pedras e os espinhos, para que se visse a força do

---

[11] *Números, XX, 11*. —Tradução: (Moisés) Bateu a vara duas vezes na pedra e saíram abundantes águas.
[12] *Êxodo, VII, 13*. — Tradução: O coração do Faraó se endureceu.

que semeava. É tanta a força da divina palavra que, sem cortar nem despontar espinhos, nasce entre espinhos. É tanta a força da divina palavra que, sem arrancar nem abrandar pedras, nasce nas pedras. Corações embaraçados como espinhos, corações secos e duros como pedras, ouvi a palavra de Deus e tende confiança! Tomai exemplo nessas mesmas pedras e nesses espinhos! Esses espinhos e essas pedras agora resistem ao semeador do céu; mas virá tempo em que essas mesmas pedras o aclamem e esses mesmos espinhos o coroem.[13]

Quando o semeador do Céu deixou o campo, saindo deste mundo, as pedras se quebraram para lhe fazerem aclamações, e os espinhos se teceram para lhe fazerem coroa. E se a palavra de Deus até dos espinhos e das pedras triunfa; se a palavra de Deus até nas pedras, até nos espinhos nasce; não triunfar dos alvedrios[14] hoje a palavra de Deus nem nascer nos corações não é por culpa nem por indisposição dos ouvintes.

Supostas estas duas demonstrações; suposto que o fruto e efeitos da palavra de Deus não ficam, nem por parte de Deus, nem por parte dos ouvintes, segue-se por consequência clara que fica por parte do pregador. E assim é. Sabeis, cristãos, por que não faz fruto a palavra de Deus? Por culpa dos pregadores. Sabeis, pregadores, por que não faz fruto a palavra de Deus? Por culpa nossa.

IV

Mas como em um pregador há tantas qualidades, e em uma pregação, tantas leis, e os pregadores podem ser culpados em todas, em qual consistirá esta culpa? No pregador podem-se considerar cinco circunstâncias: a pessoa, a ciência, a matéria, o estilo, a voz. A pessoa que é, a ciência que tem, a matéria que trata, o estilo que segue, a voz com que fala. Todas estas circunstâncias temos no Evangelho. Vamo-las examinando uma por uma e buscando esta causa.

Será porventura o não fazer fruto hoje a palavra de Deus pela circunstância da pessoa? Será porque antigamente os pregadores eram

---

[13] *S. Mateus, XXXVII, 51*. — A indicação correta é *S. Mateus, XXVII, 51*. Eis o versículo na íntegra: E eis que o véu do templo se rasgou em dois, de alto a baixo; e tremeu a terra, e fenderam-se as pedras. Tradução da frase do versículo 29: E puseram na sua cabeça uma coroa de espinhos.

[14] *Alvedrios* — O mesmo que arbítrios.

santos, eram varões apostólicos e exemplares, e hoje os pregadores são eu e outros como eu? Boa razão é esta. A definição do pregador é a vida e o exemplo. Por isso, Cristo, no Evangelho, não o comparou ao semeador, senão ao que semeia. Reparai. Não diz Cristo: saiu a semear o semeador, senão, saiu a semear o que semeia: *Ecce exiit, qui seminat, seminare.* Entre o semeador e o que semeia há muita diferença. Uma coisa é o soldado, e outra coisa o que peleja; uma coisa é o governador, e outra o que governa. Da mesma maneira, uma coisa é o semeador, e outra o que semeia; uma coisa é o pregador, e outra o que prega. O semeador e o pregador é nome; o que semeia e o que prega é ação; e as ações são as que dão o ser ao pregador. Ter nome de pregador, ou ser pregador de nome, não importa nada; as ações, a vida, o exemplo, as obras, são as que convertem o mundo. O melhor conceito que o pregador leva ao púlpito, qual cuidais que é? É o conceito que de sua vida têm os ouvintes.

Antigamente convertia-se o mundo, hoje por que se não converte ninguém? Porque hoje pregam-se palavras e pensamentos, antigamente pregavam-se palavras e obras. Palavras sem obras são tiros sem bala; atroam, mas não ferem. A funda de Davi derribou o gigante, mas não o derribou com o estalo, senão com a pedra: *Infixus est lapis in fronte ejus.*[15] As vozes da harpa de Davi lançavam fora os demônios do corpo de Saul, mas não eram vozes pronunciadas com a boca, eram vozes formadas com a mão: *David tollebat citharam, et percutiebat manu sua.*[16] Por isso, Cristo comparou o pregador ao semeador. O pregar que é falar, faz-se com a boca; o pregar que é semear, faz-se com a mão. Para falar ao vento, bastam palavras; para falar ao coração, são necessárias obras. Diz o Evangelho que a palavra de Deus frutificou cento por um. Que quer isto dizer? Quer dizer que de uma palavra nasceram cem palavras? Não. Quer dizer que de poucas palavras nasceram muitas obras. Pois palavras que frutificam obras, vede se podem ser só palavras! Quis Deus converter o mundo, e que fez? Mandou ao mundo seu Filho feito homem. Notai. O Filho de Deus, enquanto Deus, é palavra de Deus, não é obra de Deus: *Genitum, non factum.* O Filho de Deus enquanto Deus e Homem, é palavra

---

[15] *I. Reis, XVII, 49.* — A indicação correta é *I Samuel, XVII, 49.* Tradução: A pedra acertou a sua cabeça.
[16] *I. Reis, XVI, 23.* — Trata-se também de *I Samuel, XVI, 23.* Tradução: Davi tomava a harpa e tocava-a com sua mão.

de Deus e obra de Deus juntamente: *Verbum caro factum est*.[17] De maneira que até de sua palavra desacompanhada de obras, não fiou Deus a conversão dos homens. Na união da palavra de Deus com a maior obra de Deus consistiu a eficácia da salvação do mundo. Verbo Divino é palavra divina; mas importa pouco que as nossas palavras sejam divinas, se forem desacompanhadas de obras. A razão disto é porque as palavras ouvem-se, as obras veem-se; as palavras entram pelos ouvidos, as obras entram pelos olhos, e a nossa alma rende-se muito mais pelos olhos que pelos ouvidos. No Céu ninguém há que não ame a Deus nem possa deixar de o amar. Na terra há tão poucos que o amem, todos o ofendem. Deus não é o mesmo e tão digno de ser amado no Céu como na terra? Pois como no Céu obriga e necessita a todos a o amarem e na terra não? A razão é porque Deus no Céu é Deus visto; Deus na terra é Deus ouvido. No Céu entra o conhecimento de Deus à alma pelos olhos: *Videbimus eum sicut est*;[18] na terra entra-lhe o conhecimento de Deus pelos ouvidos: *Fides ex auditu*;[19] e o que entra pelos ouvidos crê-se, o que entra pelos olhos necessita. Viram os ouvintes em nós o que nos ouvem a nós, e o abalo e os efeitos do sermão seriam muito outros.

Vai um pregador pregando a Paixão, chega ao pretório[20] de Pilatos, conta como a Cristo o fizeram rei de zombaria, diz que tomaram uma púrpura e lha puseram aos ombros; ouve aquilo o auditório muito atento. Diz que teceram uma coroa de espinhos e que lha pregaram na cabeça; ouvem todos com a mesma atenção. Diz mais que lhe ataram as mãos e lhe meteram nelas uma cana por cetro; continua o mesmo silêncio e a mesma suspensão nos ouvintes. Corre-se neste espaço uma cortina, aparece a imagem do *Ecce Homo*;[21] eis todos prostrados por terra, eis todos a bater no peito, eis as lágrimas, eis os gritos, eis os alaridos, eis as bofetadas. Que é isto? Que apareceu de novo nesta igreja? Tudo o que descobriu aquela cortina, tinha já dito o pregador. Já tinha dito daquela púrpura, já tinha dito daquela

---

[17] *S. João, I, 14.* — Tradução: O Verbo se fez carne.
[18] *S. João, III, 2.*
[19] *S. Paulo — Epístolas aos Romanos, X, 17.*
[20] *Pretório* — Residência ou tribunal do pretor. Na história do cristianismo, o lugar onde Pilatos apresentou Cristo ao povo.
[21] *Ecce Homo* – Nome sob o qual se designa a representação de Jesus Cristo coroado de espinhos e vestido de púrpura tal como Pilatos o apresentou aos judeus, exclamando: *Ecce Homo* — Eis o homem.

coroa e daqueles espinhos, já tinha dito daquele cetro e daquela cana. Pois se isto então não fez abalo nenhum, como faz agora tanto? Porque então era *Ecce Homo* ouvido, e agora é *Ecce Homo* visto, a relação do pregador entrava pelos ouvidos, a representação daquela figura entra pelos olhos. Sabem, Padres pregadores, por que fazem pouco abalo os nossos sermões? Porque não pregamos aos olhos, pregamos só aos ouvidos. Por que convertia o Batista tantos pecadores? Porque assim como as suas palavras pregavam aos ouvidos, o seu exemplo pregava aos olhos. As palavras do Batista pregavam penitência: *Agite poenitentiam*.[22] "Homens, fazei penitência"; e o exemplo clamava: *Ecce Homo*: eis aqui o homem que é o retrato da penitência e da aspereza. As palavras do Batista pregavam jejum e repreendiam os regalos e demasias da gula; e o exemplo clamava: *Ecce Homo*: eis aqui o homem que se sustenta de gafanhotos e mel silvestre. As palavras do Batista pregavam composição e modéstia e condenavam a soberba e a vaidade das galas; e o exemplo clamava: *Ecce Homo*: eis aqui o homem vestido de peles de camelo, com as cordas e cilício à raiz da carne. As palavras do Batista pregavam desapegos e retiros do mundo e fugir das ocasiões e dos homens; e o exemplo clamava: *Ecce Homo*: eis aqui o homem que deixou as cortes e as cidades e vive num deserto e numa cova. Se os ouvintes ouvem uma coisa e veem outra, como se hão de converter? Jacó punha as varas manchadas diante das ovelhas quando concebiam, e daqui procedia que os cordeiros nasciam manchados.[23] Se quando os ouvintes percebem os nossos conceitos têm diante dos olhos as nossas manchas, como hão de conceber virtudes? Se a minha vida é apologia contra a minha doutrina, se as minhas palavras vão já refutadas nas minhas obras, se uma coisa é o semeador e outra o que semeia, como se há de fazer fruto?

Muito boa e muito forte razão era esta de não fazer fruto a palavra de Deus; mas tem contra si o exemplo e experiência de Jonas.[24] Jonas, fugitivo de Deus, desobediente, contumaz e, ainda depois de engolido e vomitado, iracundo,[25] impaciente, pouco caritativo, pouco miseri-

---

[22] *S. Mateus, III, 2.*

[23] *Factum est ut oves intuerentur virgas et parerent maculosa. Gênesis, XXX, 39.* O versículo 39 na íntegra é o seguinte: E concebia o rebanho diante das varas, e as ovelhas davam crias listradas, salpicadas e malhadas.

[24] *Jonas* — V. nota 13 em Sermão de Santo Antônio ou dos Peixes.

[25] *Iracundo* — Colérico, irado.

cordioso e mais zeloso e amigo da própria estimação que da honra de Deus e salvação das almas, desejoso de ver subvertida a Nínive e de a ver subverter com seus olhos, havendo nela tantos mil inocentes; contudo este mesmo homem com um sermão converteu o maior rei, a maior corte e o maior reino do mundo, e não de homens fiéis, senão de gentios idólatras. Outra é logo a causa que buscamos. Qual será?

V

Será porventura o estilo que hoje se usa nos púlpitos? Um estilo tão empeçado, um estilo tão dificultoso, um estilo tão afetado, um estilo tão encontrado a toda a arte e a toda a natureza? Boa razão é também esta. O estilo há de ser muito fácil e muito natural. Por isso Cristo comparou o pregar ao semear: *Exiit qui seminat, seminare.* Compara Cristo o pregar ao semear, porque o semear é uma arte que tem mais de natureza que de arte. Nas outras artes tudo é arte; na música tudo se faz por compasso, na arquitetura tudo se faz por regra, na aritmética tudo se faz por conta, na geometria tudo se faz por medida. O semear não é assim. É uma arte sem arte; caia onde cair. Vede como semeava o nosso lavrador do Evangelho. "Caía o trigo nos espinhos e nascia": *Aliud cecidit inter spinas, et simul exorta spinae.* "Caía o trigo nas pedras e nascia": *Aliud cecidit super petram, et ortum.* "Caía o trigo na terra boa e nascia": *Aliud cecidit in terram bonam, et natum.* Ia o trigo caindo e ia nascendo.

Assim há de ser o pregar. Hão de cair as coisas e hão de nascer; tão naturais que vão caindo, tão próprias que venham nascendo. Que diferente é o estilo violento e tirânico que hoje se usa! Ver vir os tristes passos da Escritura, como quem vem ao martírio; uns vêm acarretados, outros vêm estirados, outros vêm torcidos, outros vêm despedaçados; só atados não vêm! Há tal tirania? Então no meio disto, que bem levantado está aquilo! Não está a coisa no levantar, está no cair: *Cecidit.* Notai uma alegoria própria da nossa língua. O trigo do semeador, ainda que caiu quatro vezes, só de três nasceu; para o sermão vir nascendo, há de ter três modos de cair: há de cair com queda, há de cair com cadência, há de cair com caso. A queda é para as coisas, a cadência, para as palavras, o caso, para a disposição. A queda é para as coisas, porque hão de vir bem trazidas e em seu lugar; hão de ter queda. A cadência é para as palavras, porque não hão de ser escabrosas, nem dissonantes, hão de ter cadência. O caso é para a disposição, porque há de ser tão natural e tão desafetada que pareça caso e não estudo: *Cecidit, cecidit, cecidit.*

Já que falo contra os estilos modernos, quero alegar por mim o estilo do mais antigo pregador que houve no mundo. E qual foi ele? O mais antigo pregador que houve no mundo foi o Céu. *Coeli enarrant gloriam Dei et opera manuum ejus annuntiat Firmamentum*, diz Davi.[26] Suposto que o Céu é pregador, deve de ter sermões e deve de ter palavras. Sim, tem, diz o mesmo Davi: tem palavras e tem sermões, e mais muito bem ouvidos. *Non sunt loquellae, nec sermones, quorum non audiantur voces eorum.*[27] E quais são estes sermões e estas palavras do céu? As palavras são as estrelas, os sermões são a composição, a ordem, a harmonia e o curso delas. Vede como diz o estilo de pregar do céu, com o estilo que Cristo ensinou na terra. Um e outro é semear; a terra semeada de trigo, o céu semeado de estrelas. O pregar há de ser como quem semeia, e não como quem ladrilha ou azuleja. Ordenado, mas como as estrelas: *Stellae manentes in ordine suo.*[28] Todas as estrelas estão por sua ordem; mas é ordem que faz influência, não é ordem que faça lavor. Não fez Deus o céu em xadrez de estrelas, como os pregadores fazem o sermão em xadrez de palavras. Se de uma parte está branco, da outra há de estar negro, se de uma parte está dia, da outra há de estar noite, se de uma parte dizem luz, da outra hão de dizer sombra; se de uma parte dizem desceu, da outra hão de dizer subiu. Basta que não havemos de ver num sermão duas palavras em paz? Todas hão de estar sempre em fronteira com o seu contrário? Aprendamos do céu o estilo da disposição e também o das palavras. Como hão de ser as palavras? Como as estrelas. As estrelas são muito distintas e muito claras. Assim há de ser o estilo da pregação: muito distinto e muito claro. E nem por isso temais que pareça o estilo baixo; as estrelas são muito distintas e muito claras e altíssimas. O estilo pode ser muito claro e muito alto; tão claro que o entendam os que não sabem, e tão alto que tenham muito que entender nele os que sabem. O rústico acha documentos[29] nas estrelas para sua

---

[26] *Salmos, XVIII, 1*. — Tradução: Narram os céus a glória de Deus, e o firmamento anuncia a obra de suas mãos.
[27] *Salmos, XVIII, 4*. — Nas modernas edições da *Bíblia*, este texto corresponde ao versículo 3. — Tradução: Sem linguagem, sem fala, ouvem-se as suas vozes.
[28] *Juízes, V, 20*.
[29] *Documentos* — No sentido de indícios, intruções.

lavoura, e o mareante, para sua navegação, e o matemático, para as suas observações e para os seus juízos. De maneira que o rústico e o mareante, que não sabem ler nem escrever, entendem as estrelas; e o matemático, que tem lido quantos escreveram, não alcança a entender quanto nelas há. Tal pode ser o sermão: estrelas que todos veem, e muito poucos as medem.

Sim, Padre; porém esse estilo de pregar não é pregar culto. Mas fosse! Este desventurado estilo que hoje se usa, os que o querem honrar chamam-lhe culto, os que o condenam chamam-lhe escuro, mas ainda lhe fazem muita honra. O estilo culto não é escuro, é negro, e negro boçal e muito cerrado. É possível que somos portugueses e havemos de ouvir um pregador em português e não havemos de entender o que diz? Assim como há *Lexicon*[30] para o grego e *Calepino*[31] para o latim, assim é necessário haver um vocabulário do púlpito. Eu ao menos o tomara para os nomes próprios, por que os cultos têm desbatizados os santos, e cada autor que alegam é um enigma. Assim o disse o Cetro Penitente, assim o disse o Evangelista Apeles, a Águia de África, o Favo de Claraval, a Púrpura de Belém, a Boca de Ouro. Há tal modo de alegar! O Cetro Penitente dizem que é Davi, como se todos os cetros não foram penitência; o Evangelista Apeles, que é S. Lucas; o Favo de Claraval, S. Bernardo;[32] a Águia de África, Santo Agostinho;[33] a Púrpura de Belém, S. Jerônimo;[34] a Boca de

---

[30] *Lexicon* — Primitivamente, o conjunto das palavras da língua grega; depois passou a indicar o vocabulário de uma língua qualquer.

[31] *Calepino* — Alusão a Ambrósio Calepino, sábio religioso italiano (1435-1511), autor de um notável dicionário latino. Vieira usa a palavra, no texto, como sinônimo de vocabulário latino.

[32] S. Bernardo — Nasceu em 1090 no castelo de Fontaine, perto da cidade francesa de Dijon, e morreu em Claraval (França) em 1153. Considerado um dos maiores vultos do cristianismo militante. Foi figura de destaque da Idade Média, percorreu a Alemanha e a França com o objetivo de insuflar o entusiasmo pela segunda cruzada. Suas obras mais famosas, *Vida de São Malaquias de Armagh*, *Sobre o amor de Deus* e *Sobre o Cântico dos Cânticos*, tiveram ampla difusão. Em seus escritos e em suas pregações, usava sempre a *Bíblia*, "não tanto para expor as palavras, mas para atingir os corações das pessoas".

[33] *Santo Agostinho* — V. nota 42 em Sermão de Santo Antônio ou dos Peixes.

[34] *S. Jerônimo* — Sacerdote da Igreja latina (347-420), é autor da tradução da *Bíblia* em latim, chamada Vulgata. Em 386, fixou-se em Belém onde viveu até o fim de sua vida. Considerado o mais erudito dos

Ouro, S. Crisóstomo.³⁵ E quem quitaria ao outro cuidar que a Púrpura de Belém é Herodes,³⁶ que a Águia de África é Cipião³⁷ e que a Boca de Ouro é Midas?³⁸ Se houvesse um advogado que alegasse assim a Bartolo³⁹ e Baldo,⁴⁰ havíeis de fiar dele o vosso pleito? Se houvesse um homem que assim falasse na conversação, não o havíeis de ter por néscio? Pois o que na conversação seria necedade como há de ser discrição no púlpito?

Boa me parecia também esta razão; mas como os cultos pelo polido e estudado se defendem com o grande Nazianzeno,⁴¹ com Ambrósio,⁴² com Crisólogo⁴³ e com Leão,⁴⁴ e pelo escuro e duro

---

intelectuais de seu tempo, foi um eloquente defensor do catolicismo ocidental e da vida ascética.

³⁵ *Crisóstomo* — S. João Crisóstomo (347-407), um dos Padres da Igreja, patriarca de Constantinopla, célebre por sua eloquência — a qual lhe fez merecer o cognome de Boca de Ouro. Em seus sermões sempre tratava de temas reais ao invés de abstrações ineficazes. Sua meta era interpretar a *Bíblia* de tal maneira que os ouvintes, gente comum, conhecessem e entendessem os ensinamentos bíblicos e sua aplicação prática.

³⁶ *Herodes* — Herodes, o Grande, rei da Judeia, tornou-se célebre por sua crueldade: é a ele que se atribui a degolação dos inocentes, fato narrado em S. Mateus, I, 16.

³⁷ *Cipião* — Cipiano, o Africano, cônsul romano em 205 e 194 a.C. Conquistador da Espanha, da África e da Ásia Menor, sobressai como o arquiteto da supremacia mundial de Roma.

³⁸ *Midas* — Personagem mitológico, rei da Frígia, que obteve de Baco o dom de transformar em ouro tudo em que tocava.

³⁹ *Bartolo* — Famoso jurista italiano, nasceu em 1313 ou 1314 e morreu em 1357. Estudou as leis romanas e tentou fazê-las reviver, adaptando-as às instituições do seu tempo.

⁴⁰ *Baldo* — Pietro Baldo de Ubaldis, jurisconsulto italiano (1324-1400). Foi discípulo do grande Bartolo e tornou-se — depois — o divulgador das ideias de seu mestre.

⁴¹ *Nazianzeno* — V. nota 28 em Sermão de Santo Antônio ou dos Peixes.

⁴² *Ambrósio* — V. nota 22 em Sermão de Santo Antônio ou dos Peixes.

⁴³ *Crisólogo* — S. Pedro Crisólogo, arcebispo de Ravena (406-450). O termo "crisólogo" significa palavra de ouro, como se dizia de alguns Padres da Igreja; é usado também para caracterizar um orador eloquente. S. Pedro Crisólogo escreveu discursos e sermões em latim.

⁴⁴ *Leão* — São Leão, o Grande, doutor da Igreja, foi papa de 440 a 461. Só algumas de suas obras escritas sobreviveram — algumas cartas e sermões, notáveis pela precisão e clareza. Nelas se enfatiza repetidamente a primazia dos sucessores de S. Pedro e sua autoridade doutrinária.

e com Clemente Alexandrino,[45] com Tertuliano,[46] com Basílio de Selêucia,[47] com Zeno Veronense[48] e outros, não podemos negar a reverência a tamanhos autores, posto que desejáramos, nos que se prezam de beber destes rios, a sua profundidade. Qual será logo a causa de nossa queixa?

VI

Será pela matéria ou matérias que tomam os pregadores? Usa-se hoje o modo que chamam de apostilar o Evangelho, em que tomam muitas matérias, levantam muitos assuntos, e quem levanta muita caça e não segue nenhuma não é muito que se recolha com as mãos vazias. Boa razão é também esta. O sermão há de ter um só assunto e uma só matéria. Por isso Cristo disse que o lavrador do Evangelho não semeara muitos gêneros de sementes, senão uma só: *Exiit, qui seminat, seminare semen*. Semeou uma semente só, e não muitas, porque o sermão há de ter uma só matéria, e não muitas matérias. Se o lavrador semeara primeiro trigo, e sobre o trigo semeara centeio, e sobre o centeio semeara milho grosso e miúdo, e sobre o milho semeara cevada, que havia de nascer? Uma mata brava, uma confusão verde. Eis aqui o que acontece aos sermões deste gênero. Como semeiam tanta variedade, não podem colher coisa certa. Quem semeia misturas, mal pode colher trigo. Se uma nau fizesse um bordo para o norte, outro para o sul, outro para leste, outro para oeste, como poderia fazer viagem? Por isso, nos púlpitos se trabalha tanto e se navega tão pouco. Um assunto vai para um vento, outro assunto vai para outro vento: que se há de colher senão vento? O Batista convertia muitos

---

[45] *Clemente Alexandrino* — Provavelmente originário de Atenas, morreu em 215; procurou conciliar a doutrina católica com a filosofia grega — por isso seu cristianismo é acusado de helenizante.

[46] *Tertuliano* — Doutor da Igreja, de Cartago, viveu aproximadamente de 160 a 220. Sua obra é considerada um dos monumentos da eloquência latina.

[47] *Basílio* (de Selêucia) — V. nota 6 em Sermão de Santo Antônio ou dos Peixes.

[48] *Zeno Veronense* — Nasceu na África e morreu em Verona por volta de 372. Foi bispo de Verona desde 361 até sua morte; pouco se sabe a seu respeito, a não ser que era um orador e pregador experiente. Seus sermões são de grande interesse pelo que informam sobre o ensino, o culto e a organização tanto do cristianismo quanto da vida em geral no século IV.

em Judeia, mas quantas matérias tomava? Uma só matéria: *Parate viam Domini*:[49] a preparação para o reino de Cristo. Jonas converteu os ninivitas, mas quantos assuntos tomou? Um só assunto: *Adhuc quadraginta dies, et Ninive subvertetur*:[50] a subversão da cidade. De maneira que Jonas em quarenta dias pregou um só assunto, e nós queremos pregar quarenta assuntos em uma hora! Por isso não pregamos nenhum. O sermão há de ser duma só cor, há de ter um só objeto, um só assunto, uma só matéria.

Há de tomar o pregador uma só matéria, há de defini-la para que se conheça, há de dividi-la para que se distinga, há de prová-la com a Escritura, há de declará-la com a razão, há de confirmá-la com o exemplo, há de amplificá-la com as causas, com os efeitos, com as circunstâncias, com as conveniências que se hão de seguir, com os inconvenientes que se devem evitar, há de responder às dúvidas, há de satisfazer às dificuldades, há de impugnar e refutar com toda a força da eloquência os argumentos contrários, e depois disto há de colher, há de apertar, há de concluir, há de persuadir, há de acabar. Isto é sermão, isto é pregar; e o que não é isto, é falar de mais alto.

Não nego nem quero dizer que o sermão não haja de ter variedade de discursos, mas esses hão de nascer todos da mesma matéria e continuar e acabar nela. Quereis ver tudo isto com os olhos? Ora vede: uma árvore tem raízes, tem tronco, tem ramos, tem folhas, tem varas, tem flores, tem frutos. Assim há de ser o sermão: há de ter raízes fortes e sólidas, porque há de ser fundado no Evangelho; há de ter um tronco, porque há de ter um só assunto e tratar uma só matéria; deste tronco hão de nascer diversos ramos, que são diversos discursos, mas nascidos da mesma matéria e continuados nela; estes ramos não hão de ser secos, senão cobertos de folhas, porque os discursos hão de ser vestidos e ornados de palavras. Há de ter esta árvore varas, que são a repressão dos vícios, há de ter flores, que são as sentenças, e, por remate de tudo, há de ter frutos, que é o fruto e o fim a que se há de ordenar o sermão. De maneira que há de haver frutos, há de haver flores, há de haver varas, há de haver folhas, há de haver ramos, mas tudo nascido e fundado em um só tronco, que é uma só matéria. Se tudo são troncos, não é sermão, é madeira. Se tudo são ramos, não

---

[49] *S. Mateus, III, 3*. — O versículo, na íntegra, é o seguinte: Porque este é o anunciado pelo profeta Isaías, que disse: "Voz do que clama no deserto: Preparai o caminho do Senhor, endireitai as suas veredas".

[50] *Jonas, III, 4*. — Tradução: Ainda quarenta dias, e Nínive será subvertida.

é sermão, são maravalhas.[51] Se tudo são folhas, não é sermão, são verças.[52] Se tudo são varas, não é sermão, é feixe. Se tudo são flores, não é sermão, é ramalhete. Serem tudo frutos, não pode ser; porque não há frutos sem árvore. Assim que nesta árvore, a que podemos chamar árvore da vida, há de haver o proveitoso do fruto, o formoso das flores, o rigoroso das varas, o vestido das folhas, o estendido dos ramos, mas tudo isto nascido e formado de um só tronco, e esse não levantado no ar, senão fundado nas raízes do Evangelho: *Seminare semen*. Eis aqui como hão de ser os sermões, eis aqui como não são. E assim não é muito que se não faça fruto com eles.

Tudo o que tenho dito pudera demonstrar largamente, não só com os preceitos dos Aristóteles,[53] dos Túlios,[54] dos Quintilianos, mas com a prática observada do príncipe dos oradores evangélicos S. João Crisóstomo, de S. Basílio Magno,[55] S. Bernardo, S. Cipriano,[56] e com as famosíssimas orações de S. Gregório Nazianzeno, mestre de ambas as Igrejas. E posto que nestes mesmos Padres, como em Santo Agostinho, S. Gregório e muitos outros, se acham os Evangelhos apostilados com nomes de sermões e homilias, uma coisa é expor e outra pregar; uma ensinar e outra persuadir. E desta última é que eu falo, com a qual tanto fruto fizeram no mundo Santo Antônio de Pádua[57] e S. Vicente Ferrer.[58] Mas nem por isso entendo que seja, ainda, esta a verdadeira causa que busco.

---

[51] *Maravalhas* — Substantivo feminino empregado exclusivamente no plural; significa aparas de madeira, gravetos.

[52] *Verças* — Literalmente, folhas de couve — e, por extensão, folhas em geral.

[53] *Aristóteles* — V. nota 14 em Sermão de Santo Antônio ou dos Peixes.

[54] *Túlios* — Alusão a Marco Fábio Quintiliano Túlio, retórico latino do séc. I, nascido na Espanha. Foi o primeiro professor a ocupar uma cátedra pública de retórica com salário bastante elevado. Sua obra mais importante, *A instituição oratória*, contém um plano de estudos completo para formar um orador plenamente habilitado.

[55] *S. Basílio Magno* — V. nota 47.

[56] *S. Cipriano* — Bispo e mártir, nasceu na Tunísia por volta de 200 e morreu em Cartago, em 258. Foi advogado e mestre de oratória em Cartago. Quando da perseguição aos cristãos no reinado de Valenciano, foi preso e condenado à morte.

[57] *Santo Antônio de Pádua* — V. nota da pág. 51 em Sermão de Santo Antônio ou dos Peixes.

[58] *S. Vicente Ferrer* — Missionário, nasceu em Valência, por volta de 1350, e faleceu na França, em 1419. Ótimo pregador, atraía multidões que o seguiam por toda parte.

VII

Será, porventura, a falta de ciência que há em muitos pregadores? Muitos pregadores há que vivem do que não colheram e semeiam o que não trabalharam. Depois da sentença de Adão, a terra não costuma dar fruto, senão a quem come o seu pão com o suor do seu rosto. Boa razão parece também esta. O pregador há de pregar o seu e não o alheio. Por isso diz Cristo que semeou o lavrador do Evangelho o trigo seu: *Semen suum*. Semeou o seu e não o alheio, porque o alheio e o furtado não é bom para semear, ainda que o furto seja de ciência. Comeu Eva o pomo da ciência, e queixava-me eu antigamente desta nossa mãe; já que comeu o pomo, por que lhe não guardou as pevides? Não seria bem que chegasse a nós a árvore, já que nos chegaram os encargos dela? Pois por que o não fez assim Eva? Porque o pomo era furtado, e o alheio é bom para comer, mas não é bom para semear; é bom para comer, porque dizem que é saboroso; não é bom para semear, porque não nasce. Alguém terá experimentado que o alheio lhe nasce em casa, mas esteja certo, que se nasce, não há de deitar raízes, e o que não tem raízes não pode dar fruto. Eis aqui por que muitos pregadores não fazem fruto; porque pregam o alheio, e não o seu: *semen suum*. O pregar é entrar em batalha com os vícios; e armas alheias, ainda que sejam as de Aquiles, a ninguém deram vitória.[59] Quando Davi saiu a campo com o gigante, ofereceu-lhe Saul as suas armas, mas ele não as quis aceitar. Com armas alheias ninguém pode vencer, ainda que seja Davi. As armas de Saul só servem a Saul, e as de Davi a Davi, e mais aproveita um cajado e uma funda[60] própria, que a espada e a lança alheia. Pregador que peleja com as armas alheias, não hajais medo que derrube gigante.

Fez Cristo aos Apóstolos pescadores de homens,[61] que foi ordená-los de pregadores; e que faziam os Apóstolos? Diz o texto que estavam *reficientes retia sua*: "refazendo as redes suas"; eram as redes dos Apóstolos, e não eram alheias. Notai: *retia sua*: não diz que eram suas porque as compraram, senão que eram suas porque as faziam; não eram suas porque lhes custaram o seu dinheiro, senão

---

[59] Pátroclo, com a arma de Aquiles, foi vencido e morto.
[60] *Funda* — Instrumento feito de um pedaço de couro e de duas cordas; utilizado para lançar pedras ou balas.
[61] *S. Mateus, IV, 21*. — Vieira deve estar remetendo o leitor ao versículo 19: Vinde após mim, e eu vos farei pescadores de homens.

porque lhes custavam o seu trabalho. Desta maneira eram as redes suas; e porque desta maneira eram suas, por isso eram redes de pescadores que haviam de pescar homens. Com redes alheias ou feitas por mãos alheias, podem-se pescar peixes, homens não se podem pescar. A razão disto é porque nesta pesca de entendimentos só quem sabe fazer a rede sabe fazer o lanço. Como se faz uma rede? Do fio e do nó se compõe a malha; quem não enfia nem ata, como há de fazer rede? E quem não sabe enfiar nem sabe atar, como há de pescar homens? A rede tem chumbada que vai ao fundo e tem cortiça que nada em cima da água. A pregação tem umas coisas de mais peso e de mais fundo, e tem outras mais superficiais e mais leves, e governar o leve e o pesado, só o sabe fazer quem faz rede. Na boca de quem não faz a pregação, até o chumbo é cortiça. As razões não hão de ser enxertadas, hão de ser nascidas. O pregar não é recitar.

As razões próprias nascem do entendimento, as alheias vão pegadas à memória, e os homens não se convencem pela memória, senão pelo entendimento.

Veio o Espírito Santo sobre os Apóstolos, e quando as línguas desciam do Céu, cuidava eu que se lhes haviam de pôr na boca; mas elas foram-se pôr na cabeça. Pois por que na cabeça e não na boca, que é o lugar da língua? Porque o que há de dizer o pregador, não lhe há de sair só da boca; há-lhe de sair pela boca, mas da cabeça. O que sai só da boca, para nos ouvidos; o que nasce do juízo, penetra e convence o entendimento. Ainda têm mais mistério estas línguas do Espírito Santo. Diz o texto que não se puseram todas as línguas sobre todos os Apóstolos, senão cada uma sobre cada um: *Apparuerunt dispertitae linguae tanquam ignis, seditque supra singulos eorum.*[62] E por que cada uma sobre cada um, e não todas sobre todos? Porque não servem todas as línguas a todos, senão a cada um a sua. Uma língua só sobre Pedro, porque a língua de Pedro não serve a André; outra língua só sobre André, porque a língua de André não serve a Filipe; outra língua só sobre Filipe, porque a língua de Filipe não serve a Bartolomeu, e assim dos mais. E senão vede-o no estilo de cada um dos Apóstolos, sobre que desceu o Espírito Santo. Só de cinco temos escrituras; mas a diferença com que escreveram, como

---

[62] *Atos, II, 3.* — Citação integral do versículo: Apareceram-lhes então uma espécie de línguas de fogo, que se repetiram e repousaram sobre cada um deles.

sabem os doutos, é admirável. As penas todas eram tiradas das asas daquela pomba divina; mas o estilo tão diverso, tão particular e tão próprio de cada um, que bem mostra que era seu. Mateus fácil, João misterioso, Pedro grave, Jacó forte, Tadeu sublime, e todos com tal valentia no dizer, que cada palavra era um trovão, cada cláusula, um raio, cada razão, um triunfo. Ajuntai a estes cinco S. Lucas e S. Marcos, que também ali estavam, e achareis o número daqueles sete trovões que ouviu S. João no Apocalipse: *Loquuti sunt septem tonitrua voces suas.*[63] Eram trovões que falavam e desarticulavam as vozes, mas essas vozes eram suas: *Voces suas*; "suas e não alheias", como notou Ansberto: *Non alienas, sed suas*. Enfim, pregar o alheio é pregar o alheio, e com o alheio nunca se fez coisa boa.

Contudo, eu não me firmo de todo nesta razão, porque do grande Batista sabemos que pregou o que tinha pregado Isaías, como notou S. Lucas, e não com outro nome, senão de sermões: *Praedicans baptismum poenitentiae in remissionem peccatorum, sicut scriptum est in libro sermonun Isaiae prophetae.*[64] Deixo o que tomou Santo Ambrósio de S. Basílio, S. Próspero[65] e Beda[66] de Santo Agostinho, Teofilato[67] e Eutímio[68] de S. João Crisóstomo.

---

[63] *Apocalipse, X, 3*. —Tradução: Quando clamou, os sete Trovões ressoaram.

[64] *S. Lucas, III, 3*. — Tradução: Pregando o batismo de arrependimento para remissão dos pecados, como está escrito no livro dos sermões do profeta Isaías.

[65] *S. Próspero* — Também conhecido como Próspero de Aquitânia, onde nasceu, por volta de 390; morreu em Roma, em torno de 463. Era teólogo leigo de grande cultura. Seus escritos, em prosa e verso, preocupam-se basicamente em defender os ensinamentos de Santo Agostinho.

[66] *Beda* — Mais conhecido como Beda, o Venerável — monge inglês (673-735). Seus escritos bíblicos foram importantes para a época e também muito influentes em sua terra natal. Mas foi como historiador que ficou famoso, deixando uma célebre História da Igreja e do povo inglês. Eis seu autorretrato: "Devotei toda a minha energia ao estudo das Escrituras, à observação da disciplina monástica e à celebração dos ofícios diários na Igreja; estudar, ensinar e escrever sempre constituíram meu maior prazer".

[67] *Teofilato* — Teófilo, bispo de Alexandria (385-412). Dominou o concílio de Constantinopla do ano 403 e forçou a destituição do bispo da capital, S. João Crisóstomo.

[68] *Eutímio* — Eutímio, o Grande (377-473), nasceu na Armênia e morreu na Palestina. Foi um dos mais reverenciados entre os primeiros monges palestinos.

VIII

Será finalmente a causa, que há tanto buscamos, a voz com que hoje falam os pregadores? Antigamente pregavam bradando, hoje pregam conversando. Antigamente a primeira parte do pregador era boa voz, e bom peito. E verdadeiramente, como o mundo se governa tanto pelos sentidos, podem às vezes mais os brados que a razão. Boa era também esta, mas não a podemos provar com o semeador, porque já dissemos que não era ofício de boca. Porém, o que nos negou o Evangelho no semeador metafórico, nos deu no semeador verdadeiro, que é Cristo. Tanto que Cristo acabou a parábola, diz o Evangelho que começou o Senhor a bradar: *Haec dicens clamabat*.[69] Bradou o Senhor, e não arrazoou sobre a parábola, porque era tal o auditório, que ficou mais dos brados que da razão.

Perguntaram ao Batista quem era? Respondeu ele: *Ego vox clamantis in deserto*.[70] "Eu sou uma voz que anda bradando neste deserto." Desta maneira se definiu o Batista. A definição do pregador cuidava eu que era: voz que arrazoa, e não voz que brada. Pois por que se definiu o Batista pelo bradar, e não pelo arrazoar; não pela razão, senão pelos brados? Porque há muita gente neste mundo com quem podem mais os brados que a razão, e tais eram aqueles a quem o Batista pregava. Vede-o claramente em Cristo. Depois que Pilatos examinou as acusações que contra ele se davam, lavou as mãos e disse: *Ego nullam causam invenio in homine isto*.[71] "Eu nenhuma causa acho neste homem." Neste tempo todo o povo e os escribas bradavam de fora, que fosse crucificado: *At illi magis clamabant, crucifigatur*.[72] De maneira que Cristo tinha por si a razão e tinha contra si os brados. E qual pôde mais? Puderam mais os brados que a razão. A razão não valeu para o livrar, os brados bastaram para o pôr na cruz. E como os brados no mundo podem tanto, bem é que

---

[69] *S. Lucas, VIII, 8*. — Após expor a parábola do semeador à multidão, Jesus acrescentou, elevando a voz: "Quem tem ouvidos para ouvir, ouça!".

[70] *S. João, 1, 23*.

[71] *S. Lucas, XXIII, 14*. — Eis este famoso versículo na íntegra: "Apresentaste-me este homem como agitador do povo, mas interrogando-o eu, diante de vós, não o achei culpado de nenhum dos crimes de que o acusais".

[72] *S. Mateus, XXVII, 23*. — Texto completo do versículo: "O governador tornou a perguntar: Que mal fez ele? E eles clamavam ainda mais forte: seja crucificado!".

bradem alguma vez os pregadores, bem é que gritem. Por isso, Isaías chamou aos pregadores nuvens: *Qui sunt isti, qui ut nubes volant?*[73] A nuvem tem relâmpago, tem trovão e tem raio: relâmpago para os olhos, trovão para os ouvidos, raio para o coração; com o relâmpago alumia, com o trovão assombra, com o raio mata. Mas o raio fere a um, o relâmpago a muitos, o trovão a todos. Assim há de ser a voz do pregador — um trovão do Céu, que assombre e faça tremer o mundo.

Mas que diremos à oração de Moisés: *Concrescat ut pluvia doctrina mea: fluat ut ros eloquium meum:*[74] Desça minha doutrina como chuva do céu, e a minha voz e as minhas palavras como orvalho que se destila brandamente e sem ruído. Que diremos ao exemplo ordinário de Cristo, tão celebrado por Isaías: *Non clamabit neque audietur vox ejus foris?*[75] Não clamará, não bradará, mas falará com uma voz tão moderada que se não possa ouvir fora. E não há dúvida que o praticar[76] familiarmente e o falar mais ao ouvido que aos ouvidos não só concilia maior atenção, mas naturalmente e sem força se insinua, entra, penetra e se mete na alma.

Em conclusão que a causa de não fazerem hoje fruto os pregadores com a palavra de Deus, nem é a circunstância da pessoa: *qui seminat*; nem a do estilo: *seminare*; nem a da matéria: *semen*; nem a da ciência: *suum*; nem a da voz: *Clamabat*. Moisés tinha fraca voz;[77] Amós tinha grosseiro estilo;[78] Salomão multiplicava e variava os assuntos;[79] Balaão não tinha exemplo de vida,[80] o seu animal não tinha

---

[73] *Isaías, LX, 8.* — Tradução: Quem são estes que vêm voando como nuvens?

[74] *Isaías, XLII, 2.*

[75] *Deuteronômio, XXXII, 2.* — Tradução: Não clamará, nem fará ouvir a sua voz fora.

[76] *Praticar* — No sentido de conversar, falar.

[77] *Êxodo, IV, 10.* Texto do versículo: Então disse Moisés ao Senhor: Ah Senhor! Eu não sou homem eloquente, nem mesmo depois que falastes ao vosso servo; tenho a boca e a língua pesadas.

[78] *Amós* — Um dos profetas judaicos menores, era pastor da cidade de Técua; profetizava por volta do séc. VIII a.C., no tempo dos reis Osias e Jereboão.

[79] *Eclesiastes, I.*

[80] *Números XXII e XXIII.* — Alusão ao fato de Balaão, ao ser solicitado por Balac a amaldiçoar os judeus, responder-lhe: "Só direi o que Deus me puser na boca, nada mais". — *XXII, 38.*

ciência,[81] e contudo todos estes, falando, persuadiam e convenciam. Pois se nenhuma destas razões que discorremos, nem todas elas juntas são a causa principal nem bastante do pouco fruto que hoje faz a palavra de Deus, qual diremos, finalmente, que é a verdadeira causa?

IX

As palavras que tomei por tema o dizem: *Semen est verbum Dei*. Sabeis, cristãos, a causa por que se faz hoje tão pouco fruto com tantas pregações? É porque as palavras dos pregadores são palavras, mas não são palavras de Deus. Falo do que ordinariamente se ouve. A palavra de Deus (como dizia) é tão poderosa e tão eficaz que não só na boa terra faz fruto, mas até nas pedras e nos espinhos nasce. Mas se as palavras dos pregadores não são palavras de Deus, que muito que não tenham a eficácia e os efeitos da palavra de Deus? *Ventum seminabant, et turbinem colligent*,[82] diz o Espírito Santo: "Quem semeia ventos, colhe tempestades". Se os pregadores semeiam vento, se o que se prega é vaidade, se não se prega a palavra de Deus, como não há de a Igreja de Deus colher tormenta em vez de colher fruto?

Mas dir-me-eis: Padre, os pregadores de hoje não pregam do Evangelho, não pregam das Sagradas Escrituras? Pois como não pregam a palavra de Deus? Esse é o mal. Pregam palavras de Deus, mas não pregam a palavra de Deus: *Qui habet sermonem meum, loquatur sermonem meum vere*,[83] disse Deus por Jeremias. As palavras de Deus, pregadas no sentido em que Deus as disse, são palavras de Deus; mas, pregadas no sentido que nós queremos, não são palavras de Deus, antes podem ser palavras do Demônio. Tentou o Demônio a Cristo a que fizesse das pedras pão. Respondeu-lhe o Senhor: *Non in solo pane vivit homo, sed in omni verbo, quod procedit de ore Dei*.[84]

---

[81] *O seu animal* — Quando Balaão foi levado pelos homens de Balac, um anjo de Deus pôs-se à frente de sua jumenta, impedindo-lhe a passagem. Balaão a fustigou, e então Deus abriu a boca da jumenta e ela falou: "Que te fiz? Por que me feres?" E Deus abriu os olhos de Balaão, e ele viu o anjo parado no meio do caminho; Balaão prostou-se por terra e o adorou.

[82] *Oseas, VIII, 7*.

[83] *Jeremias, XXIII, 28*. — Tradução: Aquele em que está a minha palavra, fale a minha palavra com verdade.

[84] *S. Mateus, IV, 4*. — Tradução: Nem só de pão vive o homem, mas de toda a palavra que sai da boca de Deus.

Esta sentença era tirada do capítulo oitavo do Deuteronômio. Vendo o Demônio que o Senhor se defendia da tentação com a Escritura, leva-o ao Templo e, alegando o lugar do Salmo noventa, diz-lhe desta maneira: *Mille te deorsum; scriptum est enim, quia Angelis suis Deus mandavit de te, ut custodiant te in omnibus viis tuis*:[85] "Deita-te daí abaixo, porque prometido está nas Sagradas Escrituras que os anjos te tomarão nos braços para que te não faça mal". De sorte que Cristo defendeu-se do Diabo com a Escritura, e o Diabo tentou a Cristo com a Escritura. Todas as Escrituras são palavra de Deus; pois se Cristo toma a Escritura para se defender do Diabo, como toma o Diabo a Escritura para tentar a Cristo? A razão é porque Cristo tomava as palavras da Escritura em seu verdadeiro sentido, e o Diabo tomava as palavras da Escritura em sentido alheio e torcido; e as mesmas palavras, que tomadas em verdadeiro sentido são palavras de Deus, tomadas em sentido alheio são armas do Diabo. As mesmas palavras que, tomadas no sentido em que Deus as disse, são defesa, tomadas no sentido em que Deus as não disse, são tentação. Eis aqui a tentação com que então quis o diabo derribar a Cristo e com que hoje lhe faz a mesma guerra do pináculo do templo. O pináculo do templo é o púlpito, porque é o lugar mais alto dele. O Diabo tentou a Cristo no deserto, tentou-o no monte, tentou-o no templo: no deserto, tentou-o com a gula; no monte tentou-o com a ambição, no templo tentou-o com as Escrituras mal interpretadas, e essa é a tentação de que mais padece hoje a Igreja, e que em muitas partes tem derribado dela, senão a Cristo, a sua fé.

Dizei-me, pregadores (aqueles com quem eu falo indignos verdadeiramente de tão sagrado nome), dizei-me: esses assuntos inúteis que tantas vezes levantais, essas empresas ao vosso parecer agudas que prosseguis, achaste-as alguma vez nos Profetas do Testamento Velho, ou nos Apóstolos e Evangelistas do Testamento Novo, ou no autor de ambos os Testamentos, Cristo?[86] É certo que não, porque

---

[85] *S. Mateus, IV, 6.*

[86] *S. Jerônimo*, in Prólogo Galeato: *Sola scripturarum ars est quam sibi passim omnes venditant, et cum aures populi sermone composite mulserint, hoc legem Dei putant; nec scire dignantur, quid Propheta, quid Apostoli senserint; sed ad sensum suum incongrua aptant testimonia: quasi grande sit et non vitiosissimum dicendi genus, depravare sententias, et ad voluntatem suam scripturam trahere repugnantem.* — Tradução: Só a arte da escrita todos a cada passo procuram fazer valer, e quando têm lisonjeado os ouvidos do povo com linguagem musical, logo a inculcam

desde a primeira palavra do *Gênesis* até a última do *Apocalipse* não há tal coisa em todas as Escrituras. Pois se nas Escrituras não há o que dizeis e o que pregais, como cuidais que pregais a palavra de Deus? Mais. Nesses lugares, nesses textos que alegais para prova do que dizeis, é esse o sentido em que Deus os disse? É esse o sentido em que os entendem os Padres da Igreja?[87] É esse o sentido da mesma gramática das palavras? Não, por certo; porque muitas vezes as tomais pelo que toam e não pelo que significam, e talvez nem pelo que toam. Pois se não é esse o sentido das palavras de Deus, segue-se que não são palavras de Deus. E se não são palavras de Deus, que nos queixamos que não façam fruto as pregações? Basta que havemos de trazer as palavras de Deus a que digam o que nós queremos, e não havemos de querer dizer o que elas dizem? E então ver cabecear o auditório a estas coisas, quando devíamos de dar com a cabeça pelas paredes de as ouvir! Verdadeiramente não sei de que mais me espante, se dos nossos conceitos, se dos vossos aplausos! Oh que bem levantou o pregador! Assim é; mas que levantou? Um falso testemunho ao texto, outro falso testemunho ao santo, outro ao entendimento e ao sentido de ambos. Então que se converta o mundo com falsos testemunhos da palavra de Deus? Se a alguém parecer demasiada a censura, ouça-me.

Estava Cristo acusado diante de Caifás[88] e diz o Evangelista S. Mateus que por fim vieram duas testemunhas falsas: *Novissime venerunt duo falsi testes*.[89] Estas testemunhas referiram que ouviram dizer a Cristo que se os judeus destruíssem o templo, ele o tornaria a reedificar em três dias. Se lermos o Evangelista S. João, acharemos que Cristo verdadeiramente tinha dito as palavras referidas. Pois se Cristo tinha dito que havia de reedificar o templo dentro de três dias, e isto mesmo é o que referiram as testemunhas, como lhes chama o Evangelista testemunhas falsas: *Duo falsi* testes? O mesmo S. João

---

como lei de Deus; nem se dignam saber o que Profetas e Apóstolos tenham pensado, antes adaptam ao seu sentido depoimentos que se lhe não ajustem, como se fosse coisa magnífica e não viciosíssima uma expressão que deturpa as sentenças e arrasta ao seu capricho o texto que lhe repugna.

[87] *Padres da Igreja* — V. nota 5 em Sermão de Santo Antônio ou dos Peixes.

[88] *Caifás* — V. nota 62 em Sermão de Santo Antônio ou dos Peixes.

[89] *S. Mateus, XXVI, 60.*

deu a razão: *Loquebatur de templo corporis sui.*⁹⁰ Quando Cristo disse que em três dias reedificaria o templo, falava o Senhor do templo místico de seu corpo, o qual os judeus destruíram pela morte, e o Senhor o reedificou pela ressurreição; e como Cristo falava do templo místico, e as testemunhas o referiram ao templo material de Jerusalém, ainda que as palavras eram verdadeiras, as testemunhas eram falsas. Eram falsas porque Cristo as dissera em um sentido, e eles as referiram em outro; e referir as palavras de Deus em diferente sentido do que foram ditas é levantar falso testemunho a Deus, é levantar falso testemunho às Escrituras. Ah, Senhor, quantos falsos testemunhos vos levantam! Quantas vezes ouço dizer que dizeis o que nunca dissestes! Quantas vezes ouço dizer que são palavras vossas o que são imaginações minhas, que me não quero excluir deste número! Que muito logo que as nossas imaginações e as nossas vaidades e as nossas fábulas não tenham a eficácia da palavra de Deus!

Miseráveis de nós, e miseráveis dos nossos tempos, pois neles se veio a cumprir a profecia de S. Paulo: *Erit tempus, cum sanam doctrinam non sustinebunt:*⁹¹ "Virá tempo", diz S. Paulo, "em que os homens não sofrerão a doutrina sã". *Sed ad sua desideria coacervabunt sibi magistros prurientes auribus.* "Mas para seu apetite terão grande número de pregadores feitos a montão, e sem escolha, os quais não façam mais que adular-lhes as orelhas." *A veritate quidem auditum avertent, ad fabulas autem convertentur:* "Fecharão os ouvidos à verdade e abri-los-ão às fábulas". Fábula tem duas significações: quer dizer fingimento e quer dizer comédia; e tudo são muitas pregações deste tempo. São fingimento, porque são sutilezas e pensamentos aéreos sem fundamento de verdade; são comédia, porque os ouvintes vêm à pregação como à comédia; e há pregadores que vêm ao púlpito como comediantes. Uma das felicidades que se contava entre as do tempo presente era acabarem-se as comédias em Portugal; mas não foi assim. Não se acabaram, mudaram-se; passaram-se do teatro ao púlpito. Não cuideis que encareço em chamar comédia a muitas pregações das que hoje se usam. Tomara ter aqui as comédias de Plauto,⁹²

---

⁹⁰ *S. João, II, 21.* — Tradução: Falava do templo do seu corpo.
⁹¹ *Epístola de S. Timóteo.*
⁹² *Plauto* — Tito Mácio Flauto, comediógrafo romano (254-184 a.C.), retratou os costumes populares de seu tempo. Conservaram-se vinte e uma de suas comédias, entre as quais *Anfitrião* e *Aululéria.*

de Terêncio,[93] de Sêneca,[94] e veríeis se não acháveis nelas muitos desenganos da vida e vaidade do mundo, muitos pontos de doutrina moral, muito mais verdadeiros e muito mais sólidos do que hoje se ouvem nos púlpitos. Grande miséria, por certo, que se achem maiores documentos para a vida nos versos de um poeta profano e gentio, que nas pregações de um orador cristão e, muitas vezes, sobre cristão, religioso!

Pouco disse S. Paulo em lhes chamar comédia, porque muitos sermões há que não são comédia, são farsa. Sobe talvez ao púlpito um pregador dos que professam ser mortos ao mundo, vestido ou amortalhado em um hábito de penitência (que todos, mais ou menos ásperos, são de penitência; e todos, desde o dia que os professamos, mortalhas); a vista é de horror, o nome de reverência, a matéria de compunção, a dignidade de oráculo, o lugar e a expectação de silêncio; e quando este se rompeu, que é o que se ouve? Se neste auditório estivesse um estrangeiro que nos não conhecesse e visse entrar este homem a falar em público naqueles trajos, e em tal lugar, cuidaria que havia de ouvir uma trombeta do Céu; que cada palavra sua havia de ser um raio para os corações, que havia de pregar com o zelo e com o fervor de um Elias,[95] que com a voz, com o gesto e com as ações havia de fazer em pó e em cinza os vícios. Isto havia de cuidar o estrangeiro. E nós, que é o que vemos? Vemos sair da boca daquele homem, assim naqueles trajos, uma voz muito afetada e muito polida, e logo começar com muito desgarro, a quê? A motivar desvelos, a acreditar empenhos, a requintar finezas, a lisonjear precipícios, a brilhar auroras, a derreter cristais, a desmaiar jasmins, a toucar primaveras, e outras mil indignidades destas. Não é isto farsa a mais digna de riso, se não fora tanto para chorar? Na comédia o

---

[93] *Terêncio* — Públio Terêncio Áfer, comediógrafo romano, nasceu por volta de 190 a.C. e faleceu em 159 a.C. Autor de seis peças, das quais *Eunuco* teve grande sucesso popular. Destaca-se pela análise sutil dos aspectos emocionais, familiares e educacionais.

[94] *Sêneca* — Escritor e estadista romano (aprox. 4 a.C.-65 d.C.). Vieira deve estar se referindo às tragédias de Sêneca, entre as quais *Fedra*, *Agamemnon* e *Medeia*, escritas para serem declamadas, e não representadas. A crítica moderna não lhe é muito favorável, considerando suas peças medíocres e aborrecidas.

[95] *Elias* — Um dos mais célebres profetas do Antigo Testamento, viveu por volta do séc. IX a.C.

rei veste como rei e fala como rei, o lacaio veste como lacaio e fala como lacaio, o rústico veste como rústico e fala como rústico; mas um pregador, vestir como religioso e falar como... não o quero dizer por reverência do lugar. Já que o púlpito é teatro, e o sermão comédia, sequer, não faremos bem a figura? Não dirão as palavras com o vestido e com o ofício? Assim pregava S. Paulo, assim pregavam aqueles Patriarcas que se vestiram e nos vestiram destes hábitos? Não louvamos e não admiramos o seu pregar? Não nos prezamos de sermos seus filhos? Pois por que os não imitamos? Por que não pregamos como eles pregavam? Neste mesmo púlpito pregou S. Francisco Xavier,[96] neste mesmo púlpito pregou S. Francisco de Borja[97] e eu que tenho o mesmo hábito, por que não pregarei a sua doutrina, já que me falta o seu espírito?

X

Dir-me-eis o que a mim me dizem e o que já tenho experimentado, que se pregarmos assim, zombam de nós os ouvintes, e não gostam de ouvir. Oh, boa razão para um servo de Jesus Cristo! Zombem e não gostem embora, e façamos nós nosso ofício! A doutrina de que eles zombam, a doutrina que eles desestimam, essa é a que lhes devemos pregar, e por isso mesmo, porque é a mais proveitosa e a que mais hão mister. O trigo que caiu no caminho comeram-no as aves. Estas aves, como explicou o mesmo Cristo, são os demônios, que tiram a palavra de Deus dos corações dos homens: *Venit diabolus, et tollit verbum de corde eorum*. Pois por que não comeu o Diabo o trigo que caiu entre os espinhos, ou o trigo que caiu nas pedras, senão o trigo que caiu no caminho? Porque o trigo que caiu no caminho *conculcatum est ab hominibus*: "pisaram-no os homens"; e a doutrina que os homens pisam, a doutrina que os homens desprezam, essa é a de que o Diabo se teme. Desses outros conceitos, desses outros pen-

---

[96] *S. Francisco Xavier* — Apóstolo das Índias (1506-1552). Amigo e discípulo de Inácio de Loyola, famoso por suas numerosas missões na Ásia, onde esteve a serviço de Portugal. Foi para a Índia em 1542 na companhia do governador Martim Afonso de Sousa. Está sepultado em Goa, onde é muito venerado.
[97] *S. Francisco de Borja* — Membro da Companhia de Jesus (1510-1572); esteve algumas vezes em Portugal.

samentos, dessas outras sutilezas que os homens estimam e prezam, dessas não se teme nem se acautela o Diabo, porque sabe que não são essas as pregações que lhe hão de tirar as almas das unhas. Mas daquela doutrina que cai: *Secus viam*; daquela doutrina que parece comum: *Secus viam*; daquela doutrina que parece trivial: *Secus viam*; daquela doutrina que nos põe em caminho e em via da nossa salvação (que é a que os homens pisam e a que os homens desprezam), essa é a de que o Demônio se receia e se acautela, essa é a que procura comer e tirar do Mundo; e por isso mesmo essa é a que deviam pregar os pregadores e a que deviam buscar os ouvintes. Mas se eles não o fizerem assim e zombarem de nós, zombemos nós tanto de suas zombarias como dos seus aplausos. *Per infamiam et bonam famam*,[98] diz S. Paulo: O pregador há de saber pregar "com fama e sem fama". Mas diz o Apóstolo: Há de pregar com fama e com infâmia. Pregar o pregador para ser afamado, isso é mundo; mas infamado, e pregar o que convém, ainda que seja com descrédito de sua fama, isso é ser pregador de Jesus Cristo.

Pois o gostarem ou não gostarem os ouvintes! Oh, que advertência tão digna! Que médico há que repare no gesto do enfermo, quando trata de lhe dar saúde? Sarem, e não gostem; salvem-se e amargue--lhes, que para isso somos médicos das almas. Quais vos parece que são as pedras sobre que caiu parte do trigo do Evangelho? Explicando Cristo a parábola, diz que as pedras são aqueles que ouvem a pregação com gosto: *Hi sunt, qui cum gaudio suscipiunt verbum*. Pois será bem que os ouvintes gostem e que no cabo fiquem pedras? Não gostem e abrandem-se; não gostem e quebrem-se; não gostem e frutifiquem. Este é o modo com que frutificou o trigo que caiu na boa terra: *Et fructum afferunt in patientia*, conclui Cristo. De maneira que o frutificar não se ajunta com o gostar, senão com o padecer; frutifiquemos nós, e tenham eles paciência. A pregação que frutifica, a pregação que aproveita, não é aquela que dá gosto ao ouvinte, é aquela que lhe dá pena. Quando o ouvinte a cada palavra do pregador treme; quando cada palavra do pregador é um torcedor para o coração do ouvinte; quando o ouvinte vai do sermão para casa confuso e atônito, sem saber parte de si, então é a pregação qual convém, então se pode esperar que faça fruto: *Et fructum afferunt in patientia*.

---

[98] *II Epístola aos Coríntios*, VI, 8. — Tradução: Fomos entregues em espetáculo a Deus, aos anjos e aos homens. No texto bíblico consta mundo, e não Deus.

Enfim, para que os pregadores saibam como hão de pregar, e os ouvintes, a quem hão de ouvir, acabo com um exemplo no nosso reino, e quase dos nossos tempos. Pregavam em Coimbra dois famosos pregadores, ambos bem conhecidos por seus escritos: não os nomeio, porque os hei de desigualar. Altercou-se entre alguns doutores da Universidade qual dos dois fosse maior pregador, e como não há juízo sem inclinação, uns diziam este; outros, aquele. Mas um lente, que entre os mais tinha maior autoridade, concluiu desta maneira: entre dois sujeitos tão grandes não me atrevo a interpor juízo; só direi uma diferença, que sempre experimento: quando ouço um, saio do sermão muito contente do pregador; quando ouço outro, saio muito descontente de mim.

Com isto tenho acabado. Algum dia vos enganastes tanto comigo que saíeis do sermão muito contentes do pregador; agora, quisera eu desenganar-vos tanto, que saíreis muito descontentes de vós. Semeadores do Evangelho, eis aqui o que devemos pretender nos nossos sermões: não que os homens saiam contentes de nós, senão que saiam muito descontentes de si; não que lhes pareçam bem os nossos conceitos, mas que lhes pareçam mal os seus costumes, as suas vidas, os seus passatempos, as suas ambições e, enfim, todos os seus pecados. Contanto que se descontentem de si, descontentem-se embora de nós. *Si hominibus placerem, Christus servus non essem,*[99] dizia o maior de todos os pregadores, S. Paulo: "Se eu contentara aos homens, não seria servo de Deus". Oh, contentemos a Deus, e acabemos de não fazer caso dos homens! Advirtamos que nesta mesma igreja há tribunas mais altas que as que vemos: *Spectaculum facti sumus Deo, Angelis, et hominibus.*[100] Acima das tribunas dos reis, estão as tribunas dos anjos, está a tribuna e o tribunal de Deus, que nos ouve e nos há de julgar. Que conta há de dar a Deus um pregador no dia do juízo? O ouvinte dirá: "Não mo disseram"; mas o pregador? *Vae mihi, quia tacui.*[101] "Ai de mim, que não disse o que convinha!" Não seja mais assim, por amor de Deus e de nós.

Estamos às portas da Quaresma, que é o tempo em que principalmente se semeia a palavra de Deus na Igreja, e em que ela se arma contra os vícios. Preguemos e armemo-nos todos contra os

---

[99] *Epístola aos Gálatas*, I, 10.
[100] *S. Paulo, I Epístola aos Coríntios*, IV, 9. (No texto, lê-se *Mundo* e não *Deo*.)
[101] *Isaías*, VI, 5. — Tradução: Ai de mim, porque calei.

pecados, contra as soberbas, contra os ódios, contra as ambições, contra as invejas, contra as cobiças, contra as sensualidades. Veja o Céu que ainda tem na terra quem se põe da sua parte. Saiba o Inferno que ainda há na terra quem lhe faça guerra com a palavra de Deus; e saiba a mesma terra que ainda está em estado de reverdecer e dar muito fruto: *Et fecit fructum centuplum.*

❖

Sermão do Bom Ladrão
ou da Audácia*

Pregado na Igreja da Misericórdia de Lisboa,
no ano de 1655.

*Domine, memento mei, cum veneris in Regnum tuum:
Hodie mecum eris in Paradiso.*[1]

Este Sermão, que hoje se prega na Misericórdia de Lisboa, e não se prega na Capela Real, parecia-me, a mim, que lá se havia de pregar e não aqui. Daquela pauta havia de ser e não desta. E por quê? Porque o Texto em que se funda o mesmo sermão, todo pertence à majestade daquele lugar, e nada à piedade deste. Uma das coisas que diz o Texto é que foram sentenciados em Jerusalém dois ladrões, e ambos condenados, ambos executados, ambos crucificados e mortos, sem lhes valer procurador nem embargos. Permite isto a Misericórdia de Lisboa? Não. A primeira diligência que faz é eleger por procurador das cadeias um irmão de grande autoridade, poder e indústria; e o primeiro timbre deste procurador é fazer honra de que nenhum malfeitor seja justiçado em seu tempo. Logo esta parte da história não pertence à Misericórdia de Lisboa. A outra parte (que é que tomei por tema) toda pertence ao Paço e à Capela Real. Nela se fala com o rei: *Domine*; nela se trata do seu reino: *cum veneris in Regnunt tuum*:[2]

---

* Deste sermão, padre Honorato diz que é um dos melhores de todo o gênio de Vieira, o qual fazia timbre de não contemporizar com os vícios dos grandes. (*Crisóst. Port.*, t. II, pág. 523)

[1] *S. Lucas, XXIII*.
[2] *S. Lucas, XXIII, 42 e 43*.

nela se lhe apresentam memórias: *memento mei*; e nela os despacha o mesmo rei logo, e sem remissão a outros tribunais: *hodie mecum eris in Paradiso*. O que me podia retrair de pregar sobre esta matéria era não dizer a doutrina com o lugar. Mas deste escrúpulo, em que muitos pregadores não reparam, mo livrou a pregação de Jonas. Não pregou Jonas no paço, senão pelas ruas de Nínive; cidade de mais longes que esta nossa; e diz o Texto Sagrado que logo a sua pregação chegou aos ouvidos de rei: *Pervenit verbum ad Regem*.[3] Bem quisera eu que o que hoje determino pregar chegara a todos os reis, e mais ainda aos estrangeiros que aos nossos. Todos devem imitar ao Rei dos Reis; e todos têm muito que aprender nesta última ação de sua vida. Pediu o Bom Ladrão a Cristo que se lembrasse dele no seu reino: *Domine, memento mei, cum veneris in Regnum tuum*. E a lembrança que o Senhor teve dele foi que ambos se vissem juntos no Paraíso: *Hodie mecum eris in Paradiso*. Esta é a lembrança que devem ter todos os Fiéis, e a que eu quisera lhes persuadissem os que são ouvidos de mais perto. Que se lembrem não só de levar os ladrões ao Paraíso, senão de os levar consigo: *Mecum*. Nem os Reis podem ir ao Paraíso sem levar consigo os ladrões, nem os ladrões podem ir ao inferno sem levar consigo os Reis. Isto é o que hei de pregar. Ave Maria.

II

Levarem os Reis consigo ao Paraíso ladrões não só não é companhia indecente, mas ação tão gloriosa e verdadeiramente real, que com ela coroou e provou o mesmo Cristo a verdade do seu reinado, tanto que admitiu na cruz o título de rei. Mas o que vemos praticar em todos os reinos do mundo é tanto pelo contrário, que em vez de os reis levarem consigo os ladrões ao Paraíso, os ladrões são os que levam consigo os reis ao inferno. E se isto é assim, como logo mostrarei com evidência, ninguém me pode estranhar a clareza ou publicidade com que falo, e falarei em matéria que envolve tão soberanos respeitos: antes admirar o silêncio e condenar a desatenção com que os pregadores dissimulam uma tão necessária doutrina, sendo a que devera ser mais ouvida e declamada nos púlpitos. Seja, pois, novo hoje o assunto, que devera ser mui antigo e mui frequente, o qual eu prosseguirei tanto com maior esperança de produzir algum

---

[3] *S. João, III*, 6.

fruto, quanto vejo enobrecido o auditório presente com autoridade de tantos ministros de todos os maiores tribunais, sobre cujo conselho e consciência se costumam descarregar as dos reis.

III

E para que um discurso tão importante e tão grave vá assentado sobre fundamentos sólidos e irrefragáveis, suponho primeiramente que sem restituição do alheio não pode haver salvação. Assim o resolvem com S. Tomás todos os teólogos: e assim está definido no capítulo: *Si res aliena*, com palavras tiradas de Santo Agostinho, que são estas: *Si res aliena propter quam peccatum est, reddi potest, et non redditur, poenitentia non agitur sed simulatur. Si autem veraciter agitur non remittitur peccatum nisi restituatur ablatum, si, ut dixi restitui potest*. Quer dizer: se o alheio que se tomou ou retém se pode restituir e não se restitui, a penitência deste e dos outros pecados não é verdadeira penitência, senão simulada e fingida, porque se não perdoa o pecado sem se restituir o roubado, quando quem o roubou tem possibilidade de o restituir. Esta única exceção da regra foi a felicidade do Bom Ladrão, e esta a razão porque ele se salvou, e também o mau se pudera salvar sem restituírem. Como ambos saíram do naufrágio desta vida despidos, e pegados a um pau, só esta sua extrema pobreza os podia absolver dos latrocínios que tinham cometido, porque, impossibilitados à constituição, ficavam desobrigados dela. Porém, se o Bom Ladrão tivera bens com que restituir ou em todo ou em parte o que roubou, toda a sua fé e toda a sua penitência tão celebrada dos Santos não bastara a o salvar, se não restituísse. Duas coisas lhe faltavam a este venturoso homem para se salvar, uma como ladrão que tinha sido, outra como cristão que começava a ser. Como ladrão que tinha sido, faltava-lhe com que restituir; como cristão que começava a ser, faltava-lhe o batismo, mas assim como o sangue que derramou na cruz lhe supriu o batismo, assim a sua desnudez e a sua impossibilidade lhe supriu a restituição, e por isso se salvou. Vejam agora, de caminho, os que roubaram na vida; e nem na vida nem na morte restituíram, antes na morte testaram de muitos bens e deixaram grossas heranças a seus sucessores; vejam onde irão ou terão ido suas almas, e se se podiam salvar.

Era tão rigoroso este preceito da restituição na lei velha, que se o que furtou não tinha com que restituir, mandava Deus que fosse vendido e restituísse com o preço de si mesmo: *Si non habuerit quod pro furto reddat, ipse venundabitur*.[4] De modo que enquanto um homem era seu, e possuidor da sua liberdade, posto que não tivesse outra coisa, até que não vendesse a própria pessoa e restituísse o que podia com o preço de si mesmo, não o julgava a lei por impossibilitado à restituição, nem o desobrigava dela. Que uma tal lei fosse justa, não se pode duvidar, porque era lei de Deus, posto que o mesmo Deus na lei da graça derrogou esta circunstância de rigor, que era de direito positivo; porém na lei natural, que é indispensável, e manda restituir a quem pode, e tem com quê, tão fora esteve de variar ou moderar coisa alguma que nem o mesmo Cristo na cruz prometeria o Paraíso ao ladrão; eis tal caso, sem que primeiro restituísse. Ponhamos outro ladrão à vista deste, e vejamos admiravelmente no juízo do mesmo Cristo a diferença de um caso a outro.

Assim como Cristo Senhor nosso disse a Dimas: *Hodie mecum eris in Paradiso*: Hoje serás comigo no Paraíso, assim disse a Zaqueu: *Hodie salus domui huic facta est*:[5] Hoje entrou a salvação nesta tua casa. Mas o que muito se deve notar é que a Dimas prometeu-lhe o Senhor a salvação logo, e a Zaqueu não logo, senão muito depois. E por que, se ambos eram ladrões e ambos convertidos? Porque Dimas era ladrão pobre e não tinha com que restituir o que roubara; Zaqueu era ladrão rico e tinha muita coisa com que restituir: *Zacheus princeps erat publicanorum et ipse dives*,[6] diz o Evangelista. E ainda que ele o não dissera, o estado de um e outro ladrão o declarava assaz. Por quê? Porque Dimas era ladrão condenado e se ele fora rico, claro está que não havia de chegar à forca; porém Zaqueu era ladrão tolerado e a sua mesma riqueza era a imunidade que tinha para roubar sem castigo, e ainda sem culpa. E como Dimas era ladrão pobre e não tinha com que restituir, também não tinha impedimento a sua salvação, e por isso Cristo lha concedeu no mesmo momento. Pelo contrário: Zaqueu, como era ladrão rico e tinha muito com que restituir, não lhe podia Cristo segurar a salvação antes que restituísse; e por isso lhe dilatou a promessa. A mesma narração do Evangelho é a melhor prova desta diferença.

Conhecia Zaqueu a Cristo só por fama, o desejava muito vê-lo. Passou o Senhor pela terra e, como era pequeno de estatura, e o

---

[4] *Êxodo, XXIII, 3*.
[5] *São Lucas, XIX, 9*.
[6] *Ibid, XIX, 2*.

concurso muito, sem reparar na autoridade da pessoa e do ofício: *Princeps publicanorum*; subiu-se a uma árvore para o ver, e não só viu, mas foi visto, e muito bem visto. Pôs nele o Senhor aqueles divinos olhos; chamou-o por seu nome, e disse-lhe que se descesse logo da árvore, porque lhe importava ser seu hóspede naquele dia: *Zacheus festinans, descende quia hodie in domo tua oportet me manere*.[7] Entrou, pois, o Salvador em casa de Zaqueu, e aqui parece que cabia bem o dizer-lhe que então entrara a salvação em sua casa; mas nem isto nem outra palavra disse o Senhor. Recebeu-o Zaqueu, e festejou a sua vinda com todas as demonstrações de alegria: *Excepit illum gaudens*; e guardou o Senhor o mesmo silêncio. Assentou-se à mesa abundante de iguarias e muito mais de boa vontade, que é o melhor prato para Cristo, e prosseguiu na mesma suspensão. Sobretudo disse Zaqueu que ele dava aos pobres a metade de todos teus bens: *Ecce dimidium bonorum meorum do pauperibus*. E sendo o Senhor aquele que no dia do Juízo só aos merecimentos da esmola há de premiar com o Reino do Céu; quem não havia de cuidar que a este grande ato de liberalidade com os pobres responderia logo a promessa da salvação? Mas nem aqui mereceu ouvir Zaqueu o que depois lhe disse Cristo. Pois, Senhor, se vossa piedade e verdade tem dito tantas vezes que o que se faz aos pobres se faz a vós mesmo, e este homem na vossa pessoa vos está servindo com tantos obséquios, e na dos pobres com tantos empenhos: se vos convidastes a ser seu hóspede para o salvar, e a sua salvação é a importância que vos trouxe a sua casa; se o chamastes, e acudiu com tanta diligência; se lhe dissestes que se apressasse: *Festinans descende*, e ele se não deteve um momento; por que lhe dilatais tanto a mesma graça, que lhe desejais fazer, por que o não acabais de absolver, por que lhe não segurais a salvação? Porque este mesmo Zaqueu, como cabeça de publicanos: *Princeps publicanorum*, tinha roubado a muitos; e como rico que era: *Et ipse dives*, tinha com que restituir o que roubara; e enquanto estava devedor e não restituía o alheio, por mais boas obras que fizesse, nem o mesmo Cristo o podia absolver; e por mais fazenda que despendesse piamente, nem o mesmo Cristo o podia salvar. Todas as outras obras que depois daquela venturosa vista fazia Zaqueu eram muito louváveis; mas enquanto não chegava a fazer a da restituição, não estava capaz da salvação. Restitua e logo será salvo; e assim foi.

---

[7] *S. Lucas, V, 5 e 6*.

Acrescentou Zaqueu que tudo o que tinha mal adquirido restituía em quatro dobros: *Et si quid aliquem defraudavi, reddo quadruplum.*[8] E no mesmo ponto o Senhor, que até ali tinha calado, desfechou os tesouros de sua graça e lhe anunciou a salvação: *Hodie salus domui huic facta est.* De sorte que ainda que entrou o Salvador em casa de Zaqueu, a salvação ficou de fora; porque enquanto não saiu da tua mesma casa a restituição, não podia entrar nela a salvação. A salvação não pode entrar sem se perdoar o pecado, e o pecado não se pode perdoar sem se restituir o roubado: *Non dimittitur peccatum, nisi restituatur ablatum.*

IV

Suposta esta primeira verdade, certa e infalível, a segunda coisa que suponho com a mesma certeza é que a restituição do alheio sob pena da salvação não só obriga aos súditos e particulares, senão também aos cetros e às coroas. Cuidam, ou devem cuidar alguns príncipes, que assim como são superiores a todos, assim são senhores de tudo, e é engano. A lei da restituição é lei natural e lei divina. Enquanto lei natural obriga aos reis, porque a natureza fez iguais a todos; e enquanto lei divina, também os obriga, porque Deus, que os fez maiores que os outros, é maior que eles. Esta verdade só tem contra si a prática e o uso. Mas por parte deste mesmo uso argumenta assim S. Tomás, o qual é hoje o meu Doutor, e nestas matérias o de maior autoridade: *Terrarum principes multa a suis subditis violenter extorquent: quod videtur ad rationem rapinae pertinere: grave autem videtur dicere, quod in hoc peccant: quia sic fere omnes principes damnarentur. Ergo rapina in aliquo casu est licita.*[9] Quer dizer: a rapina, ou roubo, é tomar o alheio violentamente contra a vontade de seu dono; os príncipes tomam muitas coisas a seus vassalos violentamente e contra sua vontade; logo parece que o roubo é lícito em alguns casos, porque se dissermos que os príncipes pecam nisto, todos eles, ou quase todos, se condenariam: *Fere omnes principes damnarentur.* Oh, que terrível e temerosa consequência; e quão digna de que a considerem profundamente os príncipes e os que têm

---

[8] *S. Lucas, XIX, 8.*
[9] *Divus Thom.*

parte em suas resoluções e conselhos! Responde ao seu argumento o mesmo Doutor Angélico, e, posto que não costumo molestar os ouvintes com latins largos, hei de referir as suas próprias palavras: *Dicendum, quod si principes a subditis exigunt quod eis secundum justitiam debetur propter bonum commune conservandum, etiam si violentia adhibeatur, non est rapina. Si vero aliquid principes indebite extorqueant, rapina est, sicut et latrocinium. Unde ad restitutionem tenentur, sicut et latrones. Et tanto gravius peccant quam latrones, quanto periculosius, et communius contra publicam justitiam agunt, cujus custodes sunt positi.* Respondo (diz S. Tomás) que se os príncipes tiram dos súditos o que segundo justiça lhes é devido para conservação do bem comum, ainda que o executem com violência, não é rapina, ou roubo. Porém, se os príncipes tomarem por violência o que se lhes não deve, é rapina e latrocínio. Donde se segue que estão obrigados à restituição como os ladrões; e que pecam tanto mais gravemente que os mesmos ladrões, quanto é mais perigoso e mais comum o dano com que ofendem a justiça pública, de que eles estão postos por defensores.

Até aqui acerca dos príncipes o Príncipe dos Teólogos. E porque a palavra rapina e latrocínio aplicada a sujeitos da suprema esfera é tão alheia das lisonjas que estão costumados a ouvir, que parece conter alguma dissonância, escusa tacitamente o seu modo de falar, e prova a sua doutrina o santo Doutor com dois Textos alheios, um divino, do profeta Ezequiel, e outro pouco menos que divino, de Santo Agostinho. O Texto de Ezequiel é parte do relatório das culpas porque Deus castigou tão severamente os dois reinos de Israel e Judá, um com o cativeiro dos Assírios e outro com o dos Babilônios, e a causa que dá e muito pondera, é que os seus príncipes, em vez de guardarem os povos como pastores, os roubavam como lobos: *Principes ejus in medio illius, quasi lupi sapientes praedam.*[10]

Só dois reis elegeu Deus por si mesmo; que foram Saul e Davi; e a ambos os tirou de pastores para que pela experiência dos rebanhos que guardavam soubessem como haviam de tratar os vassalos; mas seus sucessores, por ambição e cobiça, degeneraram tanto deste amor e deste cuidado que em vez de os guardar e apascentar como ovelhas, os roubavam e comiam como lobos: *Quasi lupi suplentes praedam.*

---

[10] *Ezequiel, XXII, 27.*

O texto de Santo Agostinho fala geralmente de todos os reinos em que são ordinárias semelhantes opressões e injustiças e diz que entre os tais reinos e as covas dos ladrões (a que o Santo chama latrocínios) só há uma diferença. E qual é? Que os reinos são latrocínios ou ladroeiras grandes e os latrocínios ou ladroeiras são reinos pequenos: *Sublata justitia, quid sunt regna, nisi magna latrocinia? Quia et latrocinia quid sunt, nisi parva regna?* É o que disse o outro pirata a Alexandre Magno. Navegava Alexandre em uma poderosa armada, pelo mar Eritreu a conquistar a Índia; e como fosse trazido à sua presença um pirata, que por ali andava roubando os pescadores, repreendeu-o muito Alexandre de andar em tão mau ofício; porém, ele, que não era medroso nem lerdo, respondeu assim: Basta, senhor, porque eu, que roubo em uma barca, sou ladrão, e vós, que roubais em uma armada, sois imperador? E assim é. O roubar pouco é culpa, o roubar muito é grandeza: o roubar com pouco poder faz os piratas, o roubar com muito, os alexandres. Mas Sêneca, que sabia bem distinguir as qualidades e interpretar as significações, a uns e outros definiu com o mesmo nome: *Eodem loco pone latronem, et piratam, quo regem animum latronis, et piratae habentem.* Se o rei de Macedônia, ou qualquer outro, fizer o que faz o ladrão e o pirata, o ladrão, o pirata e o rei, todos têm o mesmo lugar e merecem o mesmo nome.

Quando li isto em Sêneca, não me admirei tanto de que um filósofo estoico se atrevesse a escrever uma tal sentença em Roma, reinando nela Nero; o que mais me admirou, e quase envergonhou, foi que os nossos oradores evangélicos, em termo de príncipes católicos, preguem a mesma doutrina. Saibam estes eloquentes mudos que mais ofendem os reis com o que calam que com o que disserem; porque a confiança com que isto se diz é sinal que lhes não toca e que se não podem ofender; e a cautela com que se cala é argumento de que se ofenderão, porque lhe pôde tocar. Mas passemos brevemente à terceira e última suposição, que todas três são necessárias para chegarmos ao ponto.

V

Suponho, finalmente, que os ladrões de que falo não são aqueles miseráveis, a quem a pobreza e vileza de sua fortuna condenou a este gênero de vida, porque a mesma, sua miséria ou escusa, ou alivia o seu pecado, como diz Salomão: *Non grandis est culpa, cum quis furatus fuerit: furatur enim ut esurientem impleat animam.*[11] O ladrão que furta para comer não vai nem leva ao inferno: os que não só vão, mas levam, de que eu trato, são os ladrões de maior calibre e de mais alta esfera, os quais debaixo do mesmo nome e do mesmo predicamento distingue muito bem S. Basílio Magno: *Non est intelligendum fures esse solum bursarum incisores, vel latrocinantes in balneis; sed et qui duces legionum statuti, vel qui commisso sibi regimine civitatum, aut gentium, hoc quidem furtim tollunt, hoc vero vi, et publice exigunt.* Não são só ladrões, diz o Santo, os que cortam bolsas ou espreitam os que se vão banhar, para lhes colher a roupa; os ladrões que mais própria e dignamente merecem este título são aqueles a quem os reis encomendam os exércitos e legiões, ou o governo das províncias, ou a administração das cidades, os quais já com manha, já com força, roubam e despojam os povos. Os outros ladrões roubam um homem, estes roubam cidades e reinos; os outros furtam debaixo do seu risco, estes, sem temor nem perigo; os outros, se furtam, são enforcados, estes furtam e enforcam. Diógenes, que tudo via com mais aguda vista que os outros homens, viu que uma grande tropa de varas e ministros de Justiça levavam a enforcar uns ladrões e começou a bradar: "Lá vão os ladrões grandes enforcar os pequenos". Ditosa Grécia, que tinha tal pregador! E mais ditosas as outras nações, se nelas não padecera a Justiça as mesmas afrontas. Quantas vezes se viu em Roma ir a enforcar um ladrão por ter furtado um carneiro, e no mesmo dia ser levado em triunfo um cônsul, ou ditador, por ter roubado uma província! E quantos ladrões teriam enforcado estes mesmos ladrões triunfantes? De um, chamado Seronato, disse com discreta contraposição Sidônio Apolinar: *Non cessat simul furta, vel punire, vel facere*. Seronato está sempre ocupado em duas coisas: em castigar furtos e em os fazer. Isto não era zelo de justiça, senão inveja. Queria tirar os ladrões do mundo, para roubar ele só.

VI

Declarado assim por palavras não minhas, senão de muito bons autores, quão honrados e autorizados sejam os ladrões de que falo, estes são os que disse, e digo que levam consigo os reis ao inferno.

---

[11] *Prov., VI, 30.*

Que eles fossem lá sós, e o diabo os levasse a eles, seja muito na má hora, pois assim o querem; mas que hajam de levar consigo os reis é uma dor que se não pode sofrer, e por isso nem calar. Mas se os reis tão fora estão de tomar o alheio, que antes eles são os roubados, e os mais roubados de todos, como levam ao inferno consigo estes maus ladrões a estes bons reis? Não por um só, senão por muitos modos, os quais parecem insensíveis e ocultos, e são muito claros e manifestos: o primeiro porque os reis lhes dão os ofícios e poderes, com que roubam; o segundo porque os reis os conservam neles; o terceiro porque os reis os adiantam e promovem a outros maiores; e finalmente porque sendo os reis obrigados, sob pena de salvação, a restituir todos estes danos, nem na vida nem na morte os restituem. E quem diz isto? Já se sabe que há de ser S. Tomás. Faz questão S. Tomás, se a pessoa que não furtou nem recebeu, ou possui coisa alguma do furto, pode ter obrigação de o restituir? E não só resolve que sim, mas para maior expressão do que vou dizendo, põe o exemplo nos reis. Vai o texto: *Tenetur ille restituere, qui non obstat, cum obstare teneatur. Sicut principes, qui tenentur custodire justitiam in terra, si per eorum defectum latrones increscant, ad restitutionem tenentur: quia redditus, quos habent, sunt quasi stipendia ad hoc instituta, ut justitiam conservent in terra.* Aquele que tem obrigação de impedir que se não furte, se o não impediu, fica obrigado a restituir o que se furtou. E até os príncipes, que por sua culpa deixarem crescer os ladrões, são obrigados à restituição; porquanto as rendas com que os povos os servem e assistem são como estipêndios instituídos e consignados por eles, para que os príncipes os guardem e o mantenham em justiça. É tão natural e tão clara esta teologia que até Agamemnon, rei gentio, a conheceu, quando disse: *Qui non vetat peccare, cum possit, jubet.*

E se nesta obrigação de restituir incorrem os príncipes, pelos furtos que cometem os ladrões casuais e involuntários, que será pelos que eles mesmos e por própria eleição armaram de jurisdições e poderes com que roubam os mesmos povos? A tenção dos príncipes não é nem pode ser essa; mas basta que esses oficiais, ou de guerra, ou de fazenda, ou de justiça, que cometem os roubos, sejam eleições e feituras suas, para que os príncipes hajam de pagar o que eles fizeram. Ponhamos o exemplo da culpa onde a não pode haver. Pôs Deus a Adão no Paraíso com jurisdição e poder sobre todos os viventes, e com senhorio absoluto de todas as coisas criadas, exceto somente uma árvore. Faltavam-lhe poucas letras a Adão para ladrão, e ao fruto não lhe faltava nenhuma. Enfim, ele e sua mulher (que muitas vezes são as terceiras) aquela só coisa que havia no mundo que não fosse sua, essa roubaram. Já temos a Adão eleito, já o temos com ofício, já o temos ladrão. E quem foi que pagou o furto? Caso sobre todos admirável! Pagou o furto quem elegeu e quem deu o ofício ao ladrão. Quem elegeu e deu o ofício a Adão foi Deus; e Deus foi o que pagou o furto tanto à sua custa, como sabemos. O mesmo Deus o disse assim, referindo o muito que lhe custara a satisfação do furto e dos danos dele: *Quae non rapui, tunc exolvebam.*[12] Vistes o corpo humano de que me vesti, sendo Deus; vistes o muito que padeci; vistes o sangue que derramei; vistes a morte a que fui condenado entre ladrões; pois então, e com tudo isso, pagava o que não furtei: Adão foi o que furtou e eu o que paguei: *Quae non rapui, tunc exolvebam.*

Pois, Senhor meu, que culpa teve vossa Divina Majestade no furto de Adão? — Nenhuma culpa tive, nem a tivera, ainda que não fora Deus, porque na eleição daquele homem e no ofício que lhe dei, em tudo procedi com a circunspecção, prudência e previdência, com que o devera e deve fazer o príncipe mais atento a suas obrigações, mais considerado e mais justo. Primeiramente, quando o fiz, não foi com império despótico, como as outras criaturas, senão com maduro conselho, e por consulta de pessoas não humanas, senão divinas: *Faciamus hominem ad imaginem, et similitudinem nostram, et praesit.*[13] As partes e qualidades que concorriam no eleito eram as mais adequadas ao ofício que se podiam desejar nem imaginar; porque era o mais sábio de todos os homens, justo sem vício, reto sem injustiça, e senhor de todas suas paixões, as quais tinha sujeitas e obedientes à razão. Só lhe faltava a experiência, nem houve concurso de outros sujeitos na sua eleição; mas ambas estas coisas não as podia então haver, porque era o primeiro homem e o único. — Pois se a vossa eleição, Senhor, foi tão justa e tão justificada, que bastava ser vossa para o ser, por que haveis vós de pagar o furto que ele fez sendo toda a culpa sua? — Porque quero dar este exemplo e documento aos príncipes; e porque não convém que fique no mundo uma tão má e perniciosa consequência, como seria, se os príncipes se persuadissem em algum caso, que não eram obrigados a pagar e satisfazer o que seus ministros roubassem.

---

[12] *Psal, LXVIII, 5.*
[13] *Gênesis, I, 26.*

VII

Mas estou vendo que com este exemplo de Deus se desculpam ou podem desculpar os reis. Porque se a Deus lhe sucedeu tão mal com Adão, conhecendo muito bem Deus o que ele havia de ser, que muito é que suceda o mesmo aos reis com os homens que elegem para os ofícios, se eles não sabem nem podem saber o que depois farão? A desculpa é aparente, fria, tão falsa como mal fundada, porque Deus não faz eleição dos homens pelo que sabe que hão de ser, senão pelo que de presente são. Bem sabia Cristo que Judas havia de ser ladrão, mas quando o elegeu para o ofício, em que o foi, não só não era ladrão, mas muito digno de se lhe tirar o cuidado de guardar e distribuir as esmolas dos pobres. Elejam assim os reis as pessoas, e provejam assim os ofícios, e Deus os desobrigará nesta parte de restituição. Porém, as eleições e provimentos que se usam não se fazem assim. Querem saber os reis, se os que proveem nos ofícios são ladrões ou não? Observem a regra de Cristo: *Qui non intrat per ostium, fur est, et latro*.[14] A porta por onde legitimamente se entra ao ofício é só o merecimento; e todo o que não entra pela porta, não só diz Cristo que é ladrão, senão ladrão e ladrão: *Fur est, et latro*. E por que é duas vezes ladrão: uma vez porque furta o ofício, e outra vez pelo que há de furtar com ele. O que entra pela porta poderá vir e ser ladrão, mas os que não entram por ela já o são. Uns entram pelo parentesco, outros pela amizade, outros pela valia, outros pelo suborno, e todos pela negociação. E quem negocia não há mister outra prova; já se sabe que não vai a perder. Agora será ladrão oculto, mas depois ladrão descoberto, que essa é, como diz S. Jerônimo, a diferença de *fur* a *latro*.

Coisa é certo maravilhosa ver a alguns tão introduzidos e tão entrados, não entrando pela porta nem podendo entrar por ela. Se entraram pelas janelas, como aqueles ladrões de que faz menção Joel: *Per fenestras intrabunt quasi fur*;[15] grande desgraça é que sendo as janelas feitas para entrar a luz e o ar, entrem por elas as trevas e os desares. Se entraram minando a casa do Pai de Famílias, como o clarão da parábola de Cristo: *Si sciret pater familias, qua hora fur veniret, non sineret perfodi domum suam*,[16] ainda seria maior des-

---

[14] *Joan., X, 1.*
[15] *Joel, II, 9.*
[16] *S. Lucas, XII, 39.*

graça que o sono ou letargo do dono da casa fosse tão pesado que, minando-se-lhe as paredes, não o espertassem os golpes. Mas o que excede toda a admiração é que haja quem, achando a porta fechada, empreenda entrar por cima dos telhados e o consiga; e mais sem ter pés nem mãos, quanto mais asas. Estava Cristo Senhor nosso curando milagrosamente os enfermos dentro em uma casa, e era tanto o concurso que não podendo os que levavam um paralítico entrar pela porta, subiram-se com ele ao telhado, e por cima do telhado o introduziram. Ainda é mais admirável a consideração do sujeito que o modo e o lugar da introdução. Um homem que entrasse por cima, dos telhados, quem não havia de julgar que era caído do céu: *Tertius e Calo cecidit Cato?* E o tal homem era um paralítico, que não tinha pés, nem mãos, nem sentido, nem movimento; mas teve com que pagar a quatro homens que o tomaram às costas e o subiram tão alto. E como os que trazem às costas semelhantes sujeitos estão tão pagos deles que muito é que digam e informem (posto que sedam tão incapazes) que lhes sobejam merecimentos por cima dos telhados. Como não podem alegar façanhas de quem não tem mãos, dizem virtudes e bondades. Dizem que com os seus procedimentos cativa a todos; e como os não havia de cativar se os comprou? Dizem que fazendo sua obrigação todos lhe ficam devendo dinheiro; e como lho não hão de dever se lho tomaram? Deixo os que sobem aos postos pelos cabelos, e não com as forças de Sansão, senão com os favores de Dalila. Deixo os que com voz conhecida de Jacó levam a bênção de Esaú, e não com as luvas calçadas, senão dadas ou prometidas. Deixo os que, sendo mais leprosos que Naaman Siro, se limparam da lepra, e não com as águas do Jordão, senão com as do Rio da Prata. É isto, e o mais que se podia dizer, entrar pela porta? Claro está que não. Pois se nada disto se faz: *Sicut fur in nocte*,[17] senão na face do sol, e na luz do meio-dia, como se pôde escusar quem ao menos firma os provimentos de que não conhecia serem ladrões os que por estes meios foram providos? Finalmente, ou os conhecia, ou não: se os não conhecia, como os proveu sem os conhecer? E se os conhecia, como os proveu conhecendo-os? Mas vamos aos providos com expresso conhecimento de suas qualidades.

---

[17] *Thessal.*, v, 5.

VIII

Dom Fulano (diz a piedade bem-intencionada) é um fidalgo pobre: dê-se-lhe um governo. E quantas impiedades, ou advertidas ou não, se contém nesta piedade? Se é pobre, deem-lhe uma esmola honestada com o nome de tença, e tenha com que viver. Mas por que é pobre um governo, para que vá desempobrecer à custa dos que governar? E para que vá fazer muitos pobres à conta de tornar muito rico? Isto quer quem o elege por este motivo. Vamos aos do prêmio, e também aos do castigo. Certo capitão mais antigo tem muitos anos de serviço, deem-lhe uma fortaleza nas Conquistas. Mas se esses anos de serviço assentam sobre um sujeito, que os primeiros despojos que tomava na guerra eram a farda e a ração dos seus próprios soldados, despidos e mortos de fome; que há de fazer em Sofala ou em Mascate? Tal graduado em leis leu com grande aplauso no Paço; porém em duas judicaturas e uma correição não deu boa conta de si; pois vá degredado para Índia com uma beca. E se na Beira e no Alentejo, onde não há diamantes nem rubis, se lhe pegavam as mãos a este doutor, que será na relação de Goa?

Encomendou el-rei D. João, o Terceiro, a S. Francisco Xavier o informasse do estado da Índia por via de seu companheiro, que era mestre do príncipe: e o que o Santo escreveu de lá, sem nomear ofícios nem pessoas, foi que o verbo *rapio* na índia se conjugava por todos os modos. A frase perece jocosa em negócio tão sério; mas falou o servo de Deus como fala Deus, que em uma palavra diz tudo. Nicolau de Lira, sobre aquelas palavras de Daniel: *Nabucodonosor rex misit ad congregandos satrapas, magistratus et judices*,[18] declarando a etimologia de sátrapas, que eram os governadores da provincial, diz que este nome foi composto de *sat* e de *rapio*. *Dicuntur Satrapae quasi satis rapientes, quia solent bona inferiorum rapere.* Chamam-se sátrapas porque costumam roubar assaz. E este assaz é o que especificou melhor S. Francisco Xavier, dizendo que conjugam o verbo *rapio* por todos os modos. O que eu posso acrescentar, pela experiência que tenho, é que não só do Cabo da Boa Esperança para lá, mas também das partes daquém se usa igualmente a mesma conjugação. Conjugam por todos os modos o verbo *rapio*, porque furtam por todos os modos da arte, não falando em outros novos e esquisitos, que não conheceu Donato nem Despautério.

---

[18] *Daniel, III*, 2.

Tanto que lá chegam, começam a furtar pelo modo indicativo porque a primeira informação que pedem aos práticos é que lhe apontem e mostrem os caminhos por onde podem abarcar tudo. Furtam pelo modo imperativo porque como têm o mero e misto império, todo ele aplicam despoticamente às execuções da rapina. Furtam pelo modo mandativo porque aceitam quanto lhes mandam; e para que mandem todos, os que não mandam não são aceitos. Furtam pelo modo optativo porque desejam quanto lhes parece bem; e gabando as coisas desejadas aos donos delas, por cortesia sem vontade as fazem suas. Furtam pelo modo conjuntivo porque ajuntem o seu pouco cabedal com o daqueles que manejam muito; e basta só que ajuntem a sua graça, para serem, quando menos, meeiros na ganância. Furtam pelo modo potencial porque sem pretexto nem cerimônia usam de potência. Furtam pelo modo permissivo porque permitem que outros furtem, e estes compram as permissões. Furtam pelo modo infinitivo porque não tem fim o furtar com o fim do governo, e sempre lá deixam raízes, em que se vão continuando os furtos. Estes mesmos modos conjugam por todas as pessoas, porque a primeira pessoa do verbo é a sua, as segundas, os seus criados, e as terceiras, quantas para isso têm indústria e consciência. Furtam juntamente por todos os tempos porque do presente (que é o seu tempo) colhem quanto dá de si o triênio; e para incluírem no presente o pretérito e futuro, do pretérito desenterram crimes, de que vendem os perdões e dívidas esquecidas, de que se pagam inteiramente, e do futuro empenham as rendas, e antecipam os contratos, com que tudo o caído e não caído lhe vem a cair nas mãos. Finalmente, nos mesmos tempos não lhes escapam os imperfeitos, perfeitos, mais-que-perfeitos, e quaisquer outros, porque furtam, furtaram, furtavam, furtariam e haveriam de furtar mais, se mais houvesse. Em suma, que o resumo de toda esta rapante conjugação vem a ser o supino do mesmo verbo: a furtar para furtar. E quando eles têm conjugado assim toda a voz ativa, e as miseráveis províncias suportado toda a passiva, eles, como se tiveram feito grandes serviços, tornam carregados de despojos e ricos; e elas ficam roubadas e consumidas.

É certo que os reis não querem isto, antes mandam em seus regimentos tudo o contrário; mas como as patentes se dão aos gramáticos destas conjugações, tão peritos ou tão cadimos nelas, que outros efeitos se podem esperar dos seus governos? Cada patente destas em própria significação vem a ser uma licença geral *in scriptis* ou um passaporte para furtar. Em Holanda, onde há armadores de corsários, repartem-se as costas da África, da Ásia e da América com tempo limitado, e nenhum pode sair a roubar sem passaporte, a que chamam Carta da Marca. Isto mesmo valem as provisões, quando se dão aos que eram mais dignos da Marca que da Carta. Por mar padecem os moradores das Conquistas a pirataria dos corsários estrangeiros, que é contingente; na terra suportam a dos naturais, que é certa e infalível. E se alguém duvida qual seja maior, note a diferença de uns a outros. O pirata do mar não rouba aos da sua república; os da terra roubam os vassalos do mesmo rei, em cujas mãos juraram homenagem: do corsário do mar posso me defender; aos da terra não posso resistir: do corsário do mar posso fugir; dos da terra não me posso esconder: o corsário do mar depende dos ventos; os da terra sempre têm por si a monção: enfim o corsário do mar pode o que pode, os da terra podem o que querem e, por isso, nenhuma presa lhes escapa. Se houvesse um ladrão onipotente, que vos parece que faria a cobiça junto com a onipotência? Pois é o que fazem estes corsários.

IX

Dos que obram o contrário com singular inteireza de justiça e limpeza de interesse, alguns exemplos temos, posto que poucos. Mas folgara eu saber quantos exemplos há, não digo já dos que fossem justiçados como tão insignes ladrões, mas dos que fossem privados de governo por estes roubos. Pois se eles furtam com os ofícios, e os consentem e conservam nos mesmos ofícios, como não hão de levar consigo ao inferno os que os consentem? O meu S. Tomás o diz, e alega com o Texto de S. Paulo: *Digni sunt morte, non solum qui faciunt sed etiam qui consentiunt facientibus.*[19] E porque o rigor deste Texto se entende não de qualquer consentidor, senão daqueles que por razão de seu ofício, ou estado, têm obrigação de impedir, faz logo a mesma limitação o Santo Doutor, e põe o exemplo nomeadamente nos príncipes: *Sed solum quando incumbit alicui ex officio sicut Principibus terrae.* Verdadeiramente não sei como não reparam muito os príncipes em matéria de tanta importância, e como os não fazem reparar os que no foro exterior, ou no da alma, têm cargo de descarregar suas consciências. Vejam uns e outros, como

---

[19] *Rom., I, 32.*

a todos ensinou Cristo, que o ladrão que furta com o ofício nem um momento se há de consentir ou conservar nele.

Havia um senhor rico, diz o Divino Mestre, o qual tinha um criado que, com ofício de econômico ou administrador, governava as suas herdades. (Tal é o nome no original grego, que responde ao Vilico da Vulgata.) Infamado pois o dito administrador de que se aproveitava da administração e roubava tanto que chegou a primeira notícia ao senhor, e mandou-o logo vir diante de si, e disse-lhe que desse contas porque já não havia de exercitar o ofício. Ainda a resolução foi mais apertada; porque não só disse que não havia, senão que não podia: *Jam enim non poteris villicare*.[20] Não tem palavra esta parábola, que não esteja cheia de notáveis doutrinas a nosso propósito. Primeiramente diz que este senhor era um homem rico: *Homo quidam erat dives*. Porque não será homem quem não tiver resolução; nem será rico, por mais herdades que tenha, quem não tiver cuidado, e grande cuidado, de não consentir que lhas governem ladrões. Diz mais, que para privar a este ladrão do ofício, bastou somente a fama sem outras inquisições: *Et hic diffamatus est apud illum*. Porque se em tais casos se houverem de mandar buscar informações à Índia, ou ao Brasil, primeiro que elas cheguem, e se lhes ponha remédio, não haverá Brasil nem Índia. Não se diz, porém, nem se sabe quem fossem os autores, ou delatores desta fama; porque a estes há-lhes de guardar segredo o senhor inviolavelmente, sob pena de não haver quem se atreva a o avisar, temendo justamente a ira dos poderosos. Diz mais, que mandou vir o delatado diante de si: *Et vocavit eum*, porque semelhantes averiguações se se cometem a outros e não as faz o mesmo senhor por sua própria pessoa, com dar o ladrão parte do que roubou, prova que está inocente. Finalmente desengana-o e notifica-lhe; que não há de exercitar jamais o ofício, nem pode: *Jam enim non poteris villicare*, porque nem o ladrão conhecido deve continuar o ofício, em que foi ladrão, nem o senhor, ainda que quisesse, o pode consentir e conservar nele, se não se quer condenar.

Com tudo isto sendo assim, eu ainda tenho uns embargos que alegar por parte deste ladrão, diante do Senhor e autor da mesma parábola, que é Cristo. Provará que nem o furto por sua quantidade, nem a pessoa por seu talento parecem merecedores de privação de ofício para sempre. Este homem, Senhor, posto que cometesse este

---

[20] S. *Lucas*, XVI, 1 e 2.

erro, é um sujeito de grande talento, de grande indústria, de grande entendimento e prudência, como vós mesmo confessastes, e ainda louvastes, que é mais *Laudavit Dominus villicum iniquitatis, quia prudenter fecisset*:[21] Pois se é homem de tanto préstimo, e tem capacidade e talentos para vos tornardes a servir dele, por que o haveis de privar para sempre do vosso serviço: *Jam enim non poteris villicare*? Suspendei-o agora por alguns meses, como se usa, e depois o tornareis a restituir para que nem vós o percais, nem ele fique perdido. Não, diz Cristo. Uma vez que é ladrão conhecido, não só há de ser suspenso ou privado do ofício *ad tempus*, senão para sempre, e para nunca jamais entrar ou poder entrar: *Jam enim non poteris*, porque o uso ou abuso dessas restituições, ainda que parece piedade, é manifesta injustiça. De maneira que em vez de o ladrão restituir o que furtou no ofício, restitui-se o ladrão ao ofício, para que furte ainda mais! Não são essas as restituições pelas quais se perdoa o pecado senão aquelas por que se condenam os restituídos, e também quem os restitui. Perca-se embora um homem já perdido, e não se percam os muitos que se podem perder e perdem na confiança de semelhantes exemplos.

Suposto que este primeiro artigo dos meus embargos não pegou, passemos a outro. Os furtos deste homem foram tão leves, a quantidade tão limitada, que o mesmo Texto lhes não dá nome de furtos absolutamente, senão de quase furtos: *Quasi dissipasset tona ipsius*.[22] Pois em um mundo, Senhor, e em um tempo em que se veem tolerados nos ofícios tantos ladrões, e premiados, que é mais, os *plusquam* ladrões, será bem que seja privado do seu ofício, e privado para sempre, um homem que só chega a ser quase ladrão? Sim, torna a dizer Cristo, para emenda dos mesmos tempos, e para que conheça o mesmo mundo quão errado vai. Assim como nas matérias do sexto mandamento, teologicamente não há mínimos, assim os deve não haver politicamente nas matérias do sétimo, pois quem furtou e se desonrou no pouco, muito mais facilmente o fará no muito. E senão vede-os nesse mesmo quase ladrão. Tanto que se viu notificado para não servir o ofício, ainda teve traça para se servir dele e furtar mais do que tinha furtado. Manda chamar muito à pressa os rendeiros, rompe os escritos das dívidas, faz outros de novo com antedatas, a uns diminui metade, a outros a quinta parte, e por este

---

[21] *S. Lucas*, XVI, 8.
[22] *S. Lucas*, XXI, I.

modo roubando ao tempo os dias, às escrituras a verdade, e ao amo o dinheiro, aquele que só tinha sido quase ladrão, enquanto encartado no ofício, com a opinião que só tinha de o ter, foi mais que ladrão depois. Aqui acabei de entender a ênfase com que disse a Pastora dos Cantares: *Tulerunt pallium: meum mihi:*[23] tomaram-me a minha capa a mim: porque se pode roubar a capa a um homem, tomando-a não a ele, senão a outrem. Assim o fez a astúcia deste ladrão, que roubou o dinheiro a seu amo, tomando-o não a ele, senão aos que lho deviam. De sorte que o que dantes era um ladrão, depois foi muitos ladrões, não se contentando de o ser ele só, senão de fazer a outros. Mas vá ele muito embora ao inferno, e vão os outros com ele; e os príncipes imitem ao Senhor, que se livrou de ir também, com o privar do ofício tão prontamente.

X

Esta doutrina em geral, pois é de Cristo, nenhum entendimento cristão haverá que a não venere. Haverá, porém, algum político tão especulativo que a queira limitar a certo gênero de sujeitos, e que funde as exceções no mesmo Texto. O sujeito, em que se faz esta execução, chama-lhe o texto villico; logo em pessoas vis, ou de inferior condição, será bem que se executem estes e semelhantes rigores, e não em outras de diferente suposição, com as quais, por sua qualidade e outras dependências, é lícito e conveniente que os reis dissimulem. Oh, como está o inferno cheio dos que com estas e outras interpretações, por adularem os grandes e os supremos, não reparam em os condenar! Mas para que não creiam a aduladores, creiam a Deus e ouçam. Revelou Deus a Josué que se tinha cometido um furto nos despojos de Jericó, depois de lho ter bem custosamente significado com o infeliz sucesso do seu exército; e mandou-lhe que descoberto o ladrão, fosse queimado. Fez-se diligência exata, e achou-se que um chamado Acã tinha furtado uma capa de grã, uma regra de ouro e algumas moedas de prata, que tudo não valia cem cruzados. Mas quem era este Acã? Era porventura algum homem vil ou algum soldadinho da fortuna, desconhecido e nascido das ervas? Não era menos que do sangue real de Judá, e por linha masculina

---

[23] *Cant.*, V, 7.

quarto neto seu. Pois uma pessoa de tão alta qualidade, que ninguém era ilustre em todo Israel, senão pelo parentesco que tinha com ele, há de morrer queimado por ladrão? E por um furto que hoje seria venial, há de ficar afrontada para sempre uma casa tão ilustre? Vós direis que era bem se dissimulasse; mas Deus, que o entende melhor que vós, julgou que não. Em matéria de furtar não há exceção de pessoas, e quem se abateu a tais vilezas perdeu todos os foros. Executou-se com efeito a lei, foi justiçado e queimado Acã, ficou o povo ensinado com o exemplo, e ele foi venturoso no mesmo castigo, porque, como notam graves Autores, comutou-lhe Deus aquele fogo temporal pelo que havia de padecer no inferno: felicidade que impedem aos ladrões os que dissimulam com eles.

E quanto à dissimulação, que se diz devem ter os reis com pessoas de grande suposição, de quem talvez depende a conservação do bem público, e são mui necessárias a seu serviço, respondo com distinção. Quando o delito é digno de morte, pode-se dissimular o castigo e conceder-se a tais pessoas a vida; mas quando o caso é de furto, não se lhes pode dissimular a ocasião, mas logo devem ser privadas do posto. Ambas estas circunstâncias concorreram no crime de Adão. Pôs-lhe Deus preceito que não comesse da árvore vedada sob pena de que morreria no mesmo dia: *In quocunque die comederis, morte morieris*.[24] Não guardou Adão o preceito, roubou o fruto e ficou sujeito, *ipso fato*, a pena de morte. Mas que fez Deus neste caso? Lançou-o logo do Paraíso, e concedeu-lhe a vida por muitos anos. Pois se Deus o lançou do Paraíso pelo furto que tinha cometido, por que não executou também nele a pena de morte, a que ficou sujeito? Porque da vida de Adão dependia a conservação e propagação do mundo; e quando as pessoas são de tanta importância e tão necessárias ao bem público, justo é que ainda que mereçam a morte se lhes permita e conceda a vida. Porém se juntamente são ladrões, de nenhum modo pode consentir nem dissimular que continuem no posto e rogar onde o foram, pesa que não continuem a o ser. Assim o fez Deus, e assim o disse. Pôs um Querubim com uma espada de fogo à porta do Paraíso, com ordem que de nenhum modo deixasse entrar Adão. E por quê? Porque assim como tinha furtado da árvore da ciência, não furtasse também da árvore da vida: *Ne forte mittat manum suam, et sumat etiam de ligno vitae*.[25] Quem foi mau uma vez, presume o Direito

---

[24] *Gênesis, II, 17.*

[25] *Gênesis, III, 22.*

que o será outras e que o será sempre. Saia, pois, Adão do lugar onde furtou, e não torne a entrar nele, para que não tenha ocasião de fazer outros furtos, como fez o primeiro. E notai que Adão, depois de ser privado do Paraíso, viveu novecentos e trinta anos. Pois a um homem castigado e arrependido, não lhe bastarão cem anos de privação do posto, não lhe bastarão duzentos ou trezentos? Não. Ainda que haja de viver novecentos anos, e houvesse de viver nove mil, uma vez que roubou, e é conhecido por ladrão, nunca mais deve ser restituído nem há de entrar no mesmo posto.

XI

Assim o fez Deus com o primeiro homem do mundo, e assim o devem executar com todos os que estão em lugar de Deus. Mas que seria se não só víssemos os ladrões conservados nos lugares onde roubam, senão depois de roubarem promovidos a outros maiores? Acabaram-se aqui as Escrituras, porque não há nelas exemplo semelhante. De reis que mandassem conquistar inimigos, sim; mas de reis que mandassem governar vassalos, não se lê tal coisa. Os Assueros, os Nabucos, os Ciros, que dilatavam por armas os seus impérios, desta maneira premiavam os capitães acrescentando em postos os que mais se sinalavam em destruir cidades e acumular despojos, e daqui se faziam os Nabusardões, os Holofernes e outros flagelos do mundo. Porém os reis que tratam os vassalos como seus, e os Estados, posto que distantes, como fazenda própria e não alheia, lede o Evangelho, e vereis quais são os sujeitos, e quão úteis, a quem encomendam o governo deles.

Um rei, diz Cristo Senhor nosso, fazendo ausência do seu reino à conquista de outro, encomendou a administração de sua fazenda a três criados. O primeiro acrescentou-a dez vezes mais do que era; e o rei, depois de o louvar, o promoveu ao governo de dez cidades: *Euge bone serve, quia in modico fuisti fidelis, eris potestatem habens super decem civitates.*[26] O segundo também acrescentou a parte que lhe coube cinco vezes mais; e com a mesma proporção o fez o rei governador de cinco cidades: *Et tu esto super quinque civitates.*[27] De

---

[26] *S. Lucas, XIX, 7.*
[27] *Ibid., 19.*

sorte que os que o rei acrescenta e deve acrescentar nos governos, segundo a doutrina de Cristo, são os que acrescentam à fazenda do mesmo rei, e não à sua. Mas vamos ao terceiro criado. Este tornou a entregar quanto o rei lhe tinha encomendado, sem diminuição alguma, mas também sem melhoramento; e no mesmo ponto sem mais réplica foi privado da administração: *Auferte ab illo mnam*.[28] Oh, que ditosos foram os nossos tempos, se as culpas por que este criado foi privado do ofício foram os serviços e merecimentos por que os de agora são acrescentados! Se o que não tomou um real para si e deixou as coisas no estado em que lhas entregaram merece privação do cargo, os que as deixam destruídas e perdidas, e tão diminuídas e desbaratadas, que já não têm semelhança do que foram, que merecem? Merecem que os despachem, que os acrescentem, e que lhes encarreguem outras maiores, para que também as consumam, e tudo se acabe. Eu cuidava que assim como Cristo introduziu na sua parábola dois criados que acrescentaram à fazenda do rei, e um que a não acrescentou, assim havia de introduzir outro que a roubasse, com que ficava a divisão inteira. Mas não introduziu o Divino Mestre tal criado, porque falava de um rei prudente e justo; e os que têm estas qualidades (como devem ter, sob pena de não serem reis) nem admitem em seu serviço nem fiam a sua fazenda a sujeitos que lha possam roubar: a algum que não lha acrescente, poderá ser, mas um só; porém a quem lhe roube ou a sua ou a dos vassalos (que não deve distinguir da sua), não é justo nem rei quem tal consente. E que seria se estes, depois de roubarem uma cidade, fossem promovidos ao governo de cinco; e depois que roubarem cinco, ao governo de dez?

Que mais havia de fazer um príncipe cristão, se fora como aqueles príncipes infiéis, de quem diz Isaías: *Principes tui infideles socii furum*.[29] Os príncipes de Jerusalém não são fiéis, senão infiéis, porque são companheiros dos ladrões. Pois saiba o profeta que há príncipes fiéis e cristãos que ainda são mais miseráveis e mais infelizes que estes. Porque um príncipe que entrasse em companhia com os ladrões: *Socii furum*, havia de ter também a sua parte no que se roubasse; mas estes estão tão fora de ter parte do que se rouba, que eles são os primeiros e os mais roubados. Pois se são os roubados estes príncipes, como são ou podem ser companheiros dos mesmos

---

[28] *Ibid., XIX, 24*.
[29] *Isaías, I, 23*.

ladrões — *Principes tui socii furum*? Será porventura porque talvez os que acompanham e assistem aos príncipes são ladrões? Se assim fosse, não seria coisa nova. Antigamente os que assistiam ao lado dos príncipes chamavam-se *laterones*. E depois, corrompendo-se este vocábulo, como afirma Marco Varro, chamaram-se *latrones*. E que seria se assim como se corrompeu o vocábulo, se corrompessem também os que o mesmo vocábulo significa? Mas eu nem digo, nem cuido tal coisa. O que só digo e sei, por teologia certa, é que em qualquer parte do mundo se pode verificar o que Isaías diz dos príncipes de Jerusalém: *Principes tui socii furum*: os teus príncipes são companheiros dos ladrões. E por quê? São companheiros dos ladrões porque os dissimulam; são companheiros dos ladrões porque os consentem; são companheiros dos ladrões porque lhes dão os postos e os poderes; são companheiros dos ladrões porque talvez os defendem; e são finalmente seus companheiros porque os acompanham e hão de acompanhar ao inferno, onde os mesmos ladrões os levam consigo.

Ouvi a ameaça e sentença de Deus contra estes tais: *Si videbas furem, currebas cum eo*:[30] o hebreu lê *concurrebas*; e tudo é porque há príncipes que correm com os ladrões e concorrem com eles. Correm com eles, porque os admitem à sua familiaridade e graça; e concorrem com eles, porque dando-lhes autoridade e jurisdições, concorrem para o que eles furtam. E a maior circunstância desta gravíssima culpa consiste no *Si videbas*. Se estes ladrões foram ocultos, e o que corre e concorre com eles não os conhecera, alguma desculpa tinha; mas se eles são ladrões públicos e conhecidos, se roubam sem rebuço e a cara descoberta, se todos os veem roubar, e o mesmo que os consente e apoia o está vendo: *Si videbas furem*[31] que desculpa pode ter diante de Deus e do mundo? *Existimasti inique quod ero tui similis*. Cuidas tu, ó injusto, diz Deus, que hei de ser semelhante a ti, e que assim como tu dissimulas com esses ladrões, hei eu de dissimular contigo? Enganas-te: *Arguam te, et statuam contra fadem tuam*. Dessas mesmas ladroíces, que tu vês e consentes, hei de fazer um espelho em que te vejas; e quando vires que és tão réu de todos esses furtos, como os mesmos ladrões, porque os não impedes; e mais que os mesmos ladrões, porque tens obrigação jurada de os impedir, então conhecerás que tanto e mais justamente que a eles te condeno ao inferno. Assim o

---

[30] *Psal.*, XL, 18.
[31] *Ibid.*, XLIX, 21.

declara com última e temerosa sentença a paráfrase caldaica do mesmo texto: *Arguam te in hoc saeculo, et ordinabo judicium Gehennae in futuro coram te.* Neste mundo arguirei a tua consciência, como agora a estou arguindo; e no outro mundo condenarei a tua alma ao inferno, como se verá no dia do Juízo.

XII

Grande lástima será naquele dia, senhores, ver como os ladrões levam consigo muitos reis ao inferno: e para que esta sorte se troque em uns e outros, vejamos agora como os mesmos reis, se quiserem, podem levar consigo os ladrões ao Paraíso. Parecerá a alguém, pelo que fica dito, que será coisa muito dificultosa e que se não pode conseguir sem grandes despesas; mas eu vos afirmo e mostrarei brevemente que é coisa muito fácil, e que sem nenhuma despesa de sua fazenda, antes com muitos aumentos dela, o podem fazer os reis. E de que modo? Com uma palavra; mas palavra de rei. Mandando que os mesmos ladrões, os quais não costumam restituir, restituam efetivamente tudo o que roubaram. Executando assim, salvar-se-hão os ladrões, e salvar-se-hão os reis. Os ladrões salvar-se-hão porque restituirão o que têm roubado; e os reis salvar-se-hão também porque, restituindo os ladrões, não terão eles obrigação de restituir. Pode haver ação mais justa, mais útil e mais necessária a todos? Só quem não tiver fé, nem consciência, nem juízo o pode negar.

E porque os mesmos ladrões se não sintam de haverem de perder por este modo o fruto das suas indústrias, considerem que ainda que sejam tão maus como o Mau Ladrão, não só deviam abraçar e desejar esta execução, mas pedi-la aos mesmos reis. O Bom Ladrão pediu a Cristo, como rei, que se lembrasse dele no seu reino; e o Mau Ladrão, que lhe pedia? *Si tu es Christus, salvum fac temetipsum, et nos.*[32] Se sois o rei prometido, como crê meu companheiro, salvai-vos a vós e a nós. Isto pediu o Mau Ladrão a Cristo, e o mesmo devem pedir todos os ladrões a seu rei, posto que sejam tão maus como o Mau Ladrão. Nem Vossa Majestade, Senhor, se pode salvar, nem nós nos podemos salvar sem restituir: nós não temos ânimo nem valor para fazer a restituição, como nenhum a faz, nem na vida nem na morte;

---

[32] S. Lucas, XXIII, 39.

mande-a, pois, fazer executivamente Vossa Majestade, e por este modo, posto que para nós seja violento, salvar-se-á Vossa Majestade a si e mais a nós: *Salvum fac temetipsum, et nos*. Creio que nenhuma consciência haverá cristã que não aprove este meio. E para que não fique em generalidade, que é o mesmo que no ar, desçamos à prática dele, e vejamos como se há de fazer. Queira Deus que se faça!

O que costumam furtar nestes ofícios e governos os ladrões de que falamos ou é a fazenda real ou a dos particulares: e, uma e outra, têm obrigação de restituir depois de roubada não só os ladrões que a roubaram, senão também os reis: ou seja porque dissimularam e consentiram os furtos, quando se faziam, ou somente (que isso basta) por serem sabedores deles depois de feitos. E aqui se deve advertir uma notável diferença (em que se não repara) entre a fazenda dos reis e a dos particulares. Os particulares, se lhes roubam a sua fazenda, não só não são obrigados à restituição, antes terão nisso grande merecimento se o levarem com paciência, e podem perdoar o furto a quem os roubou. Os reis são de muito pior condição nesta parte, porque depois de roubados têm eles obrigação de restituir a própria fazenda roubada, nem a podem demitir ou perdoar aos que a roubaram. A razão da diferença é porque a fazenda do particular é sua, a do rei não é sua, senão da república. E assim como o depositário ou tutor não pode alienar a fazenda que lhe está encomendada e teria obrigação de a restituir, assim tem a mesma obrigação o rei que é tutor, e como depositário dos bens e erário da república, a qual seria obrigado a gravar com novos tributos, se deixasse alienar ou perder as suas rendas ordinárias.

O modo, pois, com que as restituições da fazenda real se podem fazer facilmente, ensinou aos reis um monge, o qual, assim como soube furtar, soube também restituir. Refere o caso Mayolo, Crantzio, e outros. Chamava-se o monge frei Teodorico; e porque era homem de grande inteligência e indústria, cometeu-lhe o imperador Carlos IV algumas negociações de importância, em que ele se aproveitou de maneira, que competia em riquezas com os grandes senhores. Advertido o imperador, mandou-o chamar à sua presença, e disse--lhe que se aparelhasse para dar contas. Que faria o pobre ou rico monge? Respondeu sem se assustar que já estava aparelhado, que naquele mesmo ponto as daria, e disse assim: "Eu, César, entrei no serviço de Vossa Majestade com este hábito, e dez ou doze tostões na bolsa, da esmola das minhas Missas; deixe-me Vossa Majestade o meu hábito e os meus tostões; e tudo o mais que possuo, mande--

-o Vossa Majestade receber, que é seu, e tenho dado contas". Com tanta facilidade como isto fez a sua restituição o monge; e ele ficou guardando os seus votos, e o imperador a sua fazenda. Reis e príncipes mal servidos, se quereis salvar a alma, e recuperar a fazenda, introduzi sem exceção de pessoas as restituições de frei Teodorico. Saiba-se com que entrou cada um, o demais torne para donde saiu, e salvem-se todos.

XIII

A restituição que igualmente se deve fazer aos particulares parece que não pode ser pronta nem tão exata, porque se tomou a fazenda a muitos e a províncias inteiras. Mas como estes pescadores do alto usaram de redes varredouras, use-se também com eles das mesmas. Se trazem muito, como ordinariamente trazem, já se sabe que foi adquirido contra a lei de Deus, ou contra as leis e regimentos reais, e por qualquer destas cabeças, ou por ambas, injustamente. Assim se tiram da Índia quinhentos mil cruzados, de Angola duzentos, do Brasil trezentos, e até do pobre Maranhão, mais do que vale todo ele. E que se há de fazer desta fazenda? Aplicai-a o rei à sua alma e às dos que a roubaram, para que umas e outras se salvem. Dos governadores que mandava a diversas províncias o imperador Maximino, se dizia com galante e bem apropriada semelhança que eram esponjas. A traça ou salúcia com que usava destes instrumentos era toda encaminhada a fartar a sede da sua cobiça. Porque eles, como esponjas, chupavam das províncias que governavam tudo quanto podiam; e o imperador, quando tornavam, espremia as esponjas e tomava para o fisco real quanto tinham roubado, com que ele ficava rico, e eles, castigados. Uma coisa fazia mal este imperador, outra bem e faltava-lhe a melhor. Em mandar governadores às províncias, homens que fossem esponjas, fazia mal: em espremer as esponjas quando tornavam e ele confiscar o que traziam, fazia bem e justamente; mas faltava-lhe a melhor como injusto e tirano que era, porque tudo o que espremia das esponjas, não o havia de tomar para si, senão restitui-o às mesmas províncias de onde se tinha roubado. Isto é o que são obrigados a fazer em consciência os reis que se desejavam salvar, e não cuidar que satisfazem ao zelo e obrigação da justiça com mandar prender em um castelo o que roubou a cidade, a província, o Estado. Que importa, que por alguns dias, ou meses, se lhe dê esta sombra de castigo, se passados eles se vão lograr do que trouxe roubado, e os que padeceram os danos não são restituídos?

Há nesta, que parece justiça, um engano gravíssimo, com que nem o castigado nem o que castiga se livram da condenação eterna; e para que se entenda, ou queira entender este engano, é necessário que se declare. Quem tomou o alheio fica sujeito a duas satisfações: à pena da lei e à restituição do que tomou. Na pena pode dispensar o rei como legislador; na restituição não pode porque é indispensável. E obra-se tanto pelo contrário, ainda quando se faz ou se cuida que se faz justiça, que só se executa a pena, ou alguma parte da pena, e à restituição não lembra nem se faz dela caso. Acabemos com S. Tomás. Põe o Santo Doutor em questão: *Utrum sufficiat restituere simplim, quod injuste ablatum est*: Se, para satisfazer à restituição, basta restituir outro tanto quanto foi o que se tomou? E depois de resolver que basta, porque a restituição é ata de justiça, e a justiça consiste em igualdade, argumenta contra a mesma resolução com a lei do capítulo vinte e dois do Êxodo, em que Deus mandava que quem furtasse um boi, restituísse cinco: logo, ou não basta restituir tanto por tanto, senão muito mais do que se furtou; ou se basta, como está resoluto, de que modo se há de entender esta lei? Há-se de entender, diz o Santo, distinguindo na mesma lei duas partes; uma enquanto lei natural, pelo que pertence à restituição, e outra enquanto lei positiva, pelo que pertence à pena. A lei natural para guardar a igualdade do dano só manda que se restitua tanto por tanto; a lei positiva para castigar o crime do furto, acrescentou em pena mais quatro anos, e por isso manda pagar cinco por um. Há-se porém de advertir, acrescenta o Santo Doutor, que entre a restituição e a pena há uma grande diferença; porque à satisfação da pena não está obrigado o criminoso, antes da sentença; porém à restituição do que roubou, ainda que o não sentenciem nem obriguem, sempre está obrigado.

Daqui se vê claramente o manifesto engano ainda dessa pouca justiça, que poucas vezes se usa. Prende-se o que roubou e mete-se em livramento. Mas que se segue daí? O preso tanto que se livrou da pena do crime fica muito contente: o rei cuida que satisfaz à obrigação da justiça, e ainda se não tem feito nada, porque ambos ficam obrigados à restituição dos mesmos roubos, sob pena de se não poderem salvar; o réu porque não restitui, e o rei porque o não faz restituir. Tire pois o rei executivamente a fazenda a todos os que a roubaram e faça as restituições por si mesmo, pois eles a não fazem nem hão de fazer, e deste modo, que não há nem pode haver outro, em vez de os ladrões levarem os reis para o inferno como fazem, os reis levarão os ladrões ao Paraíso, como fez Cristo: *Hodie mecum ires in Paradiso*.

XIV

Tenho acabado, senhores, o meu discurso e parece-me que demonstrado o que prometi, de que não estou arrependido. Se a alguém pareceu que me atrevi a dizer o que fora mais reverência calar, respondo com Santo Hilário: *Quae loqui non audemus, silere non possumus*: O que se não pode calar com boa consciência, ainda que seja com repugnância, é força que se diga. Ouvinte coroado era aquele a quem o Batista disse: *Non licet tibi*,[33] e coroado também, posto que não ouvinte, aquele a quem Cristo mandou dizer: *Dicite vulpi illi*.[34] Assim o fez animosamente Jeremias, porque era mandado por pregador, *Regibus Juda, et Principibus ejus*.[35] E se Isaías o tivera feito assim, não se arrependera depois, quando disse: *Vae mihi quia tacui*.[36] Os médicos dos reis com tanta e maior liberdade lhes devem receitar a eles o que importa à sua saúde e vida, como aos que curam nos hospitais. Nos particulares cura-se um homem, nos reis toda a república.

Resumindo, pois, o que tenho dito, nem os reis, nem os ladrões, nem os roubados se podem molestar da doutrina que preguei porque a todos está bem. Está bem aos roubados, porque ficarão restituídos do que tinham perdido; está bem aos reis, porque sem perda, antes com aumento da sua fazenda, desencarregarão suas almas. E finalmente, os mesmos ladrões, que parecem os mais prejudicados, são os que mais interessam. Ou roubaram com tenção de restituir ou não: se com tenção de restituir, isso é o que eu lhes digo, e que o façam a tempo. Se o fizeram sem essa tenção, fizeram logo conta de ir ao inferno, e não podem estar tão cegos, que não tenham por melhor ir ao Paraíso. Só lhes pode fazer medo haverem de ser despojados do que despojaram aos outros; mas assim como estes tiveram paciência por força, tenham-na eles com merecimento. Se os esmolares compram o céu com o próprio, por que se não contentarão os ladrões de

---

[33] *S. Marcos, VI, 18*.
[34] *S. Lucas, XIII, 32*.
[35] *Jeremias, I, 18*.
[36] *Isaías, VI, 5*.

o comprar com o alheio? A fazenda alheia e a própria toda se alija ao mar, sem dor, no tempo da tempestade. E quem há que, salvando-se do naufrágio a nado e despido, não mande pintar a sua boa fortuna e a dedique aos altares com ação de graças? Toda a sua fazenda dará o homem de boa vontade por salvar a vida, diz o Espírito Santo; e quanto de melhor vontade deve dar à fazenda que não é sua por salvar não a vida temporal, senão a eterna? O que está sentenciado à morte e à fogueira não se teria por muito venturoso, se lhe aceitassem por partido a confiscação só dos bens? Considere-se cada um na hora da morte, e com o fogo do inferno à vista, e verá se é bom partido o que lhe persuado. Se as vossas mãos e os vossos pés são causa de vossa condenação, cortai-os; e se são os vossos olhos, arrancai-os, diz Cristo, porque melhor vos está a ir ao Paraíso manco, aleijado e cego, que com todos os membros inteiros ao inferno. É isto verdade ou não? Acabemos de ter fé, acabemos de crer que há inferno, acabemos de entender que sem restituir ninguém se pode salvar. Vede, vede ainda humanamente o que perdeis, e por quê? Nesta restituição, ou forçosa ou forçada, que não quereis fazer, que é o que dais, e o que deixais? O que dais é o que não tínheis; o que deixais, o que não podeis levar convosco, e por isso vos perdeis. Nu entrei neste mundo, e nu hei de sair dele, dizia Jó; e assim saíram o bom e o mau ladrão. Pois se assim há de ser, queirais ou não queirais, despido por despido, não é melhor ir com o bom ladrão ao Paraíso, que com o mau ao inferno?

Rei dos reis, e Senhor dos senhores, que morrestes entre ladrões para pagar o furto do primeiro ladrão — e o primeiro a quem prometestes o Paraíso, foi outro ladrão — para que os ladrões e os reis se salvem, ensinai com vosso exemplo, e inspirai com vossa graça a todos os reis, que, não elegendo, nem dissimulando, nem consentindo, nem aumentando ladrões, de tal maneira impeçam os furtos futuros e façam restituir os passados, que em lugar de os ladrões os levarem consigo, como levam, ao inferno, levem eles consigo os ladrões ao Paraíso, como vós fizestes hoje: *Hodie mecum eris in Paradiso*.

❖

Sermão da Epifania
ou do Evangelho[1]

Pregado na Capela Real no ano de 1662.

Cum natus esset Jesus in Bethlehem Juda in diebus Herodis regis, ecce Magi ab Oriente venerunt.
S. Mateus, 2.

Para que Portugal na nossa idade possa ouvir um pregador evangélico, será, hoje, o Evangelho o pregador. Esta é a novidade que trago do Mundo Novo. O estilo era que o pregador explicasse o Evangelho: hoje o Evangelho há de ser a explicação do pregador. Não sou eu o que hei de comentar o Texto: o Texto é o que me há de comentar a mim. Nenhuma palavra direi que não seja sua, porque nenhuma cláusula tem que não seja minha. Eu repetirei as suas vozes, ele bradará os meus silêncios. Praza a Deus que os ouçam os homens na terra, para que não cheguem a ser ouvidos no céu.

---

[1] Este sermão foi pregado na Capela Real, no ano de 1662, à rainha D. Luíza, regente do Reino na menoridade de el-rei D. Afonso VI, em presença de ambas as majestades na ocasião em que o autor e outros religiosos da Companhia de Jesus chegaram a Lisboa expulsos das missões do Maranhão pela fúria do povo, por defenderem os injustos cativeiros e liberdade dos índios que tinham a seu cargo.

Este sermão encerra os períodos mais eloquentes que jamais se pregaram em púlpito cristão. Sobre a eloquência de algumas das suas páginas escreveu Camilo Castelo Branco: "Vieira comoveu até às lágrimas e fez que a santa liberdade volvesse à América a estalar as gargalheiras do índio e a cicatrizar-lhe as vergastadas do tagante". (C. C. Branco, continuação e complemento do *Curso de literatura portuguesa,* Andrade Ferreira, pág. 102)

Havendo, porém, de pregar o Evangelho, e com tão novas circunstâncias como as que promete o exórdio, nem por isso cuide alguém que o pregador e o sermão há de faltar ao mistério. Antes pode bem ser que rara vez ou nunca se pregasse neste lugar a matéria própria deste dia e desta solenidade senão hoje. O mistério próprio deste dia é a vocação e conversão da gentilidade à fé. Até agora celebrou a Igreja o nascimento de Cristo, hoje celebra o nascimento da Cristandade. *Cum natus esset Jesus in Bethlehem Juda.*[2] Este foi o nascimento de Cristo que já passou. *Ecce Magi ab Oriente venereunt*: este é o nascimento da Cristandade que hoje se celebra. Nasceu hoje a Cristandade, porque os três Reis que neste dia vieram adorar a Cristo foram os primeiros que o reconheceram por Senhor, e por isso lhe tributaram ouro; os primeiros que o reconheceram por Deus, e por isso lhe consagraram incenso; os primeiros que o reconheceram por homem em carne mortal, e por isso lhe ofereceram mirra. Vieram gentios e tornaram fiéis; vieram idólatras e tornaram cristãos; e esta é a nova glória da Igreja, que ela hoje celebra, e o Evangelho, nosso pregador, refere. Demos-lhe atenção.

II

Cum natus esset Jesus in Bethlehem Juda in diebus Herodis regis, ecce Magi ab Oriente venerunt. Estas são as primeiras pautas do Evangelho e logo nelas parece que repugna o mesmo Evangelho a ser meu intérprete, porque a sua história e o seu mistério é da Índia Oriental: *Ab Oriente venerunt*, e o meu caso é das Ocidentais. Se apelo para os Reis e para o sentido místico, também está contra mim, porque totalmente exclui a América, que é a parte do mundo donde eu venho. Santo Agostinho, S. Leão papa, S. Bernardo, Santo Anselmo e quase todos os Padres reparam por diversos modos em que os Reis que vieram adorar a Cristo fossem três; e a limitação deste mesmo número é para mim, ou contra mim, o maior reparo. Os Profetas tinham dito que todos os reis e todas as gentes haviam de vir adorar e reconhecer a Cristo: *Adorabunt eum omnes Reges terrae, omnes gentes servient ei.*[3] *Omnes gentes quascumque fecisti,*

---

[2] *S. Mateus, II, f.*
[3] *Psal., LXXI, 11.*

venient, et adorabunt coram te Domine.[4] Pois se todas as gentes e todos os reis do mundo haviam de vir adorar a Cristo, por que vieram somente três? Por isso mesmo, respondem o venerável Beda e Ruperto Abade. Foram três, e nem mais nem menos que três, os Reis que vieram adorar a Cristo, porque neles se representavam todas as partes do mundo que também são três: Ásia, África e Europa: *Tres reges, tres partes mundi significant: Asiam, Africam, et Europam*, diz Beda. E Ruperto com a mesma distinção: *Magi tribue partibus orbis, Asiae, Europae, ataque adorationis exemplar existere meruerunt*. Isto é o que dizem estes grandes autores como intérpretes do Evangelho; mas o mesmo Evangelho, para ser meu intérprete, ainda há de dizer mais. Dizem que os três reis significavam a Ásia, a África e a Europa; e onde lhes ficou a América? A América não é, também, parte do mundo, e a maior parte? Se me disserem que não apareceu no Presépio, porque tardou e veio muitos séculos depois, também as outras tardaram; antes ela tardou menos, porque se converteu e adorou a Cristo mais depressa e mais sem repugnância que todas. Pois se cada uma das partes do mundo teve o seu rei que as apresentasse a Cristo, por que lhe há de faltar a pobre América? Há de ter rei que receba e se enriqueça com os seus tributos, e não há de ter rei que com eles ou sem eles a leve aos pés de Cristo? Sei eu (e não o pode negar a minha dor) que se a primeira, a segunda e a terceira parte do mundo tiveram reis, também o teve a quarta, enquanto lhe não faltou o quarto.[5] Mas vamos ao Evangelho e conciliemos com ele esta exposição dos Padres.

Ecce Magi ab Oriente venerunt. Diz o Evangelista que os reis do Oriente vieram a adorar a Cristo, e nesta mesma limitação, com que diz que vieram nomeadamente os do Oriente, e não outros, se reforça mais a dúvida; porque assim no Testamento Velho como no Novo está expresso que não só haviam de vir a Cristo os gentios do Oriente, senão também os do Ocidente. No Testamento Velho, Isaías falando com a Igreja: *Ab Oriente adducam semen tuum, et ab Occidente congregabo te*:[6] e no Testamento Novo a profecia e oráculo de Cristo: *Dico vobis, quod multi ab Oriente et Occidente venient*.[7] Pois se não

---

[4] *Ibid., LXXXV, 9.*
[5] El-rei D. João IV, que já era morto.
[6] *Isaías, XLIII, 5.*
[7] *S. Mateus, VIII, 11.*

só haviam de vir a Cristo os reis e gentes do Oriente, senão também as do Ocidente; como diz nomeadamente o Evangelista que os que vieram eram todos do Oriente, ou como vieram só os do Oriente, e os do Ocidente não? A tudo satisfaz o mesmo Evangelista; e na simples narração da história concordou admiravelmente o seu Texto com o dos Profetas. Que diz o Evangelista? *Cum natus esset Jesus in diebrus Herodis regis, ecce Magis ab Oriente venerant*. Diz que nos dias de Herodes, sendo nascido Cristo, o vieram adorar os Reis do Oriente; e nestas mesmas circunstâncias do tempo, do lugar e das pessoas, com que limitou a primeira vocação da gentilidade, mostrou que não havia de ser só uma, senão duas, como estava profetizado. A primeira vocação da gentilidade foi nos dias de Herodes: *In diebus Herodis regis*; a segunda, quase em nossos dias. A primeira foi quando Cristo nasceu: *Cum natus esset Jesus*; a segunda, quando já se contavam mil e quinhentos anos do nascimento de Cristo. A primeira foi por meio dos reis do Oriente: *Ecce Magi ab Oriente venerunt*; a segunda, por meio dos reis do Ocidente, e dos mais ocidentais de todos, que são os de Portugal.

Para melhor inteligência destas duas vocações, ou destas duas Epifanias, havemos de supor que neste mesmo mundo em diferentes tempos houve dois mundos: o Mundo Velho, que conheceram os antigos, e o Mundo Novo, que eles e o mesmo mundo não conheceu, até que os portugueses o descobriram. O Mundo Velho compunha-se de três partes: Ásia, África e Europa; mas de tal maneira que entrando neste primeiro composto toda a Europa, a Ásia e a África não entravam inteiras, senão partidas e por um só lado: a África com toda a parte que abraça o mar Mediterrâneo, e a Ásia com toda a parte a que se estende o mar Eritreu. O Mundo Novo, muito maior que o Velho, também se compõe de três partes: Ásia, África e América; mas de tal maneira também, que entrando neste segundo composto toda a América, a Ásia e a África só entram nele partidas, e com os outros dois lados tanto mais vastos e tanto mais dilatados, quanto o mar Oceano que os rodeia excede ao Mediterrâneo e Eritreu. E como os autores antigos só conheceram o Mundo Velho e não tiveram nem podiam ter conhecimento do Novo, por isso Beda e Ruperto disseram com muita propriedade que os três Reis do Oriente representavam as três partes do mundo: Ásia, África e Europa. Contudo, S. Bernardo,[8] que

---

[8] *S. Bernardo, Sermão 3º De Natividade*.

foi contemporâneo de Ruperto, combinando o nosso Evangelho com as outras Escrituras, conheceu com seu grande espírito, ou quando menos arguiu com seu grande engenho, que assim como houve três reis do Oriente que levaram as gentilidades a Cristo, assim havia de haver outros três reis do Ocidente que as trouxessem a mesma fé: *Vide autem, ne forte ipsi sint et tres Magi venientes jam non ab Oriente sed etiam ab Occidente.* Quem fossem ou quem houvessem de ser estes três reis do Ocidente que S. Bernardo anteviu, não o disse nem o pôde dizer o mesmo santo, posto que tão devoto de Portugal e tão familiar amigo do nosso primeiro rei. Mas o tempo, que é o mais claro intérprete dos futuros, nos ensinou dali a quatrocentos anos que estes felicíssimos reis foram el-rei D. João o II, el-rei D. Manuel e el-rei D. João o III; porque o primeiro começou, o segundo prosseguiu, e o terceiro aperfeiçoou o descobrimento das nossas conquistas, e todos os três trouxeram ao conhecimento de Cristo aquelas novas gentilidades, como os três Magos às antigas. Os Magos levando a luz da fé do Oriente para o Ocidente; eles, do Ocidente para o Oriente; os Magos apresentando a Cristo a Ásia, África e Europa; e eles, a Ásia, África e América; os Magos estendendo os raios da sua estrela por todo o Mundo Velho até às gargantas do Mediterrâneo; e eles, alumiando com o novo sol a todo o Mundo Novo até às balizas do Oceano.

Uma das coisas mais notáveis que Deus revelou e prometeu antigamente foi que ainda havia de criar um novo céu e uma nova terra. Assim o disse por boca do profeta Isaías: *Ecce ego creo caelos novos, et terram novam.*[9] É certo que o céu e a terra foram criados no princípio do mundo: *In principio creavit Deus caelum, et terram:*[10] e também é certo entre todos os teólogos e filósofos que, depois daquela primeira criação, Deus não criou nem cria substância alguma material e corpórea; porque somente cria de novo as almas, que são espirituais: logo, que terra nova e que céus novos são estes, que Deus tanto tempo antes prometeu que havia de criar? Outros o entendem doutra maneira, não sei se muito conforme à letra. Eu, seguindo o que ela simplesmente soa e significa, digo que esta nova terra e estes novos céus são a terra e os céus do Mundo Novo descoberto pelos portugueses. Não é verdade que quando os nossos argonautas começaram e prosseguiram as suas primeiras navegações iam juntamente

---

[9] *Isaías, LXV, 17.*
[10] *Gênesis.*

descobrindo novas terras, novos mares, novos climas, novos céus, novas estrelas? Pois essa é a terra nova e esses são os céus novos que Deus tinha prometido, que havia de criar, não porque não estivessem já criados desde o princípio do mundo, mas porque era este o Mundo Novo tão oculto e ignorado dentro do mesmo mundo, que, quando de repente se descobriu e apareceu, foi como se então começara a ser, e Deus o criara de novo. E porque o fim deste descobrimento ou desta nova criação era a Igreja, também nova, que Deus pretendia fundar no mesmo Mundo Novo, acrescentou logo (pelo mesmo Profeta e pelos mesmos termos) que também havia de criar uma nova Jerusalém, isto é, uma nova Igreja, na qual muito se agradasse: *Quia ecce creo Jerusalem exultationem et populum ejus gaudium.*[11]

Não tenho menos autor deste pensamento que o Evangelista dos segredos de Deus, S. João, no seu *Apocalipse*: *Et vidi caelum novum, et terram novam: primum enim caelum, et prima terra abiit, et mare jam non est. Et vidi civitatem Jerusalem novam descendentem de caelo.*[12] Primeiramente, diz S. João, que viu um céu novo e uma terra nova: *Vidi caelum novum et terram novam*: Esta é a terra nova e o céu novo, que Deus tinha prometido por Isaías. Logo, acrescenta o mesmo Evangelista, como comentador do Profeta, que à vista deste céu novo e desta terra nova, o céu e a terra antiga desapareceram, e que o mar já não era: *Primum enim caelum, et prima terra abiit, et mare jam non est*: e assim aconteceu no descobrimento do Mundo Novo. Desapareceu a terra antiga, porque a terra dali por diante já não era a que tinha sido, senão outra muito maior, muito mais estendida e dilatada em novas costas, em novos cabos, em novas ilhas, em novas regiões, em novas gentes, em novos animais, em novas plantas. Da mesma maneira o céu também começou a ser outro. Outros astros, outras figuras celestes, outras alturas, outras declinações, outros aspectos, outras influências, outras luzes, outras sombras, e tantas outras coisas todas outras. Sobretudo o mar que fora, já não é: *Et mare jam non est*; porque até então o que se conhecia com nome de mar, e nas mesmas Escrituras se chamava *Mare magnum*, era o Mediterrâneo, mas depois que se descobriu o Mundo Novo, logo se conheceu também que não era aquele o mar, senão um braço dele, e o mesmo nome que injustamente tinha usurpado se passou sem controvérsia

---

[11] *Isaías, LXV, 17.*
[12] *Apocalipse, XXI, 1 e 2.*

ao Oceano, que é só o que, por sua imensa grandeza, absolutamente e sem outro sobrenome se chama mar. E porque toda esta novidade do novo céu, da nova terra, e do novo mar, se ordenava à fundação de outra nova Igreja, esta foi a que logo viu o mesmo Evangelista com nome também de nova: *Et vidi civitatem Jerusalem novam descendentem de caelo*. Finalmente, para que ninguém duvidasse de toda esta explicação, conclui que a mesma Igreja nova que vira se havia de compor de nações e reis gentios, que nela receberiam a luz da fé e sujeitariam suas coroas ao império de Cristo: *Et ambulabunt gentes in lumine ejus, et reges terrae offerent gloriam suam, et honorem in illam*.[13] Que é tudo o que temos visto no descobrimento do Mundo Novo, ou nesta nova criação dele: *Ecce creo caelos novos, et terram novam*.

Houve, porém, nesta segunda e nova criação do mundo, uma grande diferença da primeira, e de nova e singular glória para a nossa nação. Porque havendo Deus criado o mundo na primeira criação por si só, e sem ajuda ou concurso de causas segundas, nesta segunda criação tomou por instrumento dela os portugueses, quase pelas mesmas ordens, e com as mesmas circunstâncias, com que no princípio tinha criado o mundo. Quando Deus criou o mundo, diz o sagrado Texto que a terra não se via porque estava escondida debaixo do elemento da água, e toda escura e coberta de trevas: *Terra autem erat invisibilis* (como leem os Setenta) *et tenebrae erant super fadem abyssi*.[14] Então dividiu Deus as águas, e apareceu a terra: criou a luz e cessaram as trevas: *Divisit aquas: facta est lux: appareat arida*.[15] Este foi o modo da primeira criação do mundo. E quem não vê que o mesmo observou Deus na segunda por meio dos portugueses? Estava todo o Novo Mundo em trevas e às escuras, porque não era conhecido. Tudo o que ali havia, sendo tanto, era como se não fosse nada, porque assim se cuidava e tinha por fábula. *Terra autem erat vanitas et nihil*, como diz o Texto hebreu. O que encobria a terra era o elemento da água; porque a imensidade do Oceano, que estava em meio, se julgava por insuperável, como a julgaram todos os antigos, e entre eles Santo Agostinho. Atreveu-se, finalmente, a ousadia e zelo dos portugueses a desfazer este encanto e vencer este impossível. Começaram a di-

---

[13] *Apocalipse, XXI, V, 24.*
[14] *Gênesis, I, 2.*
[15] *Ibid.*

vidir as águas nunca dantes cortadas, com as aventurosas proas dos seus primeiros lenhos: foram aparecendo e surgindo de uma e outra parte, e como nascendo de novo, as terras, as gentes, o mundo que as mesmas águas encobriam; e não só acabaram então no mundo antigo as trevas desta ignorância, mas muito mais no Novo e descoberto as trevas da infidelidade, porque amanheceu nelas a luz do Evangelho e o conhecimento de Cristo, o qual era o que guiava os portugueses, e neles e com eles navegava. Tudo estava vendo o mesmo profeta Isaías deste descobrimento, quando, falando com aquela nova Igreja pelos mesmos termos da primeira criação do mundo, lhe disse: *Quia ecce tenebrae operient terram, et caligo populos, super te autem orietur Dominus, et gloria ejus in te videbitur; et ambulabunt gentes in lumine tuo, et reges in splendore ortus tui.*[16]

III

Isto é o que fizeram os primeiros argonautas de Portugal nas suas tão bem afortunadas conquistas do Novo Mundo, e por isso bem afortunados. Este é o fim para que Deus entre todas as nações escolheu a nossa com o ilustre nome de pura na fé e amada pela piedade; estas são as gentes estranhas e remotas, aonde nos prometeu que havíamos de levar seu santíssimo nome; este é o império seu, que por nós quis amplificar e em nós estabelecer; e esta é, foi e será sempre a maior e melhor glória do valor, do zelo, da religião e cristandade portuguesa, mas quem dissera ou imaginara que os tempos e os costumes se haviam de trocar e fazer tal mudança que esta mesma glória nossa se visse entre nós eclipsada e por nós escurecida? Não quisera passar a matéria tão triste e tão indigna (que por isso a fui dilatando tanto, como quem rodeia e retarda os passos, por não chegar aonde muito repugna). Mas nem a força da presente ocasião mo permite, nem a verdade de um discurso, que prometeu ser evangélico, o consente. Quem imaginara, torno a dizer, que aquela glória tão heroicamente adquirida nas três partes do mundo, e tão celebrada e esclarecida em todas as quatro, se havia de escurecer e profanar em um rincão ou arrabalde da América?

---

[16] *Isaías, LX, 2 e 3.*

Levantou o demônio este fumo ou assoprou este incêndio entre as palhas de quatro choupanas, que com nome da cidade de Belém puderam ser pátria do anticristo. E verdadeiramente que, se as Escrituras nos não ensinaram que este monstro há de sair de outra terra e de outra nação, já poderemos cuidar que era nascido. Treme, e tem horror a língua de pronunciar o que viram os olhos; mas sendo o caso tão feio, tão horrendo, tão atroz e tão sacrílego que se não pode dizer, é tão público e tão notório que se não deve calar. Ouçam, pois, os excessos de tão nova e tão estranha maldade, os que só lhe podem pôr o remédio: e se eles (o que se não crê) faltarem à sua obrigação, não é justo, nem Deus o permitirá, que eu falte à minha. O ofício que tive naquele lugar, e o que tenho neste (posto que indigno de ambos) são os que com dobrado vínculo da consciência me obrigaram a romper o silêncio, até agora observado ou suprimido, esperando que a mesma causa, por ser de Cristo, falasse e perorasse por si, e não eu por ela. Assim o fizeram em semelhantes, e ainda menores casos, os Atanásios, os Basílios, os Nazianzenos, os Crisóstomos, os Hilários e todos aqueles grandes Padres e Mestres da Igreja, cujas ações, como inspiradas e aprovadas por Deus, não só devemos venerar e imitar como exemplos, mas obedecer e seguir como preceitos. Falarei, pois, com a clareza e publicidade com que eles falaram; e provarei e farei certo o que disser como eles o fizeram, porque sendo perseguidos e desterrados, eles mesmos eram o corpo do delito que acusavam, e eles mesmos a prova. Assim o permitiu a Divina Providência que eu em tal forma, e as pessoas reverendas de meus companheiros, viéssemos remetidos aos olhos desta corte, para que ela visse e não duvidasse de crer, o que de outro modo pareceria incrível.

Quem havia de crer, que em uma colônia chamada de portugueses se visse a Igreja sem obediência, as censuras sem temor, o sacerdócio sem respeito, e as pessoas e lugares sagrados sem imunidade? Quem havia de crer que houvessem de arrancar violentamente de seus claustros aos religiosos e levá-los presos entre beleguins e espadas nuas pelas ruas públicas, e tê-los aferrolhados, e com guardas, até os desterrarem? Quem havia de crer que com a mesma violência e afronta lançassem de suas cristandades aos pregadores do Evangelho, com escândalo nunca imaginado dos antigos cristãos, sem pejo dos novamente convertidos, e à vista dos gentios atônitos e pasmados? Quem havia de crer que até aos mesmos párocos não perdoassem, e que chegassem a os despojar de suas igrejas, com interdito total do culto divino e uso de seus mistérios: as igrejas ermas, os batistérios fechados, os sacrários sem sacramento; enfim, o mesmo Cristo privado de seus altares, e Deus de seus sacrifícios? Isto é o que lá se viu então: e que será hoje o que se vê, e o que se não vê? Não falo dos autores e executores destes sacrilégios, tantas vezes e por tantos títulos excomungados: porque lá lhes ficam Papas que os absolvam. Mas que será dos pobres e miseráveis índios, que são a presa e os despojos de toda esta guerra? Que será dos cristãos? Que será dos catecúmenos? Que será dos gentios? Que será dos pais, das mulheres, dos filhos e de todo o sexo e idade? Os vivos e sãos, sem doutrina, os enfermos sem sacramentos, os mortos sem sufrágios nem sepultura e tanto gênero de almas em extrema necessidade sem nenhum remédio? Os pastores, parte presos e desterrados, parte metidos pelas brenhas; os rebanhos despedaçados; as ovelhas ou roubadas ou perdidas; os lobos famintos, fartos agora de sangue, sem resistência; a liberdade por mil modos trocada em servidão e cativeiro; e só a cobiça, a tirania, a sensualidade e o inferno contentes. E que a tudo isto se atrevessem e atrevam homens com nomes de portugueses, e em tempo de rei português?

Grandes desconcertos se leem no mesmo capítulo do nosso Evangelho; mas de todos acho eu a escusa nas primeiras palavras dele: *In diebus Herodis regis*. Se sucederam semelhantes escândalos nos dias de el-rei Herodes, o tempo os desculpava ou culpava menos; mas nos dias daquele monarca, que com o nome e com a coroa herdou o zelo, a fé, a religião, a piedade do grande Afonso I? Oh, que paralelo tão indigno do nome português se pudera formar na comparação de tempo a tempo! Naquele tempo andavam os portugueses sempre com as armas às costas contra os inimigos da fé; hoje tomam as armas contra os pregadores da fé; então conquistavam e escalavam cidades para Deus, hoje conquistam e escalam as casas de Deus; então lançavam os caciques fora das mesquitas, hoje lançam os sacerdotes fora das igrejas; então consagravam os lugares profanos; em casas de oração, hoje fazem das casas de oração lugares profanos; então, finalmente, eram defensores e pregadores do nome cristão, hoje são perseguidores e destruidores, e opróbrio e infâmia do mesmo nome.

E para que até a corte e assento dos reis que lhe sucederam não ficasse fora deste paralelo; então saiam pela barra de Lisboa as nossas naus carregadas de pregadores, que voluntariamente se desterravam da pátria para pregar nas conquistas a Lei de Cristo; hoje entram pela mesma barra, trazendo desterrados violentamente os mesmos pregadores, só porque defendem nas conquistas a Lei de Cristo. Não se envergonhe já a barra de Argel, de que entrem por ela sacerdotes de Cristo, cativos e presos, pois o mesmo se viu em nossos dias na barra de Lisboa. Oh, que bem empregado prodígio fora neste caso, se fugindo daquela barra o mar, e voltando atrás o Tejo, lhe pudéssemos dizer como ao rio e ao mar da terra, que então começava a ser santa: *Quid est tibi mare, quod fugist, et tu Jordanis, quia conversas es retrorsum?*[17] Gloriava-se o Tejo quando nas suas ribeiras se fabricavam e pelas suas correntes saíam as armadas conquistadoras do império de Cristo: gloriava-se, digo, de ser ele aquele famoso rio de quem cantavam os versos de Davi: *Dominabitur a mari casque ad mare, et a flumine casque ad terminus orbis terrarum;*[18] mas hoje, envergonhado de tão afrontosa mudança, deverá tornar atrás, e ir-se esconder nas grutas do seu nascimento, se não é que de corrido corre ao mar para se afogar e sepultar no mais profundo dele. Desengane-se, porém, Lisboa que o mesmo mar lhe está lançando em rosto o sofrimento de tamanho escândalo, e que as ondas com que escumando de ira bate as suas praias são brados com que lhe está dizendo as mesmas injúrias que antigamente a Sidônia: *Erubesce Sidon, ait mare.*

E não cuide alguém que estas vozes de tão justo sentimento nascem de estranhar eu, ou me admirar de que os pregadores de Cristo e o mesmo Cristo seja perseguido; porque esta é a estrela em que o mesmo Senhor nasceu: *Cum natos esset Jesus in Bethlehem Juda in diebus Herodis regis.* Ainda Cristo não tinha quinze dias de nascido, quando já Herodes tinha poucos menos de perseguidor seu; para que a perseguição e o perseguido nascessem juntos. E não só nascer Cristo com estrela de perseguido em Belém, senão em todas as partes do mundo, porque em todas teve logo seu Herodes que o perseguisse. Vou supondo, como verdadeiramente é, que Cristo não só nasceu em Belém, mas que nasceu e nasce em outras muitas partes, como há de nascer em todas. Por isso o profeta Malaquias muito discretamente comparou o nascimento de Cristo ao nascimento do sol: *Orietur vobis sol justiliae.*[19] O sol vai nascendo sucessivamente a todo o mundo, e ainda que a umas terras nasça mais cedo, a outras tarde, para cada terra tem seu nascimento. Assim também Cristo, verdadeiro sol. A primeira vez nasceu em Belém, depois foi nascendo sucessivamente por todo o mundo, conforme o foram pregando os Apóstolos e seus

---

[17] *Psal., CXIII, 5.*
[18] *Ibid., LXXI, 8.*
[19] *S. Malaquias, IV.*

sucessores: a umas terras nasceu mais depressa, a outras mais devagar; a umas muito antes, a outras muito depois; mas para todas teve seu nascimento. É a energia com que falou o Anjo aos Pastores: *Natus est vobis hodie Salvator*:[20] nasceu hoje para vós o Salvador, como dissera: hoje nasceu para vós, os outros também terão seu dia em que há de nascer para eles. Assim havia de ser, e assim foi, e assim tem nascido Cristo em diferentes tempos em tão diversas partes do mundo; mas em nenhum tempo e em nenhuma parte nasceu onde logo não tivesse um Herodes que o perseguisse.

Viu S. João, no *Apocalipse*, aquela mulher celestial vestida de sol, a qual estava em vésperas do parto, e diz que logo apareceu diante dela um dragão feroz e armado, o qual estava aguardando que saísse à luz o filho para o tragar e comer: *Et draco stetit ante mulierem quae erat paritura, ut cum peperisset, filium ejus devoraret.*[21] Que mulher, que filho, e que dragão é este? A mulher foi a Virgem Maria e é a Igreja. O Filho foi e é Cristo, que assim como a primeira vez nasceu da Virgem Santíssima, assim nasceu e nasce muitas vezes da Igreja, por meio da fé e pregação de seus ministros em diversas partes do mundo. E o dragão, que apareceu com a boca aberta para o tragar tanto que nascesse, é cada um dos tiranos que logo o mesmo Cristo tem armados contra si, tanto que nasce, e onde quer que nasce. De maneira que não há nascimento de Cristo sem o seu perseguidor ou o seu Herodes. Nasceu Cristo em Roma pela pregação de S. Pedro, e logo se levantou um Herodes, que foi o imperador Nero, o qual crucificou ao mesmo S. Pedro. Nasceu Cristo em Espanha pela pregação de S. Tiago, e logo se levantou outro Herodes, que foi el-rei Agrippa, o qual degolou ao mesmo S. Tiago. Nasceu Cristo em Etiópia, pela pregação de S. Mateus, e logo se levantou outro Herodes, que foi el-rei Hirtaco, o qual tirou, também, a vida ao mesmo S. Mateus, e estando sacrificando o Corpo de Cristo o fez vítima do Cristo. E para que dos exemplos do Mundo Velho passemos aos do Novo: nasceu Cristo no Japão pela pregação e milagre de S. Francisco Xavier, e logo se levantaram não um senão muitos Herodes, que foram os Nabunangas e Taicosamas, os quais tanto sangue derramaram, e ainda derramam, dos filhos e sucessores do mesmo Xavier. Finalmente, nasceu Cristo na conquista do Maranhão, que foi a última de todas as nossas; e para que lhe não faltassem naquele Belém e fora dele

---

[20] *S. Lucas, II, 11.*
[21] *Apocalipse, XII, 4.*

os seus Herodes, se levantaram agora e declararam contra Cristo em si mesmo, e em seus pregadores, os que tão ímpia e barbaramente não sendo bárbaros o perseguem. Assim que não é coisa nova nem matéria digna de admiração que Cristo e os pregadores de sua fé sejam perseguidos.

O que, porém, excede todo o espanto, e se não pode ouvir sem horror e assombro, é que os perseguidores de Cristo e seus pregadores, neste caso, não sejam os infiéis e gentios, senão os cristãos. Se os gentios indômitos, se os tapuias bárbaros e feras daquelas brenhas se armaram medonhamente contra os que lhes vão pregar a fé; se os cobriam de setas, se os fizeram em pedaços, se lhes arrancaram as entranhas palpitantes e as lançaram no fogo, e as comeram; isso é o que eles já têm feito outras vezes, e o que lá vão buscar os que pelo salvar deixam tudo; mas que a estes homens com o caráter de ministros de Cristo os persigam gentilicamente os Cristãos, quando essas mesmas feras se lhes humanam, quando esses mesmos bárbaros se lhes rendem; quando esses mesmos gentios os reverenciam e adoram; este é o maior extremo de perseguição, e a perseguição mais feia e afrontosa que nunca padeceu a Igreja. Nas perseguições dos Neros e Dioclecianos os gentios perseguiam os mártires e os cristãos os adoravam; mas nesta perseguição nova, e inaudita, os cristãos são os que perseguem os pregadores, e os gentios os que os adoram. Só na perseguição de Herodes e na paciência de Cristo se acham juntos estes extremos. No Evangelho temos a Cristo hoje perseguido e hoje adorado: mas de quem adorado, e de quem perseguido? Adorado dos gentios, e perseguido dos cristãos; adorado dos Magos, que eram gentios, e perseguido de Herodes e de toda a Jerusalém, que eram os cristãos daquele tempo.

Ninguém repare em eu lhes chamar cristãos, porque há cristãos de fé e cristãos de esperança. Os filhos da Igreja somos cristãos de fé, porque cremos que Cristo já veio; os filhos da sinagoga eram cristãos de esperança, porque criam e esperavam que Cristo havia de vir. E que homens que criam em Cristo, e esperavam por Cristo, e eram da mesma nação e do mesmo sangue de Cristo, persigam tão barbaramente a Cristo; e que no mesmo tempo, para maior escândalo da fé e da natureza, os Magos o busquem, os gentios o creiam, os idólatras o adorem? Bendito sejais, Senhor, que tal contradição quisestes padecer, e bendito mil vezes pela parte que vos dignastes comunicar dela aos que tão indignamente vos servem: não debalde nos honrastes com o nome de Companhia de Jesus, obrigando-nos a vos fazer companhia no que padecestes nascido debaixo do mesmo nome: *Cum natus esset Jesus in Bethlehem Juda*. Vós em Belém de Judá, para que os vossos perseguidores fossem da vossa mesma nação; nós em Belém, não de Judá, para que os nossos fossem, também, da nossa; vós na mesma terra e no mesmo tempo perseguido de Herodes e adorado dos Magos; e nós também por mercê Vossa, no mesmo tempo e na mesma terra perseguidos dos cristãos, e pouco menos que adorados dos gentios! Assim o experimentam hoje os que por escapar à perseguição andam fugitivos por aquelas brenhas, se bem fugitivos não por medo dos homens, senão por amor de Cristo e por seguir o seu exemplo. Daqui a poucos dias veremos fugir Cristo; mas de quem e para quem? De onde e para onde? Não se pudera crer, se o não mandara Deus e o dissera um anjo: *Fuge in Aegyptum*:[22] fugi para o Egito. Pois de Israel para o Egito, da terra dos fiéis para a terra dos gentios, e para a terra daqueles mesmos gentios, donde antigamente fugiram os filhos de Israel? Sim. Que tão mudados estão os tempos e os homens, e a tanto chega a força da perseguição. *Futurum est enim ut Herodes quaerat pucrum ad perdendum eum*. Foge Cristo, e fogem os pregadores de Cristo, dos fiéis para os infiéis, e dos cristãos para os gentios, porque os cristãos os desterram, e os gentios os amparam, porque os cristãos os maltratam, e os gentios os defendem, porque os cristãos os perseguem e os gentios os adoram.

Não foi grande maravilha que José preso e vendido de seus próprios irmãos, os egípcios o venerassem e estimassem tanto e abaixo de seu rei o adorassem? Pois muito maior é a diferença que hoje experimentam entre aqueles gentios os venturosos homiziados da fé, que escapando das prisões dos cristãos se retiraram para eles. Os egípcios, ainda que gentios, eram homens: aqueles gentios, que hoje começaram a ser homens, ontem eram feras. Eram aqueles mesmos bárbaros, ou brutos, que sem uso da razão nem sentido da humanidade se fartavam de carne humana; que das caveiras faziam taças para lhe beber o sangue, e das canas dos ossos, flautas para festejar os convites. E estas são hoje as feras que em vez de nos tirarem a vida, nos acolhem entre si e nos veneram como os leões a Daniel; estas aves de rapina que em vez de nos comerem nos sustentam como os corvos a Elias, estes monstros (pela maior parte marinhos) que em vez de nos tragarem e digerirem, nos metem dentro das entranhas,

---

[22] *S. Mateus, II, 13*.

e nelas nos conservam vivos, como a baleia a Jonas. E se assim nos tratam os gentios e tais gentios, quando assim nos tratam os cristãos e cristãos da nossa nação e do nosso sangue; quem se não se assombra de uma tão grande diferença?

IV

Vejo que estão dizendo, dentro de si, todos os que me ouvem, e tanto mais, quanto mais admirados desta mesma diferença; que tão grandes efeitos não podem nascer senão de grandes causas. Se os cristãos perseguem os pregadores da fé, alguma grande causa têm para os perseguir. E se os gentios tanto os amam e veneram, alguma causa têm, também grande, para os venerar e amar. Que causas serão estas? Isto é o que, agora, se segue dizer. E se alguma vez me destes atenção seja para estes dois pontos.

Começando pelo amor e veneração dos gentios, aquela estrela que trouxe os Magos a Cristo era uma figura celestial e muito ilustre dos pregadores da fé. Assim o diz S. Gregório e os outros Padres comumente; mas a mesma estrela o disse ainda melhor. Que ofício foi o daquela estrela? Alumiar, guiar e trazer homens a adorar a Cristo, e não outros homens, senão homens infiéis e idólatras, nascidos e criados nas trevas da gentilidade. Pois esse mesmo é o ofício e exercício não de quaisquer pregadores senão daqueles pregadores de que falamos, e por isso propriamente estrelas de Cristo. Repara muito S. Máximo em que esta estrela que guiou os Magos se chame particularmente estrela de Cristo: *Stella ejus* — e argue assim: Todas as outras estrelas não são, também, estrelas de Cristo, que, como Deus as criou? Sim, são. Pois por que razão esta estrela mais que as outras se chama especialmente estrela sua: *Stella ejus*? Porque as outras estrelas foram geralmente criadas para tochas do céu e do mundo; esta foi criada especialmente para pregadora de Cristo. *Quia quamvis omnes ab eo creatae stellae ipsius sint, haec tamem propria Christi erat, quia specialiter Christi nulitiabat adventum.* Muitas outras estrelas há naquele hemisfério, muito claras nos resplendores e muito úteis nas influências, como as do firmamento; mas estas de que falamos são própria e especialmente de Cristo, não só pelo nome de Jesus, com que se professam por suas, mas porque o fim, o instituto e o ofício para que foram criadas é o mesmo que o da estrela dos Magos, para trazer infiéis e gentios à fé de Cristo. Ora, se estas estrelas fossem tão diligentes, tão solícitas e tão pontuais em acompanhar e guiar e servir aos gentios, como a que acompanhou, guiou e serviu aos Magos; não teriam os mesmos gentios muita razão de as quererem e estimarem, de sentirem muito sua falta, e de se alegrarem e consolarem muito com sua presença? Assim o fizeram os Magos, e assim o diz o Evangelista, não acabando de encarecer este contentamento: *Videntes autem stelam, gavisi sunt gaudio magno valde.*[23] Pois vamos agora seguindo os passos daquela estrela desde o Oriente até ao Presépio, e veremos como as que hoje vemos tão mal vistas e tão perseguidas não só limitam e igualam em tudo a estrela dos Magos, mas em tudo a excedem com grandes vantagens.

Primeiramente dizem os Magos que onde viram a estrela foi no Oriente: *Vidimus stelam ejus in Oriente.*[24] De maneira que podendo a estrela ser vista de muito longe, como se veem as outras estrelas, ela os foi buscar à sua terra. Nesta diligência e neste caminho se avantajou muito a estrela dos Magos aos Anjos que apareceram aos Pastores. Os Anjos também alumiaram aos Pastores: *Claritas circumfulsit illos:*[25] e também lhes anunciaram o nascimento de Cristo: *Evangelizo vobis gaudium magnum quia natus est vobis Salvator;*[26] mas essa luz e esse Evangelho aonde o levaram os Anjos? Não às terras do Oriente ou outras remotas, como a estrelas, mas a quatro passos da cidade de Belém, e nos mesmos arrabaldes dela, um trânsito muito breve: *Transeamus usque Bethlehem.*[27] E quanto vai de Belém ao Oriente, tanto vai de um evangelizar a outro. Isto é comparando a estrela com os anjos, e muito mais se a compararmos com os mesmos pastores. Estes Pastores de Belém são os mais celebrados da Igreja, e os que ela alega por exemplo e propõe por exemplar aos pastores das almas. Mas que fizeram ou que faziam estes bons Pastores? *Pastores erant in regione cadem custodientes vigilias noctis super gregem suum.*[28] Eram tão vigilantes e cuidadosos do seu gado, que com ser à meia-noite não dormiam, senão que o estavam guardando, e velando sobre ele. Muito bem. Mas não sei se advertis o que nota o Evangelista acerca do lugar e acerca do gado. Acerca do lugar diz

---

[23] *S. Mateus, II, 10.*
[24] *S. Mateus, II, 2.*
[25] *S. Lucas, II, 9.*
[26] *Ibid, 10 e 11.*
[27] *Ibid, 15.*
[28] *Ibid, 8.*

que estavam na mesma região: *Et pastores erant in regione cadem*, e acerca do gado, diz que as ovelhas eram suas: *Super gregem suum*. E em ambas estas coisas consiste a vantagem que lhes fez a estrela. Os pastores estavam na sua região, e a estrela foi a regiões estranhas; eles guardavam as ovelhas suas, e ela foi buscar ovelhas para Cristo. E guardar as suas ovelhas na sua região, ou ir buscar ovelhas para Cristo a regiões estranhas, bem se vê quanto vai a dizer.

Mas ainda que tudo isto fez a estrela dos Magos, faltou-lhe muito para se igualar com as nossas estrelas. Ela foi buscar gentios em uma região remota, mas distante somente treze dias de caminho; as nossas vão buscar em distância de mais de mil léguas de mar e por rios, que só o das Amazonas, sem se lhe saber nascimento, tem quatro mil de corrente. A estrela dos Magos nunca saiu do seu elemento; as nossas já no da terra, já no da água, já no do ar, e dos ventos, suportam os perigos e rigores de todos. A dos Magos caminhou da Arábia à Mesopotâmia sempre dentro dos mesmos horizontes; as nossas vão do último cabo da Europa ao mais interior da América, dando volta a meio mundo e passando deste hemisfério aos antípodas. Finalmente (para que ajuntemos a distância a diferença das terras) a estrela dos Magos ia com eles para a Terra da Promissão, a mais amena e deliciosa que criou a natureza; as nossas desterram-se para toda a vida em companhia de degradados, não como eles, para as colônias marítimas, onde os ares são mais benignos; mas para os sertões habitados de feras, e minados de bichos venenosos, nos climas mais nocivos da Zona Tórrida. Não é porém este o maior trabalho.

Vidimus stelam ejus. Perguntam aqui os intérpretes, por que mandou Cristo aos Magos uma estrela, e não um Anjo ou um Profeta? Os profetas são os embaixadores ordinários de Deus, os anjos os extraordinários, e tal era esta embaixada. Por que não mandou logo Cristo aos Magos um anjo ou um profeta senão uma estrela? A razão foi (dizem todos) porque era conveniente que aos Magos se enviasse um embaixador que lhes falasse na sua própria língua. Os Magos eram astrólogos; a língua por onde os astrólogos entendem o que diz o céu são as estrelas: e tal era essa mesma estrela, à qual chama Santo Agostinho: *lingua caeli* — língua do céu — pois vá uma estrela aos Magos, para que ela lhes fale na língua que eles entendem. Se eu não entendo a língua do gentio, nem o gentio entende a minha, como o hei de converter e trazer a Cristo? Por isso temos por regra do instituto aprender todos a língua ou línguas da terra onde imos pregar; e esta é a maior dificuldade e o maior trabalho daquela espiritual conquista, e em que as nossas estrelas excedem muito a dos Magos. Notai. Os Magos entendiam a língua da estrela e o que ela lhes dizia; mas por que a entenderam? Porque como astrólogos que eram, pelos livros dos caldeus sabiam que aquela estrela era nova e nunca vista; e como discípulos que também eram de Balaão, sabiam pelos livros da Escritura que uma estrela nova havia de aparecer; era sinal da vinda e nascimento do Messias, descendente de Jacó: *Orietur stela eae Jacob*;[29] e por esta ciência adquirida com dobrado estudo puderam alcançar e entender o que a estrela significava e lhes dizia. Cá não é assim, senão às avessas. Lá, para entender a estrela, estudavam os Magos; cá, para entender o gentio, hão de estudar as estrelas. Nós, que os imos buscar, somos os que lhes havemos de estudar e saber a língua. E quanta dificuldade e trabalho seja haver de aprender um europeu, não com mestres e com livros como os Magos, mas sem livro, sem mestre, sem princípio, e sem documento algum, não uma, senão muitas línguas bárbaras, incultas e hórridas: só quem o padece, e Deus, por quem se padece, o sabe.

Quando Deus confundiu as línguas na torre de Babel, ponderou Filo hebreu que todos ficaram mudos e surdos porque ainda que todos falavam e todos ouviam, nenhum entendia o outro. Na antiga Babel houve setenta e duas línguas; na Babel do rio das Amazonas já se conhecem mais de cento e cinquenta, tão diversas entre si como a nossa e a grega; e assim quando lá chegamos, todos nós somos mudos, e todos eles, surdos. Vede agora quanto estudo e quanto trabalho será necessário para que estes mudos falem e estes surdos ouçam. Nas terras dos Tírios e Sidonios, que também eram gentios, trouxeram a Cristo um mudo e surdo para que o curasse; e diz S. Marcos que o Senhor se retirou com ele a um lugar apartado, que lhe meteu os dedos nos ouvidos, que lhe tocou a língua com saliva tirada da sua, que levantou os olhos ao céu, e deu grandes gemidos, e então falou o mudo, e ouviu o surdo: *Apprehendens eum de turba seorsum, misit digitos suos in auriculas ejus, et expuens, tetigit linguam ejus: et suspiciens in caelum ingemuit, et ait illi: Epheta, quod est adaperire*.[30] Pois se Cristo fazia os outros milagres tão facilmente, este de dar fala ao mudo e ouvidos ao surdo como lhe custa tanto trabalho e tantas diligências? Porque todas estas são necessárias a

---

[29] *Num., XXIV, 17.*
[30] *S. Marcos, VII, 33 e 34.*

quem há de dar língua a estes mudos e ouvidos a estes surdos. É necessário tomar o bárbaro à parte, e estar e instar com ele muito só por só, e muitas horas, e muitos dias; é necessário trabalhar com os dedos, escrevendo, apontando e interpretando por acenos o que se não pode alcançar das palavras; é necessário trabalhar com a língua, dobrando-a, e torcendo-a, e dando-lhe mil voltas para que chegue a pronunciar os acentos tão duros e tão estranhos; é necessário levantar os olhos ao céu, uma e muitas vezes com a oração, e outras quase com desesperação, é necessário, finalmente, gemer, e gemer com toda a alma; gemer com o entendimento, porque em tanta escuridade não vê saída; gemer com a memória, porque em tanta variedade não acha firmeza; e gemer até com a vontade, por constante que seja, porque no aperto de tantas dificuldades desfalece e quase desmaia. Enfim, com a pertinácia da indústria, ajudado de graça divina falam os mudos, e ouvem os surdos; mas nem por isso cessam as razões de gemer; porque com o trabalho deste milagre ser tão semelhante ao de Cristo, tem mui diferente ventura, e mui outro galardão do que Ele teve. Vendo os circunstantes aquele milagre, começaram a aplaudir e dizer: *Bene omnia fecit, et surdos fecit audire, et mutos loqui*,[31] não há dúvida que este profeta tudo faz bem, porque faz ouvir os surdos e falar os mudos. De maneira que a Cristo bastou-lhe fazer falar um mudo e ouvir um surdo para dizerem que tudo fazia bem feito; e a nós não nos basta fazer o mesmo milagre em tantos mudos e tantos surdos, para que nos não tenham por malfeitores. Mas vamos seguindo a estrela.

Quando os Magos chegaram à vista de Jerusalém, esconde-se a estrela: e esta foi a mais bizarra ação, e a mais luzida que eu dela considero. Basta, luzeiro celestial, que sois estrela de reis e escondeis--vos e fugis da corte? Ainda não entrastes nela, e já a conheceis? Mas bens mostrais quanto tendes de Deus, e quanto o quereis servir, e louvar todas as estrelas, como diz Davi, louvam a Deus: *Laudate eum omnes stellae, et lumen*;[32] mas o mesmo Deus disse a Jó que os louvores das estrelas da manhã eram os que mais lhe agradavam: *Cum me laudarent astra matutina*.[33] E por que agradam mais a Deus os louvores das estrelas da manhã que os das estrelas da noite? Porque

---

[31] *S. Marcos, VII, 37.*
[32] *Psat., CXLVIII, 3.*
[33] *Jó, XXXVIII, 7.*

as estrelas da noite louvam a Deus luzindo, as estrelas da manhã louvam a Deus escondendo-se; as estrelas da noite comunicam as influências, mas conservam a luz, as estrelas da manhã perdem a luz para melhor lugar dar às influências; enfim, as estrelas da noite luzem porque estão mais longe do sol; as estrelas da manhã escondem-se porque estão mais perto. Isto é o que faz a estrela dos Magos, mas por poucas horas: as nossas por toda a vida. A estrela dos Magos, quando se escondeu, não luziu, mas não alumiou: as nossas escondem-se onde alumiam, e não luzem; a dos Magos alumiava, onde a viam os reis: *Vidimus stellam ejus*: as nossas alumiam onde não são vistas, nem o podem ser no lugar mais desluzido, e no canto vais escuro de todo o mundo. E é isto verdadeiramente esconder-se, porque não é só desterrar-se para sempre, mas enterrar-se.

Assim esteve escondida a estrela, enquanto os Magos se detiveram em Jerusalém; mas tanto que saíram para continuar seu caminho, logo tornou a se descobrir e aparecer: *Et ecce stella, quam viderant in Oriente, antecedebat eos*.[34] Reparai no *antecedebat*. Ia a estrela diante, mas de tal maneira diante, que sempre se acomodava e em tudo ao passo dos que guiava. *Ambulante Mago stella ambulat, sedente stat, dormiente excubat*, diz S. Pedro Crisólogo. Quando os Magos andavam, andava a estrela; quando se assentavam, parava; mas não dava um passo mais que eles. Pudera a estrela fazer todo aquele caminho do Oriente ao Ocidente em dois momentos: *Sicut fulgur exit ab Oriente, et paret usque ad Occidentem*.[35] E que ela contra a sua velocidade natural, já movendo-se vagarosa e tardamente; já parando e ficando imóvel, se fosse acomodando, e medindo em tudo com a condição e fraqueza daqueles a quem guiava, quanto, quando e como eles podiam, grande violência!

E mais se levantasse os olhos ao firmamento, e visse que as outras do seu nome davam volta ao mundo em vinte e quatro horas, e ela quase parada. Mas assim faz e deve fazer quem tem por ofício levar almas a Cristo. Aqueles quatro animais do carro de Ezequiel, que olhavam para as quatro partes do mundo e significavam os quatro Evangelistas, todos tinham asas de águia; mas nota o Texto que os pés com que andavam eram de boi: *Et planta pedis corum, quasi planta pedis vituli*.[36] E que se haja de mover a passo de boi quem

---

[34] *S. Mateus, II, 9.*
[35] *S. Mateus, XXIV, 27.*
[36] *Ezequiel, I, 7.*

tem asas, e asas de águia? Sim; que isso é ser Evangelista, isso é ter ofício de levar o Evangelho a gentes estranhas, e isso é o que fez a estrela: *Antecedebat eos*.

Mas estes *eos* quem eram? Aqui está a diferença daquela estrela às nossas. A estrela dos Magos acomodava-se aos gentios que guiava; mas esses gentios eram os Magos do Oriente, os homens mais sábios da Caldeia, e os mais doutos do mundo; porém as nossas estrelas, depois de deixarem as cadeiras das mais ilustres Universidades da Europa (como muitos deles deixaram), acomodam-se gente mais sem entendimento e sem discurso de quantas criou ou abortou a natureza, e a homens de quem se duvidou se eram homens, e foi necessário que os Pontífices definissem que eram racionais e não brutos. A estrela dos Magos parava, sim, mas nunca tornou atrás; as nossas estrelas tornam uma e mil vezes a desandar o já andado, e a ensinar o já ensinado, e a repetir o já aprendido, porque o bárbaro boçal e rude, o tapuia cerrado e bruto, como não faz inteiro entendimento, não imprime nem retém na memória. Finalmente, para o dizer em uma palavra, a estrela dos Magos guiava a homens que caminhavam nos dromedários de Madiã, como anteviu Isaías: *Dromedarii Madiam, et Epha: omnes de Saba venient, aurum, et thus diferentes*:[37] e acomodar-se ao passo dos dromedários de Madiã, ou ao sono das preguiças do Brasil, bem se vê a diferença.

Ainda a palavra *eos* nos insinua outra que se não deve passar em silêncio. A estrela, guia e pregadora dos Magos, converteu e trouxe a Cristo almas de gentios; mas de que gentios e que almas? Almas ilustres, almas coroadas, almas de gentios reis: as nossas estrelas também trazem a Cristo e convertem almas; mas almas de gente onde nunca se viu cetro nem coroa, nem se ouviu o nome de rei. A língua geral de toda aquela costa carece de três letras: F, L, R. De F, porque não tem fé, de L, porque não tem lei, de R, porque não tem rei e esta é a polícia da gente com que tratamos. A estrela dos Magos fez a sua missão entre púrpuras e brocados, entre pérolas e diamantes, entre âmbares e calambucos; enfim, entre os tesouros e delícias do Oriente: as nossas estrelas fazem as suas missões entre as Nobrezas e desampares, entre os ricos e as misérias da gente mais inculta, da gente mais pobre, da gente mais vil, da gente menos gente de quantos nasceram no mundo. Uma gente com quem meteu tão pouco cabedal

---

[37] *Isaías, LX, 6.*

a natureza, com quem se empenhou tão pouco a arte e a fortuna, que uma árvore lhe dá o vestido e o sustento, e as armas, e a casa, e a embarcação. Com as folhas se cobrem, com o fruto se sustentam, com os ramos se armam, com o tronco se abrigam e sobre a casca navegam. Estas são todas as alfaias daquela pobríssima gente; e quem busca as almas destes corpos busca só almas. Mas porque o mundo não sabe avaliar esta ação como ela merece, ouça o mesmo mundo o preço em que a estimou quem só a pode pagar.

Quando o Batista mandou seus discípulos que fossem perguntar a Cristo se era ele o Messias, a resposta do Senhor foi esta: *Euntes renuntiate Joanni quae audistis, et vidistis:*[38] ide, dizei a João o que vistes e ouvistes. E que é o que tinham visto e ouvido? O que tinham visto era que os cegos viam, os mancos andavam, os leprosos saravam, os mortos ressuscitavam: *Caeci vident, claudi ambulant, leprosi mundantur, mortui resurgunt.*[39] E não bastavam todos estes milagres vistos para prova de ser Cristo o Messias? Sim, bastavam; mas quis o Senhor acrescentar ao que tinham visto, o que tinham ouvido, porque ainda era maior prova e mais certa. O que tinham ouvido os discípulos do Batista era que o Evangelho de Cristo se pregava aos pobres: *Pauperes evangelizantur,*[40] e esta foi a última prova com que o Redentor do mundo qualificou a verdade de ser ele o Messias; porque pregar o Evangelho aos pobres, aos miseráveis, aos que não têm nada do mundo, é ação tão própria do espírito de Cristo que depois do testemunho de seus milagres a pôs o Filho de Deus por selo de todos eles. O fazer milagres, pode-o atribuir a malícia a outro espírito; e o evangelizar aos pobres nenhuma malícia pode negar que é espírito de Cristo.

Finalmente, acabou a estrela o seu curso: parou; mas onde foi parar? *Usque dum veniens staret supra, ubi erat puer.*[41] Foi parar em um Presépio, onde estava Cristo sobre palhas, e entre brutos, e ali o deu conhecer. Oh que estrela tão santa e tão discreta! Estrela que não quer aparecer era Jerusalém e se vai parar no Presépio: estrela que antes quer estar em uma choupana com Cristo, que em uma corte sem Ele? Discreta e santa estrela, outra vez! Mas mais discretas e

---

[38] *S. Mateus, XI, 4.*
[39] *Ibid., 5.*
[40] *Ibid.*
[41] *S. Mateus, II, 9.*

mais santas as nossas. A razão é clara. Cristo, naquele tempo, estava no Presépio, mas não estava na corte de Jerusalém; de sorte que se a estrela quisesse ficar na corte, havia de ficar sem Cristo. Nas cortes da cristandade não é assim. Em todas as cortes está Cristo, e em todas se pode estar com Cristo. Agora, vai a diferença e a vantagem. Trocar Jerusalém pelo Presépio, e querer antes estar em uma choupana com Cristo, que em uma corte sem ele, não é fineza, é obrigação; e isto fez a estrela dos Magos. Mas querer antes estar no Presépio com Cristo, que em Jerusalém com Cristo; querer antes estar na choupana com Cristo entre brutos, que na corte com Cristo entre príncipes: isto é não só deixar a corte pelo Presépio, senão deixar a Cristo por Cristo, e o seu maior serviço pelo menor; deixar a Cristo onde está acompanhado para o acompanhar onde está só; deixar a Cristo onde está servido, para o servir onde está desamparado; deixar a Cristo onde está conhecido, para o dar a conhecer onde o não conhecem.

A estrela dos Magos também deu a conhecer a Cristo; mas a quantos homens, e em quanto tempo: a três homens, e em dois anos. Esta foi a razão por que Herodes mandou matar todos os inocentes de dois anos para baixo, conforme o tempo em que a estrela tinha aparecido aos Magos: *Secundum tempus, quod exquisierat a Magis.*[42] Vede, agora, quanto vai daquela estrela às nossas estrelas, e da sua missão às nossas. Deixadas as mais antigas, fizeram-se ultimamente duas, uma pelo rio dos Tocantins, outra pelo das Amazonas: e com que efeito? A primeira reduziu e trouxe a Cristo a nação dos Tupinambás, e a dos Potiguaras; a segunda pacificou e trouxe a mesma fé à nação dos Nhengaíbas e a dos Mamaianazes; e tudo isto em espaço de seis meses. De maneira que a estrela dos Magos em dois anos trouxe a Cristo três homens, e as nossas, em meio ano quatro nações. E como estes pregadores da fé por ofício, por instituto, por obrigação, por caridade, e pelo conhecimento e fama geral que têm entre aqueles bárbaros, os vão buscar tão longe, com tanto zelo, e lhes falam em suas próprias línguas com tanto trabalho, e se acomodam à sua capacidade com tanto amor, e fazem por eles tantas outras finezas, que até nos brutos animais costumam achar agradecimento; não é muito que eles os amem, que eles os estimem, que eles os defendam, e que antes ou depois de conhecerem e adorarem a Cristo, quase os adorem.

---

[42] *S. Mateus*, II, 16.

V

Agora se segue em contraposição admirável ou estupenda (e por isso mais digna de atenção) ver as causas por que os cristãos perseguem, aborrecem e lançam de si estes mesmos homens. Perseguirem os cristãos a quem defendem os gentios, aborrecerem os do próprio sangue a quem amam os estranhos, lançarem de si os que têm uso de razão a quem recolhem, abraçam, e querem consigo os bárbaros; coisa era incrível, se não estivera tão experimentada, e tão vista. E supondo que é assim, qual pode ser a causa? Como são tão notáveis os efeitos, ainda a causa é mais notável. Toda a causa de nos perseguirem aqueles chamados cristãos é porque fazemos pelos gentios o que Cristo fez pelos Magos: *Procidentes adoraverunt eum: et responso accepto ne redirent ad Herodem, per aliam viam reversi sunt in regionem suam.*[43] Toda a Providência Divina para com os Magos consistiu em duas ações: primeira em os trazer aos pés de Cristo por um caminho; segunda em os livrar das mãos de Herodes por outro. Não fora grande sem-razão, não fora grande injustiça, não fora grande impiedade trazer os Magos a Cristo e depois entregá-los a Herodes? Pois estas são as culpas daqueles pregadores de Cristo, e esta a única causa porque se veem, e os vedes tão perseguidos. Querem que tragamos os gentios à fé, e que os entreguemos à cobiça; querem que tragamos as ovelhas ao rebanho, e que as entreguemos ao cutelo; querem que tragamos os Magos a Cristo, e que os entreguemos a Herodes. E porque encontramos esta sem razão, nós somos os desarrazoados; porque resistimos a esta injustiça, nós somos os injustos; porque contradizemos esta impiedade, nós somos os ímpios.

Acabe de entender Portugal que não pode haver Cristandade nem cristandade nas conquistas sem os ministros do Evangelho terem abertos e livres estes dois caminhos que hoje lhes mostrou Cristo. Um caminho para trazerem os Magos à adoração, e outro para os livrarem da perseguição; um caminho para trazerem os gentios à fé, outro para os livrarem da tirania; um caminho para lhes salvarem as almas, outro para lhes libertarem os corpos. Neste segundo caminho está toda a dúvida, porque nele consiste toda a tentação. Querem que aos ministros do Evangelho pertença só a cura das almas, e que a servidão e cativeiro dos corpos seja dos ministros do Estado.

---

[43] *S. Mateus, II, 11 e 12.*

Isto é o que Herodes queria. Se o caminho por onde se salvaram os Magos estivera a conta de Herodes, muito boa conta daria deles: a que deu dos inocentes. Não é esse o governo de Cristo. A mesma Providência que teve cuidado de trazer os Magos a Cristo por um caminho, essa mesma teve o cuidado de os livrar e pôr em salvo por outro; e querer dividir estes caminhos e estes cuidados é querer que não haja cuidado nem haja caminho. Ainda que um destes caminhos pareça só espiritual, e o outro, temporal, ambos pertencem à Igreja e às chaves de S. Pedro, porque por um abrem-se as portas do céu, e por outro fecham-se as do inferno. As igrejas novas hão de se fundar e estabelecer, como Cristo fundou e estabeleceu a Igreja universal, quando também era nova. Que disse Cristo a S. Pedro? *Super hanc Petram aedificabo ecclesiam meam: Tibi dabo claves regni caelorum: et portae inferi non praevalebunt adversus eam.*[44] Que importa que Pedro tenha chaves das portas do céu, se prevalecerem contra ele e contra a Igreja as portas do inferno? Isto não é fundar nova igreja, é destruí-la em seus próprios fundamentos.

Não sei se reparais em que deu Cristo a S. Pedro não só chave, senão chaves: *Tibi dabo claves*. Para abrir as portas do céu bastava uma só chave: pois porque lhe dá Cristo duas? Porque assim como há caminhos contra caminhos, assim há portas contra portas: *Porta inferi non praevalebunt adversus eam*. Há caminhos contra caminhos, porque um caminho leva a Cristo, e outro pode levar a Herodes; e há portas contra portas, porque umas são as portas do céu, e outras as portas do inferno que o encontram. Por isso é necessário que as chaves sejam duas, e que ambas estejam na mesma mão. Uma com que Pedro possa abrir as portas do céu, e outra com que possa aferrolhar as portas do inferno; uma com que possa levar os gentios a Cristo, e outra com que os possa defender do demônio e seus ministros. E toda a teima do mesmo demônio, e do mesmo inferno, é que estas chaves e estes poderes se dividam e que estejam em diferentes mãos.

Não o entenderam assim os senhores reis que fundaram aquela Cristandade, e todas as das nossas conquistas, os quais sempre uniram um e outro poder, e o fiaram somente dos ministros do Evangelho; e a razão cristã e política que para isso tiveram foi por terem conhecido e experimentado que só quem converte os gentios os zela e os defende; e que assim como dividir as almas dos corpos é matar,

---

[44] *S. Mateus, XVI, 18 e 19.*

assim dividir estes dois cuidados é destruir. Por isso estão destruídas e desabitadas todas aquelas terras em tão poucos anos; e de tantas e tão numerosas povoações de que só ficaram os nomes não se veem hoje mais que ruínas e cemitérios. Necessário é, logo, não só para o espiritual, senão também para o temporal das conquistas, que os mesmos que edificam aquelas novas igrejas, assim como têm o zelo e a arte para as edificar, tenham juntamente o poder para as defender. Quando os israelitas reedificavam o Templo e a cidade de Jerusalém, diz a Escritura Sagrada que cada um dos oficiais com uma mão fazia a obra e na outra tinha a espada: *Una manufaciebat opus, et altera tenebat gladium*.[45] Pois não era melhor trabalhar com ambas as mãos, e fariam muito mais? Melhor era, mas não podia ser; porque naquela mesma terra moravam os Samaritanos, os quais, ainda que diziam que criam em Deus, resistiam e faziam cruel guerra à edificação do Templo; e como aos israelitas lhes impediam a obra, era força fazê-la com uma mão e defendê-la com a outra, sob pena de não ir a fábrica por diante. O mesmo lhes acontece aos edificadores daquelas novas igrejas. Muito mais se obraria nelas, se não fosse entre inimigos e entre homens de meia fé, quais eram os Samaritanos. Mas como estes com todas as forças do seu poder (ou do poder que não é nem pode ser seu) impedem o edifício, é necessário trabalhar e juntamente defender. E se os mesmos trabalhadores não tiverem espada com que defendam o que trabalham, não só parará como está parada a obra; mas perder-se-á, como se vai perdendo, quanto com tanto trabalho se tem obrado.

Sim. Mas a espada é instrumento profano e leigo e não diz bem em mãos sagradas. Primeiramente, quem pôs a espada na mão dos que edificavam o Templo foi Neemias, o mais sábio, o mais santo príncipe e o mais zelador da honra de Deus que então havia no mundo. E se alguém tem os olhos tão delicados que os ofenda esta aparência (que não é razão, senão pretexto), aparte-os um pouco de nós e ponha-os em S. Paulo. Não vedes a S. Paulo com a espada em uma mão e o livro na outra? Estes são os instrumentos e as insígnias com que nos pinta e representa a Igreja aquele grande homem, por antonomásia chamado o Apóstolo. E por quê? Porque traz Paulo em uma mão o livro, noutra a espada? Porque Paulo entre todos os outros Apóstolos foi o vaso de eleição escolhido particularmente por Cristo para pre-

---

[45] *2º Livro de Esdr., IV, 17*.

gador dos gentios: *Vas electionis est mihi iste, ut portet nomen meum coram gentibus*:[46] e quem tem por ofício a pregação e conversação dos gentios há de ter o livro em uma mão e a espada na outra: o livro para os doutrinar, a espada para os defender. E se esta espada se tirar da mão de Paulo e se meter na mão de Herodes, que sucederá? Nadará toda a Belém em sangue inocente; e isso é o que vemos.

Mas porque não faça dúvida o nome de espada, troquemos a espada em cajado, que é instrumento próprio dos pastores (como ali somos) e respondei-me: quem tem obrigação de apascentar as ovelhas? O pastor. E quem tem obrigação de defender as mesmas ovelhas dos lobos? O pastor, também. Logo, o mesmo pastor que tem o cuidado de as apascentar, há de ter, também, o poder de as defender. Esse é o ofício do pastor, e esse o exercício do cajado. Lançar o cajado à ovelha para a encaminhar, e terçá-lo contra o lobo para o defender. E vós quereis que este poder esteja em uns, e aquele cuidado em outros? Não seja isso conselho dos lobos! Quando Davi andava no campo apascentando as suas ovelhas, e vinha o urso ou o leão para lhas comer, que fazia? Ia a Jerusalém buscar um ministro de el-rei Saul, para que lhas viesse defender? Não seria Davi nem pastor, se assim o fizesse. Ele era o que as apascentava e ele quem as defendia. E defendia-as de tal sorte que das gargantas e das entranhas das mesmas feras as arrancava; porque se o lobo ou o leão lhe tinham engolido o cordeiro pela cabeça, tirava-lho pelos pés; e se lho engoliam pelos pés, tirava-lho pelas orelhas. Assim diz o profeta Amós (como quem tinha exercitado o mesmo ofício) que faz e deve fazer quem é pastor: *Quomodo si eruat pastor de ore leonis duo crura, aut extremum auriculae*.[47]

E porque algum político, mau gramático e pior cristão, não cuide que a obrigação do pastor é somente apascentar, como parece o que significa a derivação do nome, saiba que só quem apascenta e defende é pastor, e quem não defende, ainda que apascente, não. Faz Cristo comparação entre o pastor e o mercenário, e diz assim: *Bonus pastor animam suam dat pro ovibus suis*:[48] o bom pastor defende as suas ovelhas e dá por elas a vida, se é necessário. *Mercenarius autem, et qui non est pastor*; porém o mercenário, e o que não é pastor,

---

[46] *Act., IX, 15.*
[47] *Amós, III, 12.*
[48] *Joan., X, 11 e 12.*

que faz? *Videt lupum venientem, et fugit, et lupus rapit, et dispergit oves*:[49] Quando vê vir o lobo para o rebanho, foge e deixa-o roubar e comer as ovelhas. O meu reparo agora, e grande reparo, é dizer Cristo que o mercenário não é pastor: *Mercenarius autem, et qui non est pastor*. O mercenário, como diz o mesmo nome, é aquele que por seu jornal apascenta as ovelhas. Pois se o mercenário também apascenta as ovelhas, por que diz Cristo que não é pastor? Porque ainda que as apascenta, não as defende: vê vir o lobo e foge. E é tão essencial do pastor o defender as ovelhas que se as defende é pastor; se as não defende não é pastor: *Non est pastor*. Como Cristo tinha falado em bom pastor, cuidava eu que havia de fazer a comparação entre bom pastor e mau pastor; e dizer que o bom pastor é aquele que defende as ovelhas, e o mau pastor aquele que as não defende. Mas o Senhor não fez a comparação entre ser bom ou ser mau, senão entre ser ou não ser. Diz que o que defende as ovelhas é bom pastor, e não diz que o que as não defende é mau pastor: por quê? Porque o que não defende as ovelhas não é pastor bom nem mau. Um lobo não se pode dizer que é bom homem nem que é mau homem, porque não é homem. Da mesma maneira, o que não defende as ovelhas não se pode dizer que é bom pastor nem mau pastor, porque não é pastor: *Non est pastor*. E, sendo assim que a essência do pastor consiste em defender as ovelhas dos lobos, não seria coisa muito para rir, ou muito para chorar, que os lobos pusessem pleito aos pastores, porque lhes defendem as ovelhas? Lá, dizem as fábulas que os lobos se quiseram concertar com os rafeiros; mas que citassem aos pastores, se lhes quisessem armar demanda, porque lhes defendiam o rebanho. Isso não o disseram as fábulas, di-lo-ão as nossas histórias.

Mas quando disseram isto dos lobos também dirão dos pastores, que muitos deram a vida pelas ovelhas: uns afogados das ondas, outros comidos dos bárbaros, outros mortos nos sertões de puro trabalho e desamparo. Dirão que todos expuseram e sacrificaram as vidas pelos bosques e pelos desertos entre as serpentes; pelos lagos e pelos rios entre os crocodilos; pelo mar e por toda aquela costa, entre parcéis e baixios os mais arriscados e cegos de todo o Oceano. Finalmente, dirão que foram perseguidos, que foram presos, que foram desterrados; mas não dirão, nem poderão dizer, que faltassem à obrigação de pastores e que fugissem dos lobos como mercená-

---

[49] *Ibid*.

rios: *Mercenarius autem fugit*. E esta é razão e obrigação por que eu falo aqui e falo tão claramente. S. Gregório Magno, comentando estas mesmas palavras: *Mercenarius autem fugit*, diz assim: *Fugit, quia injustitiam vidit, et tacuit; fugit, quia se sub silencio abscondit*. Sabeis, diz o supremo Pastor da Igreja, quando foge o que não é verdadeiro pastor? Foge quando vê injustiças, e em vez de bradar contra elas, as cala; foge quando devendo sair a público em defesa da verdade, se esconde, e esconde a mesma verdade debaixo do silêncio. Bem creio que alguns dos que me ouvem teriam por mais modéstia e mais decência que estas verdades e estas injustiças se calassem; e eu o faria facilmente como Religioso, sem pedir grandes socorros à paciência: mas que seria, se eu assim o fizesse? Seria ser mercenário e não pastor: *Fugit, quia mercenarius est*; seria ser consentidor das mesmas injustiças que vi, e estando tão longe, não pude atalhar: *Fugit, quia injustitiam vidit, et tacuit*; seria ser proditor das mesmas ovelhas que Cristo me entregou, e de que lhe hei de dar conta, não as defendendo, e escondendo-me onde só as posso defender: *Fugit, quia se sub silentio abscondit*.

VI

E porque na apelação deste pleito, em que a injustiça e violência dos lobos ficou vencedora, é justo que também eles sejam ouvidos; assim como ouvistes balar as ovelhas no que eu tenho dito, ouvi também uivar os mesmos lobos, no que eles dizem.

Dizem que o chamado zelo com que defendemos os índios é interesseiro e injusto: interesseiro, porque o defendemos para que nos sirvam a nós, e injusto porque defendemos que sirvam ao povo. Provam o primeiro e cuidam dele com evidência porque veem que nas aldeias edificamos as igrejas com os índios, veem que pelos rios navegamos em canoas equipadas de índios, veem que nas missões por água e por terra nos acompanham e conduzem os índios, logo, defendemos e queremos os índios para que nos sirvam a nós! Esta é a sua primeira consequência, da qual, porém, nos defende muito facilmente o Evangelho. Os Magos, que também eram índios, de tal maneira seguiam e acompanhavam a estrela, que ela não se movia nem dava passo sem eles. Mas em todos estes passos, e em todos estes caminhos, quem servia, e a quem? Servia a estrela aos Magos, ou os Magos à estrela? Claro está que a estrela os servia a eles, e não eles a ela. Ela os foi buscar tão longe, ela os trouxe ao Presépio, ela os alumiava, ela os guiava; mas não para que eles a servissem a ela, senão para que servissem a Cristo, por quem ela os servia. Este é o modo com que nós servimos aos índios, e com que dizem que eles nos servem.

Se edificamos com eles as suas igrejas; cujas paredes são de barro, as colunas de pau tosco, e as abóbadas de folhas de palha, sendo nós os mestres e os obreiros daquela arquitetura, com o cordel, com o prumo, com a enxada e com a serra, e os outros instrumentos (que também nós lhes damos) na mão, eles servem a Deus e a si, nós servimos a Deus e a eles; mas não eles a nós. Se nos vêm buscar em uma canoa, como têm por ordem, nos lugares onde não residimos, sendo isso, como é, para os ir doutrinar por seu turno, ou ir sacramentar os enfermos a qualquer hora do dia ou da noite, em distância de trinta, de quarenta e de sessenta léguas, não nos vêm eles servir a nós, nós somos os que vamos servir a eles. Se imos em missões mais largas a reduzir e descer os gentios, ou a pé, e muitas vezes descalços, ou embarcados em grandes tropas à ida, e muito maiores à vinda, eles e nós, imos em serviço da Fé e da República, para que tenha mais súditos a Igreja e mais vassalos a Coroa: e nem os que levamos nem os que trazemos nos servem a nós, senão nós a uns e a outros, e ao rei e a Cristo. E porque deste modo, ou nas aldeias ou fora delas, nos veem sempre com os índios, e os índios conosco, interpretam esta mesma assistência tanto às avessas, que em vez de dizerem que nós os servimos, dizem que eles nos servem.

Veio o Filho de Deus do céu à terra a salvar o mundo; e sempre andava acompanhado e seguido dos mesmos homens a quem veio salvar. Seguiam-no os Apóstolos, que eram doze; seguiam-no os Discípulos, que eram setenta e dois; seguiam-no as turbas, que eram muitos milhares: e quem era aqui o que servia, ou era servido? O mesmo Senhor o disse: *Non venit ministrara, sed ministrare.*[50] Eu não vim a ser servido, senão a servir. E todos estes que me seguem e me assistem, todos estes que eu vim buscar, e me buscam, eu sou o que os sirvo a eles, e não eles a mim. Era Cristo mestre, era médico, era pastor, como ele disse muitas vezes. E estes mesmos são os ofícios em que servem aos gentios e cristãos aqueles ministros do Evangelho. São mestres porque catequizam e ensinam a grandes e pequenos, e não uma, senão duas vezes no dia; e quando o mestre

---

[50] *S. Mateus, XX, 28.*

está na aula ou na escola, não são os discípulos os que servem ao mestre, senão o mestre aos discípulos. São médicos porque não só lhes curam as almas, senão também os corpos, fazendo-lhes o comer e os medicamentos e aplicando-lhos por suas próprias mãos às chagas, ou às doenças, por asquerosas que sejam, e quando o médico cura os enfermos, ou cura deles, não são os enfermos os que servem o médico, senão o médico aos enfermos. São pastores porque têm cuidado de dar o pasto às ovelhas e a criação aos cordeiros, vigiando sobre todo o rebanho de dia e de noite: e quando o pastor assim o faz, e nisso se desvela, não são as ovelhas as que servem ao pastor, senão o pastor às ovelhas. Mas porque isto não serve aos lobos, por isso dizem que os pastores se servem.

Quanto aos interesses não tenho eu que dizer; todos os nossos haveres eles os têm em seu poder. Assim como nos prenderam e desterraram, assim se apoderaram também das nossas choupanas, e de quanto nelas havia. Digam, agora, o que acharam. Acharam ouro e prata; mas só a dos cálices e custódias. Nos altares acharam sacrários, imagens e relíquias; nas sacristias, ornamentos, não ricos, mas decentes e limpos; nas celas de taipas pardas e telha-vã, alguns livros, catecismos, disciplinas, cilícios, e uma tábua ou rede em lugar de camas — porque as que levamos de cá se dedicaram a um hospital, que não havia; e se nos nossos guarda-roupas se acharam alguns mantéus e sotainas remendadas, eram de algodão grosseiro, tinto na lama, como o calçado de peles de veado e porco montês, que são as mesmas galas com que aqui aparecemos. Finalmente, é certo que os Magos achariam no Presépio mais pobreza; mas mais provado desinteresse, não. Diz o Evangelista que os Magos, abrindo os seus tesouros, ofereceram a Cristo ouro, incenso e mirra: *Apertis thesauris suis obtulerunt ei munem, aurum, thus, et myrrham*.[51] Mas não sei se reparais que, dizendo-se que os tesouros foram oferecidos, não se diz se foram aceitados ou não. A opinião comum dos Doutores é que sim. Contudo, outros duvidam e com fundamento, porque daí a poucos dias indo a Virgem Mãe apresentar o seu primogênito no Templo, conforme a lei, e dispondo a mesma lei que os pobres oferecessem duas rolas ou dois pombinhos, e os que tivessem mais posses um cordeiro, a Senhora não ofereceu cordeiro, senão, como diz o Texto: *Par turturum, aut duos pullos columbarum*.[52] Donde

---

[51] *S. Mateus, II, 11.*
[52] *S. Lucas, II, 24.*

parece se colhe que a Santa Família do Presépio não aceitou os tesouros dos Magos; porque se tivera ouro, oferecera cordeiro. De maneira que é certo e de fé que os tesouros se ofereceram, mas ficou em opinião e em dúvida se se aceitaram ou não. Por isso eu digo que sendo tão grande a pobreza do Presépio, a nossa naquelas terras está mais provada. Na pobreza do Presépio é certo que houve tesouros, e é duvidoso se foram aceitados: na nossa nem há esta certeza, nem pode haver esta dúvida; porque os Magos que trazemos a Cristo e a gente a quem servimos é tão pobre e tão miserável que nem eles têm que oferecer, nem nós temos que aceitar.

Resta a segunda parte da queixa, em que dizem que defendemos os índios porque não queremos que sirvam ao povo. A tanto se atreve a calúnia, e tanto cuida que pode desmentir a verdade! Consta autenticamente, nesta mesma corte, que no ano de 1665 vim eu a ela só a buscar o remédio desta queixa e a estabelecer (como estabelecido por Provisões reais) que todos os índios sem exceção servissem ao mesmo povo, e o servissem sempre: e o modo, a repartição e a igualdade com que haviam de servir para que fosse bem servido. Vede se podia desejar mais a cobiça, se com ela pudesse andar junto a consciência. Não posso, porém, negar que todos nesta parte, e eu em primeiro lugar, somos muito culpados. E por quê? Porque devendo defender os gentios que trazemos a Cristo, como Cristo defendeu os Magos, nós, acomodando-nos à fraqueza do nosso poder e à força do alheio, cedemos da sua justiça e faltamos à sua defesa. Como defendeu Cristo os Magos? Defendeu-os de tal maneira que não consentiu que perdessem a pátria, nem a soberania, nem a liberdade; e nós não só consentimos que os pobres gentios que convertemos percam tudo isto, senão que os persuadimos a que o percam, e o capitulamos com eles, só para ver se se pode contentar a tirania dos cristãos; mas nada basta. Cristo não consentiu que os Magos perdessem a pátria, porque *reversi sunt in regionem suam*;[53] e nós não só consentimos que percam a sua pátria aqueles gentios, mas somos os que por força de persuasões e promessas (que se lhes não guardam) o arrancamos das suas terras, trazendo as povoações inteiras a viver ou a morrer junto das nossas. Cristo não consentiu que os Magos perdessem a soberania, porque reis vieram e reis tornaram: e nós não só consentimos que aqueles gentios percam a soberania natural com que nasceram e vivem isentos

---

[53] S. Mateus, II, 12.

de toda a sujeição; mas somos os que, sujeitando-os ao jugo espiritual da igreja, os obrigamos, também, ao temporal da coroa, fazendo-os jurar vassalagem. Finalmente, Cristo não consentiu que os Magos perdessem a liberdade, porque os livrou do poder e tirania de Herodes, e nós não só não lhes defendemos a liberdade, mas pacteamos com eles, e por eles, como seus curadores, que sejam meios cativos, obrigando-se a servir alternadamente a metade do ano. Mas nada disto basta para moderar a cobiça e tirania dos nossos caluniadores, porque dizem que são negros, e hão de ser escravos.

Já considerei algumas vezes porque permitiu a Divina Providência ou ordenou a Divina Justiça que aquelas terras e outras vizinhas fossem dominadas dos hereges do Norte. E a razão me parece que é porque nós somos tão pretos em respeito deles, como os índios em respeito de nós; e era justo que pois fizemos tais leis, por elas se executasse em nós o castigo. Como se dissera Deus, já que vós fazeis cativos a estes, porque sois mais brancos que eles, eu vos farei cativos de outros que sejam, também, mais brancos que vós. A grande sem-razão desta injustiça declarou Salomão em nome alheio com uma demonstração muito natural. Introduz a Etiopisa, mulher de Moisés, que era preta, falando com as senhoras de Jerusalém, que eram brancas, e por isso a desprezavam, e diz assim: *Filia Jerusalem, nolite considerare quod fusca sim, quia decoloravit me sol:*[54] se me desestimais porque sois brancas e eu preta, não considereis a cor, considerai a causa: consideras que a causa desta cor é o sol, e logo vereis quão inconsideradamente julgais. As nações, umas são mais brancas, outras mais pretas, porque umas estão mais vizinhas, outras mais remotas do sol. E pode haver maior inconsideração do entendimento, nem maior erro do juízo entre homens, que cuidar eu que hei de ser vosso senhor, porque nasci mais longe do sol, e que vós haveis de ser meu escravo porque nascestes mais perto?!

Dos Magos que hoje vieram ao Presépio, dois eram brancos e um preto, como diz a tradição; e seria justo que mandasse Cristo que Gaspar e Baltasar, porque eram brancos, tornassem livres para o Oriente, e Belchior, porque era pretinho, ficasse em Belém por escravo, ainda que fosse de S. José? Bem o pudera fazer Cristo, que é Senhor dos senhores; mas quis-nos ensinar que os homens de qualquer cor, todos são iguais por natureza, e mais iguais ainda por

---

[54] *Cant.*, I, 5.

fé, se creem e adoram a Cristo, como os Magos. Notável coisa é, que sendo os Magos reis, e de diferentes cores, nem uma nem outra coisa dissesse o Evangelista! Se todos eram reis, por que não diz que o terceiro era preto? Porque todos vieram adorar a Cristo, e todos se fizeram Cristãos. E entre cristão e cristão não há diferença de nobreza, nem diferença de cor. Não há diferença de nobreza, porque todos são filhos de Deus; nem há diferença de cor, porque todos são brancos. Essa é a virtude da água do Batismo. Um Etíope se se lava nas águas do Zaire fica limpo, mas não fica branco; porém na água do Batismo sim, uma coisa e outra: *Asperges me hyssopo, et mundabor*: ei-lo aí limpo; *Lavabis me, et super nivem dealbabor*:[55] ei-lo aí branco. Mas é tão pouca a razão e tão pouca a fé daqueles inimigos dos índios que depois de nós os fazermos brancos pelo Batismo eles os querem fazer escravos por negros.

Não é minha tenção que não haja escravos; antes procurei nesta corte, como é notório e se pode ver da minha proposta, que se fizesse, como se fez, uma junta dos maiores letrados sobre este ponto, e se declarassem como se declararam por lei (que lá está registrada) as causas do cativeiro lícito. Mas porque nós queremos só os lícitos, e defendemos os ilícitos, por isso nos não querem naquela terra, e nos lançam dela. O mesmo sucedeu a S. Paulo, se bem a terra, não era de cristãos. Em Filipos, cidade de Macedônia, havia uma escrava possuída do demônio, o qual falava nela e dava oráculos, e adivinhava muitas coisas, e por esta habilidade ganhava muito a escrava a seus senhores. Compadeceu-se dela S. Paulo, que ali se achava em missão com seu companheiro Sila; lançou fora o demônio daquele corpo duas vezes cativo. E que prêmio ou agradecimento teve ele e seu companheiro deste benefício? Amotinou-se contra eles todo o povo; prenderam-nos, maltrataram-nos, e lançaram-nos da cidade. Pois por que os Apóstolos lançam o demônio fora da escrava, por isso os lançam a eles fora da terra? Porventura Paulo e Sila tiraram a escrava a seus senhores, ou disseram que não era escrava, e que os não servisse? Nem por pensamento. Pois por que os maltratam, por que os prendem, por que os desterram? Porque os senhores da escrava não só queriam a escrava, senão a escrava e mais o demônio. Aqui bate o ponto de toda a controvérsia, e por isso não concordamos. Nós queremos que tenham escravos, mas sem demônio; eles

---

[55] *Psal.*, I, 9.

não querem escravos senão com o demônio: e por quê? O mesmo Texto dá a razão, que em uns e outros é a mesma: *Quia exivit spes quaestus eorum*:[56] porque tendo a escrava sem o demônio, perdiam toda a esperança dos seus interesses. Os escravos lícitos e sem demônio são muito poucos; os ilícitos e com o demônio são quantos eles querem cativos, e quanto cativam: e como o seu interesse (posto que interesse infernal) consiste em terem escravos com o demônio, por isso querem antes o demônio que os Apóstolos, e por isso os lançam de si: *Quia exivit spes quaestus eorum, perduxerunt Paulum et Silam.*

Convencidos e confundidos desta evidência, ainda falam, ainda replicam; e que dizem? O que se não atreveu a dizer Herodes, posto que o fez. Dizem que se não podem sustentar, nem o Estado se pode conservar de outro modo. Vede que razão esta para se ouvir com ouvidos católicos e para se articular e apresentar diante de um tribunal ou rei cristão! Não nos podemos sustentar de outra sorte, senão com a carne e sangue dos miseráveis índios! Então eles são os que comem gente? Nós, nós somos os que vamos comer a eles. Era esta a fome insaciável dos maus criados de Jó: *Quis det de carnibus ejus ut saturemur*;[57] e esta era a injustiça e crueldade de que Deus mais se sentia em seus maus ministros: *Qui devorant plebem meam sicut escam panis*.[58] E porque os pregadores do Evangelho, que são os que vão buscar estas inocentes vítimas, e as não querem entregar ao açougue e matadouro; fora, fora das nossas terras. Quando Cristo chamou os apóstolos, disse-lhes que os havia de fazer pescadores de homens: *Fadem vos fieri piscatores hominum*.[59] Assim nos fez, e assim o fazemos nós, e nisso se ocupam as nossas redes e se cansam os nossos braços. Mas para que entendem e se desenganem todos, lá e cá, que esses homens não os havemos nós de pescar para que eles os comam; advirtam, e notem bem, que se Cristo chamou aos Apóstolos pescadores, também lhes chamou sal: *Vos estis sal terrae*.[60] Pois os pescadores hão de ser sal, e os Apóstolos, sal, e juntamente pescadores? Sim. O pescador pesca, o sal conserva. E esta é a diferença que há entre os pescadores de homens e os pescadores de peixes: os pescadores de peixes pescarão os peixes para que se comam; os

---

[56] *Act., XVI, 19.*
[57] *S. Mateus, V, 13.*
[58] *S. Mateus, V, 14; S. Lucas, IX, 5; S. Marcos, VI, 11.*
[59] *S. Mateus, IV, 19.*
[60] *S. Mateus, V, 13.*

pescadores de homens hão de pescar os homens para que se conservem. Veja-se em todo o resto daquela América se houve alguns índios que se conservassem senão os da nossa doutrina. Por isso nos não querem a nós, por isso querem os que lhos ajudam a comer: e estas são as nossas culpas.

O justo castigo que os homens nos dão por elas bem se vê: o que Deus lhes há de dar a eles, e o prêmio com que nos há de pagar a nós, o mesmo castigo, também o tem prometido. Antevia Cristo, como sabedoria infinita, que os seus Apóstolos, a quem mandava pregar pelo mundo, haviam de encontrar-se com homens tão inimigos da verdade e da justiça que os não consentiriam consigo, e os lançariam das suas terras (bem assim como os Gerasenos lançaram das suas ao mesmo Cristo), e para que estivessem e fossem prevenidos, primeiramente deu-lhes a instrução do modo com que se haviam de haver em semelhantes casos: *Quicumque non receperint vos, neque audierint sermones vestros, exeuntes foras de domo, vel civitate, excutite pulverem de pedibus vestris, in testimonium illis*:[61] quando os homens, quaisquer que sejam, não receberem vossa doutrina, e vos lançarem de suas casas e cidades, o que haveis de fazer autenticamente diante de todos é sacudir o pó dos sapatos, para que esse pó seja testemunha de que pusestes os pés naquela terra, e ela vos lançou de si. Assim o fizeram S. Paulo e S. Barnabé quando foram lançados de Pisidia; e assim o fiz eu também. E que mais diz Cristo para que os mesmos Apóstolos se não desconsolassem, antes, se gloriassem muito destes desterros e da causa deles? — Sabeis, lhes diz o mesmo Senhor, que quando os homens assim vos aborrecerem, e vos apartarem e lançarem de si, então sereis bem-aventurados, porque então sereis meus verdadeiros discípulos; e depois o sereis também, porque no céu tereis o galardão que vos não sabe nem pode dar a terra: *Beati critis cum vos oderint homines, et cum separaverint vos, et exprobraverint, et ejecerint nomen vestrum tanquam malum propter Pilium Hominis gaudete, et exultate: ecce enim merces vestra multa est in caelo*.[62]

Este é o prêmio com que Cristo (bendito Ele seja) nos há de pagar, e paga já de contado, a paciência destas injúrias, remunerando de antemão no seguro de sua palavra estes trabalhos com aquele descanso, estes desterros com aquela pátria, e estas afrontas com aquela glória,

---

[61] *S. Mateus, X, 14, S. Lucas, IX, 5; S. Marcos, VI, II.*
[62] *S. Lucas, VI, 22.*

para que ninguém nos tenha lástima, quando o céu nos tem inveja. Mas porque os autores de tamanhos escândalos não cuidem que eles e suas terras hão de ficar sem o devido castigo, conclui, finalmente, o justo Juiz com esta temerosa sentença: *Amen dito vobis; tolerabilius erit terrae. Sodomorum, e Gomorrhaeorum, quam illi civitati:*[63] de verdade vos digo, que o castigo das cidades de Sodoma e Gomorra, sobre as quais choveram raios, ainda foi mais moderado e mais tolerável do que será o que está aparelhado não só para as pessoas, senão para as mesmas terras, donde os meus pregadores forem lançados. Tal é a sentença que tem decretada a Divina Justiça contra aquela mal-aconselhada gente, por cujo bem e remédio eu tenho passado tantos mares e tantos perigos. Preza à Divina Misericórdia perdoar-lhes, pois não sabem o que fazem. E para que lhes não falte o perdão da parte, assim como meus companheiros e eu lho temos dado já de coração, assim, agora, lho torno a ratificar aqui publicamente: *coram Deo, et hominibus*, em nome de todos.

VII

Suposto, pois, que não peço nem pretendo castigo, e o que só desejo é o remédio; quero acabar este largo mas forçoso discurso, apontando brevemente os que ensina o Evangelho. O primeiro e fundamental de todos era que aquelas terras fossem povoadas com gente de melhores costumes e verdadeiramente cristã. Por isso, no regimento dos Governadores, a primeira coisa que muito se lhes encarrega é que a vida e procedimento dos Portugueses seja tal que com o seu exemplo e imitação se convertam os gentios. Assim está disposto santissimamente, porque, como diz S. João Crisóstomo, se os cristãos viveram conforme a lei de Cristo, toda a gentilidade estivera já convertida: *Nemo profecto gentilis esset, si ipsi, ut oportet, Christiani esse curaremus*. Mas é coisa muito digna, não sei se de admiração se de riso, que no mesmo tempo em que se dá este regimento aos Governadores, e nos mesmos navios em que eles vão embarcados, os povoadores que se mandam para as mesmas terras são os criminosos e malfeitores tirados do fundo das enxovias, e levados a embarcar em grilhões, a quem já não pode fazer bons o

---

[63] *S. Mateus, X, 15.*

temor de tantas justiças! E estes degradados por suas virtudes, e talvez marcados por elas, são os santinhos que lá se mandam, para que com o seu exemplo se convertam os gentios e se acrescente a cristandade. Aqueles Samaritanos, que acima dissemos, impediam a edificação do Templo, eram degradados por el-rei Salmanasar de Assíria e Babilônia para povoadores da Samaria que ele tinha conquistado; e diz a História Sagrada que o que lá fizeram foi ajuntar os costumes que levavam da sua terra com os que acharam em Samaria; e assim eram meios fiéis e meios gentios: *Et cum Dominutn colerent, diis quoque suis serviebant juxta consuetudinem gentium de quibus translati jucrant Somariam.*[64] Isto mesmo se experimenta e é força que suceda nas nossas conquistas, com semelhantes povoadores. Mas como este erro fundamental já não pode ter remédio, vamos aos que de presente e para o futuro nos ensina o Evangelho.

O primeiro é a boa eleição dos sujeitos a quem se comete o governo. E para que a eleição seja boa, que parte hão de ter os eleitos? Eu me contento com uma só. E qual? Que sejam ao longe o que prometem ao perto. Herodes encomendou muito aos Magos que fizessem diligência pelo Rei nascido que buscavam, e que tanto que o achassem, lhe fizessem logo aviso para que, também, ele o fosse adorar: *Ut et ego veniens adorem eum.*[65] Ah, hipócrita! Ah, traidor! E para tu adorares a Cristo é necessário que vás onde ele estiver: *Ut et ego veniens?* Tanto podia Herodes adorar a Cristo desde Jerusalém, onde ele estava, como em Belém, ou em qualquer outra parte, onde o senhor estivesse: mas estes são e estes costumam ser os Herodes. Em Belém e ao perto adoram; desde Jerusalém e ao longe, não adoram. Antes de ir e quando vêm, adoram: *Ut et ego veniens*; mas enquanto estão lá tão longe, nem adoram nem têm pensamento de adorar, como Herodes; e se não maquinam contra o rei em sua pessoa, maquinam contra ele e suas leis, à custa da vida e sangue dos inocentes. Bom Daniel e fiel ministro de seu Senhor. Estava Daniel em Babilônia, e diz o Texto sagrado que todos os dias três vezes abria as janelas que ficavam para a parte de Jerusalém, e prostrado de joelhos adorava: *Apertis funestris in canaculo suo contra Jerusalem, tribus temporibus in dieflectebat genua sua, et adorabat.*[66] De Babilônia não se podia

---

[64] *4º Livro dos Reis, XVII, 33.*
[65] *S. Mateus, II, 8.*
[66] *Dun., VI, 10.*

ver Jerusalém, distante tantos centos de léguas quantas há desde o Monte Sião ao rio Eufrates: pois por que adorava Daniel para a parte de Jerusalém? Porque Jerusalém naquele tempo era a corte de Deus, o Templo o seu palácio, e o Propiciatório sobre asas de querubins o seu trono; e essa era a obrigação de fiel ministro: adorar a seu Senhor, e adorá-lo sempre, e adorá-lo de toda a parte, ainda que fosse tão distante como Babilônia. Em Jerusalém adorava Daniel de perto, em Babilônia adorava de longe; isto é o que nota e encarece a Escritura, não que adorasse de perto, que isso fazem todos; mas que adorasse de longe e de tão longe. E porque ao longe há poucos Daniéis e muitos Herodes, por isso convém que os que hão de governar em terras tão remotas sejam aqueles que façam ao longe o que prometem ao perto.

Mas costuma isto ser tanto pelo contrário que só o verem-se tão longe lhes tira todo o temor do rei e toda a reverência do seu nome. Entraram os Magos por Jerusalém perguntando: *Ubi est qui natus est rex Judaeorum?*[67] E que efeitos causou em Herodes esta voz do nome real? *Audiens autem Herodes rex, turbatus est*:[68] tanto que ouviu nomear rei, turbou-se, perdeu as cores e ficou fora de si de medo. Assim havia de ser o nome de rei, ou pronunciado ou escrito, em qualquer parte da sua monarquia, por distante que seja. Havia de ser um trovão prenhe de raios, que fizesse tremer as cidades, as fortalezas, os portos, os mares, os montes, quanto mais os homens. Mas os que se veem além da Linha, ou debaixo dela, fazem tão pouco caso destas trovoadas que em vez de tomarem do coração de Herodes o *Turbatus est*, tomam da boca dos Magos o *Ubi est*. Onde está el-rei? Em Portugal? Pois se ele lá está, nós estamos cá. *Ille se jactet in aula*. Mande ele de lá o que mandar, nós faremos cá o que nos bem estiver. São como aqueles hereges que, construindo a seu sabor o verso de Davi, diziam: *Caelum caeli Domino, terram autem dedit filiis hominum*:[69] esteja-se Deus no seu Céu, que nós estamos cá na nossa terra. E que há de fazer a pobre terra com tais governadores? O que eles quiserem, ainda que seja muito contra si, e muito a seu pesar. Não temos o Texto longe.

Turbatus est Herodes, et omnis Jerosolyma cum illo:[70] perturbou--

---

[67] *S. Mateus, II, 2.*
[68] *Ibid., 3.*
[69] *Psal., CXIII, 16.*
[70] *S. Mateus, II, 3.*

-se Herodes e toda a Jerusalém com ele. Perturbar-se Herodes, rei intruso e tirano, temendo que o legítimo Senhor o privasse da coroa, que não era sua, razão tinha; mas que se perturbe juntamente Jerusalém, quando era a melhor e mais alegre nova que podia ouvir? Não suspirava Jerusalém e toda a Judeia pela vinda do Messias? Não gemia debaixo da violência de Herodes? Não desejava sacudir o jugo e libertar-se de sua tirania? Pois por que se perturba, ou mostra perturbada, quando Herodes se perturba? Porque tão despótica, como isto, é a sujeição dos tristes povos debaixo do domínio de quem os governa e mais quando são tiranos. Hão de fazer o que eles querem, e hão de querer o que eles fazem, ainda que lhes pese. Dizem que os que governam são espelho da república: não é assim, senão ao contrário. A república é o espelho dos que a governam. Porque assim como o espelho não tem ação própria, e não é mais que uma indiferença de vidro, que está sempre exposta a retratar em si os movimentos de quem tem diante, assim o povo, ou república sujeita, se se move ou não se move, é pelo movimento ou sossego de quem a governa. Se Herodes se não perturbara, não se havia de perturbar Jerusalém; perturbou-se porque ele se perturbou: *Turbatus est Herodes, et omnis Jerosolyma cum illo*. O perturbado foi um, e as perturbações foram duas: uma, em Herodes, e outra em Jerusalém; em Herodes foi ação, em Jerusalém, reflexo, como em espelho. Por isso, o Evangelista exprimiu só a primeira: *Turbatus est*; e debaixo dela entendeu ambas. Assim que todas as vezes que Jerusalém se inquieta, Herodes tem a culpa; e se acaso a não tem toda, tem a primeira. *Et omnis Jerosolyma cum illo*: ou com ele, porque ele faz a inquietação; ou com ele, porque a manda; ou com ele, porque a consente; ou com ele, porque a dissimula; ou com ele, quando menos, porque, devendo e podendo, a não impede; mas sempre e de qualquer modo com ele: *Cum illo*. De maneira, enfim, que na eleição destes eles consistem a paz, o sossego e o bom governo das conquistas. E este é o primeiro remédio do Evangelho, ou primeiro Evangelho do remédio.

O segundo remédio é que as Congregações eclesiásticas daquele estado sejam compostas de tais sujeitos que saibam dizer a verdade e que a queiram dizer. Para Herodes responder à proposta e pergunta dos Magos, que fez? *Congregans omnes príncipes sacerdotum, et scribas populi, sciscitabatur ab eis ubi Christus nasceretur.*[71]

---

[71] *S. Mateus*, II, 4.

A proposta e pergunta era em que lugar havia de nascer o Messias, e para isso fez uma congregação, ou junta, em que entraram as pessoas eclesiásticas de maior autoridade e letras que havia em Jerusalém. Era Herodes tirano e, contudo, mostrou estas duas grandes partes de príncipe; que perguntava, e perguntava a quem havia de perguntar: as matérias eclesiásticas aos eclesiásticos, e as das letras aos letrados, o destes aos maiores. Por isso compôs a congregação de sacerdotes e professores de letras; mas não de quaisquer sacerdotes, nem de quaisquer letrados, senão dos que no sacerdócio e na ciência, na sinagoga e no povo, tinham os primeiros lugares: *Congregans omnes principes sacerdotum, et scribas populo*. E que se seguiu desta eleição de pessoas tão acertada? Tudo o que se pretendia.

O primeiro efeito, e muito notável, foi que sendo tantos, todos concordaram. Raramente se vê uma junta em que não haja diversidade de pareceres, ainda contra a razão e verdade manifesta, principalmente quando se conhece a inclinação do rei, como aqui estava conhecida a de Herodes na sua perturbação; e contudo todos os desta grande junta concordaram na mesma resposta, todos alegaram o mesmo Texto, e todos o entenderam no mesmo sentido: *At illi dixerunt ei in Bethlehem Juda: sic enim scriptum est per prophetam. Et tu Bethlehem terra Juda, etc.*[72] E porque todos concordaram sem discrepância deste primeiro efeito se seguiu o segundo e principalmente pretendido, que era encaminhar os Magos com certeza ao lugar do nascimento de Cristo, para que infalivelmente o achassem e adorassem, como acharam e adoraram. Tanto importa que semelhantes congregações sejam compostas de homens que tenham letras. Cuida-se cá que para aquelas partes bastara eclesiásticos que saibam a forma do batismo e a doutrina cristã; e não se repara que eles são os que nos púlpitos pregam de público, eles os que absolvem de secreto nos confessionários (onde é maior o perigo), e que eles, por disposição das leis reais, são os intérpretes das mesmas leis, de que dependem as liberdades de uns, as consciências de outros e a salvação de todos. E se estes (como sucede ou pode suceder) não tiverem mais letras que as do A B C, que conselhos, que resoluções, que sentenças hão de ser as suas? Pergunto: Se os sacerdotes e letrados de Jerusalém se dividissem em opiniões; se uns dissessem que o Messias havia de nascer em Belém, outros em Nazaré, outros em Jericó; se uns

---

[72] *S. Mateus, 5 e 6.*

voltassem para Galileia, outros para Judeia, outros para Samaria, que haviam de fazer os Magos? É certo que neste caso ou desesperados se haviam de tornar para as suas terras, como muitos se tornam, ou que, perseverando em buscar a Cristo, no meio de tanta confusão o não achariam. Uma das principais causas por que está Cristo tão pouco achado, ou porque está tão perdido naquelas conquistas, é pela insuficiência dos sujeitos eclesiásticos que lá se mandam. Cristo, uma vez que se perdeu, achou-se entre os Doutores: e onde estes faltam, que lhe há de suceder? Entre Doutores achou-se depois de perdido: onde eles faltam, perder-se-á depois de achado. E isto é o que vemos. Por isso, Herodes, depois que fez aquela congregação de homens tão doutos, logo supôs que os Magos sem dúvida haviam de achar a Cristo: *Et cum inveneritis renuntiate mihi*.

Este é, como dizia, o segundo remédio que nos descobre o Evangelho. E se acaso nos descontenta, por ser praticado de tão ruim autor como Herodes (sem advertir que muitas vezes os maus governam tão bem como os bons, e melhor que os muito bons), imitemos ao menos o exemplo do nosso grande conquistador el-rei D. Manuel de felicíssima memória, tão amplificador do seu império como do de Cristo, de quem lemos que o primeiro sacerdote que enviou às conquistas foi o seu próprio confessor. Não fiou a salvação daquelas almas senão de quem fiava a própria consciência: porque sabia que estava igualmente obrigado em consciência a tratar delas, e dos meios proporcionados à sua salvação. Mas para que recorrer a exemplos meramente humanos, onde temos presente o do mesmo Rei e Salvador do universo? No tempo do nascimento de Cristo dividiu-se o mundo em duas nações, em que se compreendiam todas: a judaica e a gentílica; e para o Senhor fundar em ambas a nova Igreja cristã que vinha edificar e propagar, bem sabemos quais foram os sujeitos que escolheu. Aos Pastores, que eram judeus, mandou um anjo; aos Magos, que eram gentios, mandou uma estrela. E por que estrelas e anjos entre todas as criaturas? Porque as estrelas são luz e os anjos são espíritos. Quem não tem luz, não pode guiar, quem não tem espírito, não pode converter. E nós queremos converter o mundo sem anjos, e com trevas. Notou muito bem aqui a Glossa, que assim o anjo como a estrela foram missionários trazidos do céu: e de lá era bem que viessem todos; mas já que os não podemos trazer do céu, como Cristo, por que não mandaremos os melhores ou menos maus da terra?

O terceiro e último remédio, e que sendo um abraça muitos, é que todos os que forem necessários para a boa administração e cultura daquelas almas, se lhes devem não só conceder, mas aplicar efetivamente, sem os mesmos gentios, ou novamente cristãos (nem outrem por eles) o pedirem ou procurarem. Diz com advertência e mistério particular o nosso Texto, que estando os Magos dormindo, se lhes deu a resposta do que haviam de fazer para se livrarem das mãos de Herodes: *Et responso accepto in somnis no redirent ad Herodem*.[73] Nas palavras *responso accepto* reparo muito. Os Magos em Belém perguntaram alguma coisa? Pediram alguma coisa? Falaram alguma coisa? Ao menos no ponto particular de Herodes, sobre que foram respondidos, é certo que nem uma palavra só disseram. Pois se não falaram, se não pediram, se não propuseram ou perguntaram; como se diz que foram respondidos: *Responso accepto*? Esse é o mistério e o documento admirável de Cristo a todos os reis que trazem gentios à fé. Os Magos eram gentios ou cristãos novamente convertidos da gentilidade; e os gentios ou cristãos novamente convertidos, onde há fé, razão e justiça, hão de ser respondidos, sem eles falarem; hão de ser despachados, sem eles requererem; hão de ser remediados, sem eles pedirem. Não há de haver petição, e há de haver despacho; não há de haver requerimento, e há de haver remédio; não há de haver proposta e há de haver resposta: *Responso accepto*.

Sim, mas se eles não requerem, quem há de requerer por eles? Muito bom procurador: quem requereu neste caso. S. Jerônimo diz que o autor da resposta foi o mesmo Cristo por sua própria Pessoa. Santo Agostinho diz que foi por mediação e ministério de Anjos: e tudo foi. Foi Cristo como verdadeiro rei, e foram os anjos como verdadeiros ministros. Nos outros casos e com os outros vassalos, os reis e os ministros são os requeridos; neste caso, e com esta gente, os reis e os ministros hão de ser os requerentes. Eles são os que lhes hão de requerer a fé, eles os que lhes hão de requerer a liberdade, eles os que lhes hão de requerer a justiça, eles, finalmente, os que lhes hão de requerer, negociar e fazer efetivo tudo quanto importar à sua conversão, quietação e segurança, sem que aos mesmos gentios, ou antes ou depois de convertidos, lhes custe o menor cuidado. Que cuidavam ou que faziam os Magos, quando foram respondidos? É circunstância muito digna de que a considerem os que têm a seu cargo este encargo: *Et responso accepto in somnis*. Os Magos estavam dormindo, bem ignorantes do seu perigo e bem descuidados do seu

---

[73] *S. Mateus, II, 12.*

remédio, e no mesmo tempo o bom rei e os bons ministros estavam traçando e dispondo os meios não só da salvação de suas almas, senão da conservação, descanso e segurança de suas vidas.

E se alguém me perguntar a razão desta diferença e da maior obrigação deste cuidado acerca dos gentios e novos cristãos das conquistas, em respeito ainda dos mesmos vassalos portugueses e naturais, muito me espanto que haja quem a ignore. A razão é porque o reino de Portugal, enquanto reino e enquanto monarquia, está obrigado, não só de caridade, mas de justiça, a procurar efetivamente a conversão e salvação dos gentios, à qual muitos deles por sua incapacidade e ignorância invencível não estão obrigados. Tem esta obrigação Portugal enquanto reino, porque este foi o fim particular para que Cristo o fundou e instituiu, como consta da mesma instituição. E tem esta obrigação enquanto monarquia, porque este foi o intento e contrato com que os Sumos Pontífices lhe concederam o direito das conquistas, como consta de tantas Bulas Apostólicas. E como o fundamento e base do reino de Portugal, por ambos os títulos, é a propagação da fé e conversão das almas dos gentios, não só perderão infalivelmente as suas todos aqueles sobre quem carrega esta obrigação, se se descuidarem ou não cuidarem muito dela; mas o mesmo reino e monarquia, tirada e perdida a base sobre que foi fundado, fará naquela conquista a ruína que em tantas outras partes tem experimentado; e no-lo tirará o mesmo Senhor, que no-lo deu, como a maus colonos: *Auferetur a vobis regnum Dei et dabitur genti facienti fructus ejus.*[74]

Mas para que falar e trazer à memória o reino, quando se trata do remédio de tantos milhares de almas, cada uma das quais pesa mais que todo o reino? Tomemos o exemplo naquele Rei que hoje chamou os reis, e naquele Pastor que ontem chamou os pastores. Falando Isaías de Cristo como rei, diz que trazia o seu império ao ombro: *Cujus imperium super humerum ejus*;[75] e falando S. Lucas do mesmo Cristo como Pastor, diz que foi buscar a ovelha perdida sobre os ombros: *Imponit in humeros suos gaudens.*[76] Pois um império sobre um ombro, e uma ovelha sobre ambos os ombros? Sim. Porque há mister mais ombros uma ovelha que um império. Não pesa tanto um império como uma ovelha. Para o império basta meio rei; para

---

[74] *S. Mateus, XXI, 43.*
[75] *Isaías, IX, 6.*
[76] *S. Lucas, XV, 5.*

uma ovelha é necessário todo. E que pesando tanto uma só ovelha, que pesando tanto uma só alma, haja consciências eclesiásticas e seculares que tomem sobre seus ombros o peso da perdição de tantas mil? Venturoso Herodes, ou menos desventurado, que já de hoje em diante não serás tu o exemplo dos cruéis! Que importa que tirasse a vida Herodes a tantos inocentes, se lhes salvou as almas? Os cruéis e os tiranos são aqueles por cuja culpa se estão indo ao inferno tantas outras: e se um momento se dilatar o remédio das demais, lá irão todas. No céu viu S. João que estavam as almas dos inocentes pedindo a Deus vingança do seu sangue: *Usquequo, Domine, non vindicas sanguinem nostrum?*[77] E se almas que estão no céu vendo e gozando a Deus pedem vingança; tantas almas que estão ardendo no inferno e arderão por toda a eternidade, que brados darão a Deus? As almas também têm sangue, que é o que Cristo derramou por elas; e que brados dará à Justiça Divina este divino sangue, quando tão ouvidos foram os do sangue de Abel?

VIII

Nos ecos destes mesmos brados queria eu ficasse suspensa a minha oração; mas não é bem que ela acabe em brados e clamores quando o Evangelho nos mostra o céu tão propício, que se ouvem na terra os silêncios. Assim lhes aconteceu aos Magos, e assim espero eu me suceda a mim, pois sou tão venturoso como eles foram, que no fim da sua viagem acharam muito mais do que esperavam. Buscavam o rei nascido: *Ubi est qui natus est rex*;[78] e acharam o rei nascido e a rainha Mãe: *Invenerunt puerum cum Maria Matre ejus*.[79] E como a Soberana mãe era a voz do rei na sua minoridade, e a volta que os Magos fizeram para as suas terras correu por conta da mesma Senhora, foi esta missão que tomou por sua, tão bem instruída, tão bem fundada, e tão gloriosa em tudo que dela e das que dela se foram propagando, disse Salomão nos seus Cânticos: *Emissiones tuae paradisus*.[80] Até agora, Senhora, porque as missões se não fizeram em nome e debaixo da real proteção de Vossa Majestade, os tormentos de

---

[77] *Apocalipse, VI, 10.*
[78] *S. Mateus, II, 2.*
[79] *Ibid., 11.*
[80] *Cant., IV, 13.*

pena e dano que aquelas almas padeceram se podiam chamar missões do inferno; agora as mesmas missões, por serem de Vossa Majestade, serão paraíso: *Emissiones tuae paradisus*. Assim o ficam esperando da real piedade, justiça e grandeza de Vossa Majestade aquelas tão perseguidas e desamparadas almas, e assim o confiam e têm por certo os que, tendo-se desterrado da pátria por amor delas, padecem hoje na pátria tão indigno desterro. E para acabar como comecei com a última clausula do Evangelho, o que ele finalmente diz é que os Magos tornaram para a sua terra por outro caminho: *Per aliam viam reversi sunt in regionem suam.*[81] A terra foi a mesma, mas o caminho diverso; e isto é o que só desejam os que não têm por suas outras terras mais que as daquela gentilidade a cuja conversão e doutrina por meio de tantos trabalhos têm sacrificado a vida. Voltar para as mesmas terras, sim, que o contrário seria inconstância; mas em forma que o caminho seja tão diverso, que triunfe e seja servido Cristo e não Herodes. Se os Magos voltassem pelo mesmo caminho, triunfaria o tirano, perigaria Cristo; e os Magos quando escapassem não fariam o fruto que fizeram nas mesmas terras, convertendo-as como as converteram todas, à fé e obediência do Rei que vieram adorar, e de cujos pés não levaram nem quiseram outro despacho. Tudo isto se conseguiu então felizmente, e se conseguirá também agora com a mesma felicidade, se o oráculo for o mesmo. Mande o soberano oráculos que tornem para a mesma região; e mande eficazmente que seja outro o caminho: *Per aliam viam reversi sunt in regionem suam.*

❖

---

[81] *S. Mateus, II, 12*.

O Pranto e o Riso ou as Lágrimas de Heráclito defendidas em Roma pelo Padre Antônio Vieira contra o Riso de Demócrito

(Argumentação apresentada no Palácio da Rainha Cristina da Suécia, em Roma, em 1674.)

Na academia que havia em Roma, e no palácio da sereníssima rainha de Suécia Cristina Alexandra, com a assistência de muitos cardeais e monsenhores, se propôs um problema no ano de 1674 cujo argumento foi este: se o mundo era mais digno de riso ou de lágrimas, e qual dos dois gentios andara mais prudente, se Demócrito, que ria sempre, ou Heráclito, que sempre chorava. E encarregando-se estes dois pontos aos padres Antônio Vieira e Jerônimo Catâneo, ambos da Companhia de Jesus, para cada um defender a parte que escolhesse, deu o padre Antônio Vieira a eleição ao padre Catâneo, o qual tomou para si o riso de Demócrito, e ficando ao padre Vieira a causa das lágrimas de Heráclito, a defendeu engenhosa e elegantemente em língua italiana, que depois se traduziu na espanhola e agora na portuguesa, tirada do original italiano por D. Francisco Xavier Joseph de Menezes, conde da Ericeira, do Conselho de Sua Majestade, Sargento general de batalha dos seus exércitos e Deputado da Junta dos Três Estados.

Em seu lugar apareceu o pranto, porque segue e vem depois do riso. Se fosse o riso como Jano: *Qui sua terga videt*, choraria o mesmo riso. Não desconfia o pranto, não, da sua causa, inveja só ao riso a sua fortuna. Se o pranto e o riso aparecessem neste grande teatro no traje da verdade (sempre nua), sem dúvida seria a vitória do pranto. Mas vestido, ornado e armado de uma tão superior eloquência, que o riso, se ria do pranto, não é merecimento, foi sorte. De tudo quanto ri saiu vestido, ornado e armado o riso: riem-se os prados e saiu vestido de flores; ri-se a aurora e saiu ornada de luzes; e se aos relâmpagos e raios chamou a Antiguidade *Risus Vestae, et Vulcani*, entre tantos relâmpagos, trovões e raios de eloquência, quem não julgará ao miserável pranto cego, atônito e fulminado? Tal é a fortuna ou a natureza destes dois contrários. Por isso nasce o riso na boca, como eloquente, e o pranto nos olhos, como mudo. Mas se *Interdum lacrimae pondera vocis habent*; assim mudo, e com lágrimas, assim triste, e vestido de luto (como costumavam os réus no senado da antiga Roma) se apresenta hoje o pranto diante da majestade do sólio real, e tribunal retíssimo dos seus eminentíssimos juízes; não presumindo que há de alcançar vitória ou aplauso, irá esperando a piedade e comiseração, que nunca negaram, aos miseráveis e aflitos, os espíritos generosos e magnânimos.

Entrando pois na questão de se o mundo é mais digno de riso ou de pranto, e se à vista do mesmo mundo tem mais razão quem ri, como ria Demócrito, ou quem chora, como chorava Heráclito, eu, para defender, como sou obrigado, a parte do pranto, confessarei uma coisa e direi outra. Confesso que a primeira propriedade do racional é o risível: e digo que a maior impropriedade da razão é o riso. O riso é o final do racional, o pranto é o uso da razão. Para confirmação desta, que julgo evidência, não quero maior prova que o mesmo mundo, nem menor prova que o mundo todo. Quem conhece verdadeiramente o mundo, precisamente há de chorar; e quem ri, ou não chora, não o conhece.

Que é este mundo, senão um mapa universal de miséria, de trabalhos, de perigos, de desgraças, de mortes à vista de um teatro imenso, tão trágico, tão funesto, tão lamentável, onde cada reino, cada cidade e cada casa continuamente mudam a cena, onde cada sol que nasce é um cometa, cada dia que passa um estrago, cada hora e cada instante mil infortúnios; que homem haverá (se acaso houver homem) que não chore? Se não chora, mostra que não é racional; e se ri, mostra que também são risíveis as feras.

Mas se Demócrito era um homem tão grande entre os homens e um filósofo tão sábio, e se não só via este mundo, mas tantos mundos, como ria? Poderá dizer-se que ele ria não deste nosso mundo, mas daqueles seus mundos.

E com razão, porque a matéria de que eram compostos os seus mundos imaginados, toda era de riso. É certo, porém, que ele ria neste mundo e que se ria deste mundo. Como, pois, se ria ou podia rir-se Demócrito do mesmo mundo ou das mesmas coisas que via e chorava Heráclito? A mim, senhores, mo parece que Demócrito não ria, mas que Demócrito e Heráclito ambos choravam, cada um ao seu modo.

Que Demócrito não risse, eu o provo. Demócrito ria sempre: logo nunca ria. A consequência parece difícil e é evidente. O riso, como dizem todos os filósofos, nasce da novidade e da admiração, e cessando a novidade ou a admiração, cessa também o riso; o como Demócrito se ria dos ordinários desconcertos do mundo, o que é ordinário e se vê sempre, não pode causar admiração nem novidade; segue-se que nunca ria, rindo sempre, pois não havia matéria que motivasse o riso.

Nem se pode dizer que Demócrito se incitava a rir de alguma coisa que visse ou encontrasse de novo; porque sempre e em todo o lugar ria, e quando saía de casa já saía rindo; logo ria do que já sabia, logo ria sem novidade nem admiração; logo o que nele parecia riso não era riso.

Confirma-se mais esta verdade com o motivo e intenção de Demócrito porque não pode haver riso que se não origine de causa que agrade: tudo o de que Demócrito se ria, não só lhe desagradava muito, mas queria mostrar que lhe desagradava; logo não se ria, e se não ria, que era o que fazia, a que todos chamavam riso? Já disse que era pranto e que Demócrito chorava, mas por outro modo. Ora vede.

Há chorar com lágrimas, chorar sem lágrimas e chorar com riso: chorar com lágrimas é sinal de dor moderada; chorar sem lágrimas é sinal de maior dor; e chorar com riso é sinal de dor suma e excessiva. Para prova da primeira e segunda diferença de chorar com lágrimas ou sem elas, é notável o exemplo, que refere Heródoto, de Psamnito, rei do Egito.

Perdendo Psamnito o reino, viu em primeiro lugar suas filhas vestidas como escravas e não chorou, viu depois seu filho primogênito descalço e carregado de ferros com as mãos atadas e um freio na boca e não chorou; e vendo este mesmo Psamnito, e com o mesmo coração, que um seu antigo criado pedia esmola, derramou infinitas lágrimas. Oh! Grande rei e grande intérprete da natureza! Chora com lágrimas a miséria do criado e sem lágrimas a desgraça dos filhos; assim respondeu ele à pergunta de Cambises: *Domestica mala graviora sunt, quam ut lacrimas recipiant.* Com o mesmo pensamento, não menos régio nem menos varonil, Hécuba, com a coroa perdida e a pátria abrasada, proibiu as lágrimas às damas de Troia, dizendo-lhes assim:

Quid effuso genas fletu rigatis?
Levita perpessae sumus, si flenda patimur.[1]

A dor moderada solta as lágrimas, a grande as enruga, as congela e as seca. Dor que pode sair pelos olhos não é grande dor; por isso não chorava Demócrito; e como era pequena demonstração da sua dor não só chorar com lágrimas, mas ainda sem elas, para declarar-se com o sinal maior, sempre se ria.

Nada digo que seja contrário aos princípios da verdadeira filosofia e da experiência. A mesma causa, quando é moderada e quando é excessiva, produz efeitos contrários: a luz moderada faz ver, a excessiva faz cegar; a dor que não é excessiva rompe em vozes, a excessiva emudece. Desta sorte a tristeza, se é moderada, faz chorar; se é excessiva pode fazer rir; no seu contrário temos o exemplo: a alegria excessiva faz chorar e não só destila as lágrimas dos corações delicados e brandos, mas ainda dos fortes e duros. Quando Minúcio, livre do cativeiro, apareceu ao seu exército, que era o romano: *In laetitiam tota castra effusa sunt, ut praegaudio militibus omnibus lacrimae manarent*,[2] diz Plutarco. Pois se a excessiva alegria é causa do pranto, a excessiva tristeza por que não será causa do riso? A ironia tem contrária significação do que soa: o riso de Demócrito era ironia do pranto; ria, mas ironicamente, porque o seu riso era nascido de tristeza, e também a significava; eram lágrimas transformadas em riso por metamorfoses da dor; era riso, mas com lágrimas, como aquele de quem disse Estácio:

Lacrimosos impia risus audiit.

Na guerra morrem muitos soldados rindo; e a razão é, diz Aristóteles, porque são feridos no diafragma. Não ria Demócrito como contente, ria como ferido: recebia dentro do peito todos os golpes do mundo e tão malferido ria.

Os olhos com injustiça se poderão queixar desta minha filosofia: o pranto chamava-se assim, porque se batiam as mãos uma com a outra, quando se chorava; porque para chorar não são precisos os olhos, e não seria provida a natureza se, havendo sido a origem de tantos pezares, lhes desse um só desafogo; e se choram as mãos, a

---

[1] Sênec., in Troad.
[2] Plutarco, in Fab.

boca por que não há de chorar? Heráclito chorava com os olhos, Demócrito chorava com a boca; o pranto dos olhos é mais fino, o da boca é mais mordaz; e este era o pranto de Demócrito. De sorte que na minha consideração, não só Heráclito, mas Demócrito, choravam, só que com a diferença de que o pranto de Heráclito era mais natural, o pranto de Demócrito mais esquisito; e tudo merece este mundo, digno de novos e esquisitos prantos, para ser bastantemente chorado.

Mas porque esta minha suposição me separa do problema e pode parecer que, como muitas vezes sucede, me aparte da opinião comum para fugir da dificuldade: seja embora o riso de Demócrito verdadeiro e próprio riso, apareçam em juízo um e outro filósofo, para que, ouvidos ambos, se veja claramente a razão de cada um, e confio do merecimento da causa que será tão justa a sentença que Demócrito saia chorando, e Heráclito, rindo.

Sêneca, no livro *De Tranquillitate*, falando destes dois filósofos, dá a razão porque sempre ria um e chorava outro, com estas judiciosas palavras: *Hic, quoties in publicam processerat, flebat, ille ridedat: huic omnia, quae agimus, miseriae, itli ineptiae videbantur*. Demócrito ria, porque todas as coisas humanas lhe pareciam ignorâncias; Heráclito chorava, porque todas lhe pareciam misérias: logo maior razão tinha Heráclito de chorar que Demócrito de rir, pois neste mundo há muitas misérias que não são ignorâncias, ou não há ignorância que não seja miséria.

As misérias e os trabalhos que padecem os mortais, ou por obrigação da natureza, ou por remédio da fortuna, ou por sustento da vida, ou por conservação do estado particular e público são misérias, mas não são ignorâncias, porque as governa a prudência, por necessidade, por conveniência, por honra e por decoro.

Pelo contrário, todas as ignorâncias que se cometem no mundo, as que se fazem, as que se dizem, as que se cuidam, todas são miseráveis, porque todas se cometem ou por erro do entendimento ou por desordem da vontade; e este erro e esta desordem não só é miséria, mas a maior miséria, porque direitamente se opõem à luz e ao império da razão, na qual consiste toda a nobreza e felicidade do homem. Aquelas misérias causam ao homem dores e trabalhos, estas o fazem verdadeiramente miserável e infeliz; e suposto que umas e outras sejam dignas de lágrimas, e as lágrimas das ignorâncias, são lágrimas de pior dor; estas fazem corar o rosto, aquelas não. Foi esta distinção achada com alta filosofia pelo engenho de Ovídio nas lágrimas de Penteu.

Essemus miseri sine crimine, sorsque querenda,
Non celanda foret: lacrimaeque pudore carerent.[3]

E como nem todas as misérias são ignorâncias, e todas as ignorâncias são misérias, e as maiores misérias, muito maior matéria e muito maior razão tinha Heráclito de chorar que Demócrito de rir; antes digo que só Heráclito tinha toda a razão, e Demócrito, nenhuma. Todas as misérias humanas eram o assunto de Heráclito, e o de Demócrito só uma parte delas; e como toda miséria é causa da dor, e nenhuma dor pode ser causa do riso, o riso de Demócrito não tinha causa nem motivo algum que o justificasse.

Pode ser que me responda algum metafísico que Demócrito distinguia nas ignorâncias aquilo que é ignorância daquilo que é miséria; e que se ria das misérias, não como misérias, mas como ignorâncias. Porém esta distinção, demais de ser indigna de um filósofo moral, é falsa e impossível, por ser contra a natureza e essência do riso. O ridículo, ou o objeto do riso, como define Aristóteles, *est turpe sine dolore*, é uma tal deformidade, que exclui todo o motivo de dor; e como a ignorância precisamente está sempre unida com o motivo da dor, que é a miséria, por isso nem é, nem pode ser matéria do riso. Esta é a verdadeira e sólida razão por que no juízo de todos os filósofos se inventou a comédia. Viram os Sábios das repúblicas, que para desafogo, divertimento e alegria dos povos, era necessária alguma matéria de riso; e porque o riso não podia nascer da deformidade, ou vício verdadeiro, pela união natural que tem com a dor; que fizeram? Inventaram sabiamente as ficções da comédia, para que o ridículo da imitação, como suposto e não verdadeiro, ficasse separado da dor. Um aleijado com um pé de pau, uma velha decrépita e trêmula, um pobre remendado e enfermo, um cego e um frenético, um insensato, no teatro fazem rir; e por quê? Porque aqueles defeitos são supostos e não verdadeiros; que se fossem verdadeiros, seriam motivo da comiseração e não de riso; e como os defeitos e vícios de que ria Demócrito eram verdadeiros defeitos e verdadeiros vícios, não tinham o seu riso algum motivo; mas se não tinha motivo, como ria? Ria-se por abuso intolerável do motivo oposto, colocando o riso sobre o motivo do pranto; ria-se das verdadeiras misérias e dos verdadeiros motivos da dor; filosofia inumana e contrária a toda a razão e praticada unicamente na escola da inveja, da qual diz o Poeta:

---

[3] *Ovíd. Metamorfoses, Livro 3º.*

Risus abest, nisi quem visi movere dolores.

E se o fim destes dois filósofos (como verdadeiramente era) foi manifestar ao mundo o desconcerto do seu estado e persuadir aos homens o erro dos seus juízos, a desordem dos seus desejos e a vaidade das suas fadigas; também para este fim tinha muito maior razão Heráclito de chorar que Demócrito de rir.

A primeira introdução e disposição de quem quer persuadir, ensinada e usada de todos os oradores, é conciliar a benevolência do teatro; esta conciliava Heráclito e não Demócrito, porque quem chora, lastima; e quem ri, despreza; e a compaixão concilia amor, desprezo, ódio e aborrecimento; quem ri, exaspera; quem chora, enternece; e quem quer imprimir os seus afetos e a sua doutrina nos corações, não deve endurecê-los, deve abrandá-los. O agricultor, para colher os frutos, rega as plantas; o impressor, para imprimir as letras, molha o papel; e assim o deve fazer com as lágrimas quem quer imprimir os seus afetos e colher o fruto das suas persuasões.

Ulisses, naquela sua famosa oração contra Aiace, na contenda das armas de Aquiles, podendo fiar-se tanto da sua copiosa eloquência, adornou o seu exórdio com lágrimas; e porque não as tinha verdadeiras, chorava-as fingidas.

*Manuque simul veluti lacrimantia tersit
Lumina.*[4]

Não de outra sorte devia fazer Demócrito, ainda que fosse contra o jocoso do seu gênio. Devia aproveitar-se da boca, não para rir, mas para umedecer os olhos e fingir as lágrimas; assim o ensina com a sua natural agudeza aquele mestre que professou em Roma a arte de conciliar o amor e de abrandar os corações:

*Si lacrimae (neque enim veniunt in tempore semper)
Deficient, uncta lumina tinge mano.*

Quanto à força e eficácia de persuadir, muito mais fortemente apertava e persuadia Heráclito chorando que Demócrito rindo; porque quem ri atenua e alivia os males; quem chora os acrescenta e faz mais sensíveis e pesados; quem ri mostra que são dignos de zombaria;

---

[4] *Ovíd. Metamorfoses, L. XV.*

quem chora prova que são dignos de lástima; quem ri por exemplo e por simpatia move a rir; quem chora por exemplo e com razão ensina a chorar; porque se os meus males são tais que movem a contínuas lágrimas nos outros, quantos mais os devo eu chorar, pois os padeço?

Finalmente Demócrito ria sempre; e Heráclito sempre chorava; e este *sempre* também era por parte de Heráclito e contra Demócrito: por parte de Heráclito, porque ser o seu pranto contínuo o fazia mais eficaz: contra Demócrito, porque ser o seu riso contínuo o fazia ridículo. Não é minha a censura, nem é nova, mas apotegma antiquíssimo do filósofo Plutarco: o riso, dizia ele, se é pouco, passa; se é muito, ofende. Cícero, como se vê nas suas orações, respondia muitas vezes rindo aos argumentos da parte contrária; que é solução muito fácil, quando os argumentos são difíceis; mas que louvores deram a Cícero deste seu riso? Disse-o Plutarco. Sendo Cícero Cônsul e defendendo Murena, ria muito, como costumava, da doutrina dos Estoicos, e não podendo sofrê-lo Catão, lhe disse publicamente: *Dii boni, quam ridiculum habemus consulem!*[5] Com muita mais causa Demócrito, porque ria sempre, se fazia ridículo, e zombando do juízo dos outros, expunha o seu a zombaria.

Os meninos riem-se muito facilmente e os doidos sempre se riem: e diz Aristóteles que os meninos se riem porque têm pouco siso, e os loucos, porque de todo o não têm; e eu creio verdadeiramente que não faço grande ofensa a Demócrito, porque um homem que de um mundo via muitos mundos, era sinal que tinha perturbadas as espécies e enferma a fantasia; e quem se havia de mover a um tal riso?

Não assim o pranto de Heráclito, que, por ser contínuo, se fazia mais forte e eficaz: *Lacrima cito siccatur, praesertim in alienis malis*, diz Túlio. E sendo o pranto de Heráclito pelos males alheios, sem que nunca se secassem as suas lágrimas, que coração haveria tão duro e obstinado, que se não abrandasse e rendesse a um tal pranto? Eram as lágrimas de Heráclito como a água, que caindo, pouco a pouco, vai limando suavemente os mármores e, enfim, os rompe. Não digo eu, somente os mármores:

Lacrimis adamanta movebis,

diz, atrevida, mas verdadeiramente, Ovídio. As lágrimas, como lhe

---

[5] *Cícer., de Partit. 31.*

chamou o melhor filósofo da Grécia, são sangue da alma; e este (não o outro fabuloso) é o que lavra os diamantes. O coração mais diamantino, como tantas vezes se queixava Agamemnon, foi o de Aquiles; e contudo confiava e presumia Briscide que, sem dizer uma só palavra (como fazia Heráclito), com as suas lágrimas somente o despedaçaria e o desfaria em pó; assim o diz na discreta carta escrita ao mesmo Aquiles:

Sis licet, immitis, marisque ferocior undis,
Ut taceam lacrimis comminuere meis.[6]

Tal era a eficácia invencível do pranto de Heráclito e tal a debilidade ridícula do riso de Demócrito.

Não quero, contudo, que seja minha a sentença entre estes dois filósofos, seja de outro filósofo que os iguale em autoridade e ciência. O grande filósofo Dion, como refere Estobeu, falando do Pranto e do Riso, conclui assim: *Mihi sane facies magis videtur ornari lacrimis, quam risu: lacrimis enim ut plurimum bona aliqua doctrina conjungitur; risui vero lascivia, et flendo quidem nemo sibi conciliavit auctorem contumeliae, ridendo autem spem dedecoris auxit.*[7] Esta é a sentença.

Mas deixando já o riso de Demócrito afogado no pranto de Heráclito, para acabar o meu primeiro argumento, busco outra vez a prova universal do mundo. Que esperança, que lugar pode ter neste mundo o riso se todo o mundo chora e ensina a chorar; e choram os homens como racionais e sensitivos, e ainda as coisas sem razão e sem sentido choram; estas são as lágrimas que o Príncipe dos Poetas chamou profundamente lágrimas de todas as cousas:

Sunt lacrimae rerum, et mentem mortalia tangunt.[8]

Não residem as lágrimas só nos olhos, que veem os objetos, mas nos mesmos objetos que são vistos; ali nascem as lágrimas, aqui correm; e se as mesmas coisas que não veem, choram, quanto mais razão tem o homem que vê e que se vê? Não quero o testemunho dos miseráveis, não, só quero o dos mais ditosos.

---

[6] *Ovíd., Ep. Briscil. ad Achii.*
[7] *Stob. Ser. 72.*
[8] *Eneida, I.*

Quem há neste mundo tão favorecido ou tão divinizado pela sua fortuna, que possa presumir de não ter que chorar? Aqueles mesmos, que mais se riem por fora, mais choram por dentro. Aqui tínhamos antigamente em Roma um cortesão chamado Heros, o qual chorava sempre, não tanto os males próprios, quanto os bens alheios; e diz assim Marcial:

Quam multi faciunt, quod Heros, sed lumine sicco!
Pars maior lacrimas videt, et intus habet.

Oh, se este *intus* se visse! São as lágrimas como as águas do rio Alfeu; este rio, umas vezes caminha descoberto, outras se oculta por debaixo da terra, mas sempre corre: as lágrimas plebeias deixam-se ver; as lágrimas equestres, senatoriais e consulares são invisíveis, mas lágrimas, das lágrimas que se derramaram nas exéquias de Germânico, dizia Tácito: *Periisse Germanicum nulli jactantius moerent, quam qui maxime laetantur.*[9] O contrário é mais comum e mais verdadeiro: *Qui jactantius laetantur, maxime moerent.* Mas quando ninguém chorasse, nem por fora nem por dentro; quando este mundo e todos os homens rissem, então todo o mundo e todos os homens seriam mais dignos de comiseração e de lágrimas: *Quid enim miserius misero, non miserent seipsum?*

E se tudo isto não basta, senhores, para que a causa do pranto tenha merecido a seu favor os vossos votos, em nome do mesmo pranto apelarei eu da sentença para aquele justíssimo tribunal para quem apelou Apeles. Vencido Apeles em um concurso de pintores: *Appello* (disse) *ad tribunal naturae.* E porque os animais vivos se enganavam com os que ele havia pintado e as aves com os frutos, a natureza fez a Apeles a justiça que lhe tinham negado os homens; assim o faço eu, senão venceu o pranto. *Appello ad tribunal naturae.* Seja meu intérprete o historiador da mesma natureza. *Flens animal caeteris imperaturum a suppliciis vitam auspicatur, unam tantum ob culpam, quia natus est.*[10] Nasce o homem, diz Plínio, já chorando, e sem outra culpa mais que haver nascido, fica condenado a perpétuo pranto, começa a vida e o pranto juntamente; para que saiba, que se vem a este mundo vem para chorar. O mais aprenderá depois porque

---

[9] *Annal.*
[10] *Plín. In Praes, Libr. 7º.*

é arte para o pranto nasce já ensinado, porque é natureza: *Non aliud naturae sponte, quam flere*. Esta é a sentença irrefragável da natureza, e esta a natureza dos mortais: é o homem risível, mas nascido para chorar; porque se a primeira propriedade é o risível, o exercício próprio do mesmo racional e o uso da razão é o pranto.

E se alguém me replicar que se o homem não risse, ficaria ociosa a potência do rir contra o fim da mesma natureza; a uma instância tão forte não posso responder só como filósofo natural, (como observei em todo este discurso) mas responderei como filósofo cristão. Respondo e pergunto: Se o homem, pela transgressão, não tivesse perdido a felicidade em que foi criado, choraria ou não? É certo que nunca chorariam os homens se fossem conservados naquele estado, e as lágrimas, que agora há, não as haveria então: logo, se na felicidade daquele tempo estaria ociosa a potência do chorar, na miséria deste tempo estaria ociosa a potência de rir, etc.

❖

Sermão pelo bom sucesso das armas de Portugal contra as de Holanda

Pregado na igreja de Nossa Senhora da Ajuda, na cidade da Bahia [atual Salvador], no ano de 1640.

Exurge quare obdormis, Domine? Exurge, et ne repellas in finem. Quare faciem tuam avertis, obliviceris inopiae nostrae et tribulationis nostrae? Exurge, Domine, adjuva nos et redime nos propter nomen tuum.
Salmo XLIII

I

Com estas palavras piedosamente resolutas, mais protestando que orando, dá fim o profeta rei ao salmo XLIII. Salmo que desde o princípio até o fim, não parece senão cortado para os tempos e ocasião presente. O Doutor Máximo S. Jerônimo, e depois dele os outros expositores, dizem que se entende à letra de qualquer reino ou província católica, destruída e assolada por inimigos da fé. Mas entre todos os reinos do mundo a nenhum lhe quadra melhor que ao nosso reino de Portugal; e entre todas as províncias de Portugal a nenhuma vem mais ao justo que à miserável província do Brasil. Vamos lendo todo o salmo, e em todas as cláusulas dele veremos retratadas as da nossa fortuna: o que fomos e o que somos.

Deus, auribus nostris audivimus, Patres nostri annuntiaverunt nobis, opus, quod operatus es in diebus eorum, et in diebus antiquis.[1]

---

[1] *Salmos XLIII 2.*

Ouvimos (começa o profeta) nossos pais, lemos nas nossas histórias e ainda os mais velhos viram, em parte, com seus olhos as obra maravilhosas, as proezas, as vitórias, as conquistas, que por meio dos portugueses obrou em tempos passados vossa onipotência, Senhor. *Manus tua gentes disperdit, et plantasti eos; afflixisti populos et expulisti eos.*[2] Vossa mão foi a que venceu e sujeitou tantas nações bárbaras, belicosas e indômitas, e as despojou do domínio de suas próprias terras para nelas os plantar, como plantou com tão bem fundadas raízes; e para nelas os dilatar, como dilatou e estendeu em todas as partes do mundo, na África, na Ásia, na América. *Nec enim in gladio suo possederunt terram, et brachium eorum non salvavit eos, sed dextera tua et brachium tuum et illuminatio vultus tui, quoniam complacuisti in eis.*[3] Porque não foi a força do seu braço nem a da sua espada a que lhes sujeitou as terras que possuíram, e as gentes e reis que avassalaram, senão a virtude de vossa destra onipotente e a luz e o prêmio supremo de vosso beneplácito, com que neles vos agradastes e deles vos servistes. Até aqui a relação ou memória das felicidades passadas, com que passa o profeta aos tempos e desgraças presentes.

Nunc autem repulisti et confundisti nos; et non egredieris Deus in virtutibus nostris.[4] Porém agora, Senhor, vemos tudo isso tão trocado, que já parece que nos deixastes de todo e nos lançastes de vós, porque já não ides diante das nossas bandeiras, nem capitaneais como dantes os nossos exércitos. *Avertisti nos retrorsum post inimicos nostros, et qui oderunt nos, diripiebant sibi.*[5] Os que tão costumados éramos a vencer e triunfar, não por fracos, mas por castigados, fazeis que voltemos as costas a nossos inimigos (que como são açoite de vossa justiça, justo é que lhes demos as costas), e perdidos os que antigamente foram despojos do nosso valor, são agora roubo da sua cobiça. *Dedisti nos tanquam oves escarum et in gentibus dispersisti nos.*[6] Os velhos, as mulheres, os meninos, que não têm forças nem armas com que se defender, morrem como ovelhas inocentes às mãos da crueldade herética, e os que podem escapar à morte, desterrando-se a terras estranhas, perdem a casa e pátria. *Posuisti nos opprobrium vicinis nostris, subsannationem et derisum his, qui sunt in circuitu*

---

[2] *Ibidem, 3.*
[3] *Ibidem, 4.*
[4] *Ibidem, 10.*
[5] *Ibidem, 11.*
[6] *Ibidem, 12.*

nostro.[7] Não fora tanto para sentir, se, perdidas fazendas e vidas, se salvara ao menos a honra; mas também esta a passos contados se vai perdendo; e aquele nome português, tão celebrado nos anais da fama, já o herege insolente com as vitórias o afronta, e o gentio de que estamos cercados, e que tanto o venerava e temia, já o despreza.

Com tanta propriedade como isto descreve Davi neste salmo nossas desgraças, contrapondo o que somos hoje ao que fomos enquanto Deus queria, para que na experiência presente cresça a dor por oposição com a memória do passado. Ocorre aqui ao pensamento o que não é lícito sair à língua, e não falta quem discorra tacitamente, que a causa desta diferença tão notável foi a mudança da monarquia. Não havia de ser assim (dizem) se vivera um D. Manuel, um D. João, o Terceiro, ou a fatalidade de um Sebastião não sepultara com ele os reis portugueses. Mas o mesmo profeta, no mesmo salmo, nos dá o desengano desta falsa imaginação: *Tu es ipse rex meus et Deus meus: qui mandas salutes Jacob*.[8] O reino de Portugal, como o mesmo Deus nos declarou na sua fundação, é reino seu e não nosso: *Volo enim in te et in semine tua imperium mihi stabilire*, e como Deus é o rei: *Tu es ipse rex meus et Deus meus*; e este rei é o que manda e o que governa: *Qui mandas salutes Jacob*, ele que não se muda é o que causa estas diferenças, e não os reis que se mudaram. À vista, pois, desta verdade certa e sem engano, esteve um pouco suspenso o nosso profeta na consideração de tantas calamidades, até que para remédio delas o mesmo Deus, que o alumiava, lhe inspirou um conselho altíssimo, nas palavras que tomei por tema.

Exurge, quare obdormis, Domine? Exurge, et ne repellas in finem. Quare faciem tuam avertis, obliviscaris inopiae nostrae et tribulationis nostrae? Exurge, Domine, adjuva nos et redime nos propter nomen tuum. Não prega Davi ao povo, não o exorta ou repreende, não faz contra ele invectivas, posto que bem merecidas; mas todo arrebatado de um novo e extraordinário espírito, se volta não só a Deus, mas piedosamente atrevido contra ele. Assim como Marta disse a Cristo: *Domine, non est tibi curae?*[9] assim estranha Davi reverentemente a Deus, e quase o acusa de descuidado. Queixa-se das desatenções de sua misericórdia e providência, que isso é considerar a Deus dormindo: *Exurge! Quare obdormis, Domine?* Repete-lhe que

---

[7] *Ibidem, 14*.
[8] *Ibidem, 5*.
[9] *Lucas, X 40*.

acorde e que não deixe chegar os danos ao fim, permissão indigna de sua piedade: *Exurge, et ne repellas in finem*. Pede-lhe a razão por que aparta de nós os olhos e não volta o rosto: *Quare faciem tuam avertis;* e por que se esquece da nossa miséria e não faz caso de nossos trabalhos: *Oblivisceris inopiae nostrae et tribulationis nostrae*? E não só pede de qualquer modo esta razão do que Deus faz e permite, senão que insta a que lha dê, uma e outra vez: *Quare obdormis? Quare oblivisceris?* Finalmente, depois destas perguntas, a que supõe que não tem Deus resposta, e destes argumentos com que presume o tem convencido, protesta diante do tribunal de sua justiça e piedade, que tem obrigação de nos acudir, de nos ajudar e de nos libertar logo: *Exurge, Domine, adjuva nos et redime nos*. E para mais obrigar ao mesmo Senhor, não protesta por nosso bem e remédio, senão por parte da sua honra e glória: *Propter nomen tuum*.

Esta é, todo-poderoso e todo-misericordioso Deus, esta é a traça de que usou para render vossa piedade, quem tanto se conformava com vosso coração. E desta usarei eu também hoje, pois o estado em que nos vemos, mais é o mesmo que semelhante. Não hei de pregar hoje ao povo, não hei de falar com os homens; mais alto hão de sair as minhas palavras ou as minhas vozes: a vosso peito divino se há de dirigir todo o sermão. É este o último de quinze dias contínuos, em que todas as igrejas desta metrópole, a esse mesmo trono de vossa patente majestade, têm representado suas deprecações; e, pois, o dia é o último, justo será que nele se acuda tão bem ao último e único remédio. Todos estes dias se cansaram debalde os oradores evangélicos em pregar penitência aos homens; e, pois, eles se não converteram, quero eu, Senhor, converter-vos a vós. Tão presumido venho da vossa misericórdia, Deus meu, que ainda que nós somos os pecadores, vós haveis de ser o arrependido.

O que venho a pedir ou protestar, Senhor, é que nos ajudeis e nos liberteis: *Adjuva nos, et redime nos*. Mui conformes são estas petições ambas ao lugar e ao tempo. Em tempo que tão oprimidos e tão cativos estamos que devemos pedir com maior necessidade, senão que nos liberteis: *Redime nos*? E na casa da Senhora da Ajuda, que devemos esperar com maior confiança, senão que nos ajudeis: *Adjuva nos*? Não hei de pedir pedindo, senão protestando e argumentando; pois esta é a licença e liberdade que tem quem não pede favor, senão justiça. Se a causa fora só nossa e eu viera a rogar só por nosso remédio, pedira favor e misericórdia. Mas como a causa, Senhor, é mais vossa que nossa, e como venho a requerer por parte de vossa honra e glória, e pelo crédito de vosso nome *Propter nomen tuum* —, razão é que peça só razão, justo é que peça só justiça. Sobre este pressuposto vos hei de arguir, vos hei de argumentar; e confio tanto da vossa razão e da vossa benignidade, que também vos hei de convencer. Se chegar a me queixar de vós e a acusar as dilatações de vossa justiça, ou as desatenções de vossa misericórdia: *Quare obdormis? Quare obliviscaris?* Não será esta vez a primeira em que sofrestes semelhantes excessos a quem advoga por vossa causa. As custas de toda a demanda também vós, Senhor, as haveis de pagar, porque me há de dar vossa mesma graça as razões com que vos hei de arguir, a eficácia com que vos hei de apertar e todas as armas com que vos hei de render. E se para isto não bastam os merecimentos da causa, suprirão os da Virgem Santíssima, em cuja ajuda principalmente confio. Ave Maria.

II

Exurge! Quare obdormis, Domine? Querer argumentar com Deus e convencê-lo com razões, não só dificultoso assunto parece, mas empresa declaradamente impossível, sobre arrojada temeridade. *O homo, tu quis es, qui respondeas Deo? Nunquid dicit figmentum ei qui se finxit: Quid me fecisti sic?*[10] "Homem atrevido", diz S. Paulo, "homem temerário, quem és tu, para que te ponhas a altercar com Deus? Porventura o barro que está na roda e entre as mãos do oficial, põe-se às razões com ele e diz-lhe: por que me fazes assim?" Pois se tu és barro, homem mortal, se te formaram as mãos de Deus da matéria vil na terra, como dizes ao mesmo Deus: *Quare? Quare?* Como te atreves a argumentar com a sabedoria divina, como pedes razão à sua providência do que te faz ou deixa de fazer? *Quare obdormis? Quare faciem tuam avertis?* Venera suas permissões, reverencia e adora seus ocultos juízos, encolhe os ombros com humildade a seus decretos soberanos, e farás o que te ensina a fé e o que deves à criatura. Assim o fazemos, assim o confessamos, assim o protestamos diante de vossa majestade infinita, imenso Deus, incompreensível bondade: *Justus es, Domine, et rectum judicium tuum.*[11] Por mais que nós não saibamos entender vossas obras, por mais que não possamos alcançar vossos

---

[10] *Rom.*, IX, 20.
[11] *Salmos*, CXVIII, 137.

conselhos, sempre sois justo, sempre sois santo, sempre sois infinita bondade; e ainda nos maiores rigores de vossa justiça, nunca chegais com a severidade do castigo aonde nossas culpas merecem.

Se as razões e argumentos da nossa causa as houvéramos de fundar em merecimentos próprios, temeridade fora grande, antes impiedade manifesta, querer-vos arguir. Mas nós, Senhor, como protestava o vosso profeta Daniel: *Neque enim in justificationibus nostris, prosternimus preces ante faciem tuam, sed in miserationibus tuis multis*:[12] os requerimentos, e razões deles, que humildemente presentamos ante vosso divino conspecto, as apelações ou embargos que interpomos à execução e continuação dos castigos que padecemos, de nenhum modo os fundamos na presunção de nossa justiça, mas todos na multidão de vossas misericórdias: *In miserationibus tuis multis*. Argumentamos, sim, mas de vós para vós; apelamos, mas de Deus para Deus — de Deus justo, para Deus misericordioso. E como do peito, Senhor, vos hão de sair todas as setas, mal poderão ofender vossa bondade. Mas porque a dor quando é grande sempre arrasta o afeto, e o acerto das palavras é descrédito da mesma dor, para que o justo sentimento dos males presentes não passe os limites sagrados de quem fala diante de Deus e com Deus, em tudo o que me atrever a dizer seguirei as pisadas sólidas dos que em semelhantes ocasiões, guiados por vosso mesmo espírito, oraram e exoraram vossa piedade.

Quando o povo de Israel no deserto cometeu aquele gravíssimo pecado de idolatria, adorando o ouro das suas joias na imagem bruta de um bezerro, revelou Deus o caso a Moisés, que com ele estava, e acrescentou irado e resoluto, que daquela vez havia de acabar para sempre com uma gente tão ingrata, e que a todos havia de assolar e consumir, sem que ficasse rasto de tal geração: *Dimitte me, ut irascitur furor meus contra eos et deleam eos*.[13] Não lhe sofreu, porém, o coração ao bom Moisés ouvir falar em destruição e assolação do seu povo; põe-se em campo, opõe-se à ira divina e começa a arrazoar assim: *Cur, Domine, irascitur furor tuus contra populum tuum?*[14] "E bem, Senhor, por que razão se indigna tanto a vossa ira contra o vosso povo?" Por que razão, Moisés?! E ainda vós quereis mais justificada razão a Deus?! Acaba de vos dizer que está o povo idolatrando; que está adorando um animal bruto; que está negando a divindade ao

---

[12] *Daniel, IX, 18.*
[13] *Êxodo, XXXII, 10.*
[14] *Ibidem, 11.*

mesmo Deus e dando-a a uma estátua muda, que acabaram de fazer suas mãos, e atribuindo-lhe a ela a liberdade e triunfo com que os livrou do cativeiro do Egito, e sobre tudo isso ainda perguntais a Deus por que razão se agasta: *Cur irascitur furor tuus?!*

— Sim, e com muito prudente zelo; porque ainda que da parte do povo havia muito grandes razões de ser castigado, da parte de Deus era maior a razão que havia de o não castigar: *Ne quaeso* — dá razão Moisés — *ne quaeso dicant Aegyptii: Callide eduxit eos, ut interficeret in montibus et deleret e terra.*[15] Olhai, Senhor, que porão mácula os egípcios em vosso ser, e, quando menos, em vossa verdade e bondade. Dirão que, cautelosamente e à falsa fé, nos trouxestes a este deserto, para aqui nos tirardes a vida a todos e nos sepultardes. E com esta opinião divulgada e assentada entre eles, qual será o abatimento de vosso santo nome, que tão respeitado e exaltado deixastes no mesmo Egito, com tantas e tão prodigiosas maravilhas do vosso poder? Convém logo, para conservar o crédito, dissimular o castigo e não dar com ele ocasião àqueles gentios e aos outros, em cujas terras estamos, ao que dirão: *Ne quaeso dicant*.

Desta maneira arrazoou Moisés em favor do povo; e ficou tão convencido Deus da força deste argumento que no mesmo ponto revogou a sentença, e, conforme o texto hebreu, não só se arrependeu da execução, senão ainda do pensamento: *Et poenituit Dominum mali, quod cogitaverat facere populo suo.*[16] E arrependeu-se o Senhor do pensamento e da imaginação que tivera de castigar o seu povo.

Muita razão tenho eu logo, Deus meu, de esperar que haveis de sair deste sermão arrependido, pois sois o mesmo que éreis, e não menos amigo agora, que nos tempos passados, de vosso nome: *Propter nomen tuum*. Moisés disse-vos: *Ne quaeso dicant:* "Olhai, Senhor, que dirão". E eu digo e devo dizer: Olhai, Senhor, que já dizem. Já dizem os hereges insolentes com os sucessos prósperos, que vós lhes dais ou permitis: já dizem que porque a sua, que eles chamam religião, é a verdadeira, por isso Deus os ajuda e vencem; e porque a nossa é errada e falsa, por isso nos desfavorece e somos vencidos. Assim o dizem, assim o pregam, e ainda mal, porque não faltará quem os creia.

Pois é possível, Senhor, que hão de ser vossas permissões argu-

---

[15] *Ibidem, 12.*
[16] *Ibidem, 14.*

mentos contra vossa fé? E possível que se hão de ocasionar de nossos castigos blasfêmias contra vosso nome?! Que diga o herege (o que treme de o pronunciar a língua), que diga o herege, que Deus está holandês?! Oh, não permitais tal, Deus meu, não permitais tal, por quem sois! Não o digo por nós, que pouco ia em que nos castigásseis; não o digo pelo Brasil, que pouco ia em que o destruísseis; por vós o digo e pela honra de vosso santíssimo nome, que tão imprudentemente se vê blasfemado: *Propter nomen tuum*. Já que o pérfido calvinista dos sucessos que só lhe merecem nossos pecados faz argumento da religião, e se jacta insolente e blasfemo de ser a sua verdadeira, veja ele na roda dessa mesma fortuna, que o desvanece, de que parte está a verdade. Os ventos e tempestades, que descompõem e derrotam as nossas armadas, derrotem e desbaratem as suas; as doenças e pestes, que diminuem e enfraquecem os nossos exércitos, escalem as suas muralhas e despovoem os seus presídios, os conselhos que, quando vós quereis castigar, se corrompem, em nós sejam alumiados e neles enfatuados e confusos. Mude a vitória as insígnias, desafrontem-se as cruzes católicas, triunfem as vossas chagas nas nossas bandeiras, e conheça humilhada e desenganada a perfídia, que só a fé romana, que professamos, é fé, e só ela a verdadeira e a vossa.

Mas ainda há mais quem diga: *Ne quaeso dicant Aegyptii*: Olhai, Senhor, que vivemos entre gentios, uns que o são, outros que o foram ontem; e estes que dirão? Que dirá o tapuia bárbaro sem conhecimento de Deus? Que dirá o índio inconstante, a quem falta a pia afeição da nossa fé? Que dirá o etíope boçal, que apenas foi molhado com a água do batismo sem mais doutrina? Não há dúvida que todos estes, como não têm capacidade para sondar o profundo de vossos juízos, beberão o erro pelos olhos. Dirão, pelos efeitos que veem, que a nossa fé é falsa, e a dos holandeses a verdadeira, e crerão que são mais cristãos sendo como eles. A seita do herege torpe e brutal concorda mais com a brutalidade do bárbaro; a largueza e soltura da vida, que foi a origem e é o fomento da heresia, casa-se mais com os costumes depravados e corrupção do gentilismo; e que pagão haverá que se converta à fé que lhe pregamos, ou que novo cristão já convertido, que se não perverta, entendendo e persuadindo-se uns e outros que no herege é premiada a sua lei, e no católico se castiga a nossa? Pois se estes são os efeitos, posto que não pretendidos, de vosso rigor e castigo, justamente começado em nós, se ateia e passa com tanto dano aos que não são cúmplices das nossas culpas: *Cur irascitur furor tuus?* Por que continua sem estes reparos o que vós mesmos chamastes furor? E por que não acabais já de embainhar a espada de vossa ira?

Se tão gravemente ofendido do povo hebreu, por um, que dirão dos egípcios lhe perdoastes; o que dizem os hereges, e o que dirão os gentios, não será bastante motivo para que vossa rigorosa mão suspenda o castigo e perdoe também os nossos pecados, pois, ainda que grandes, são menores? Os hebreus adoraram o ídolo, faltaram à fé, deixaram o culto do verdadeiro Deus, chamaram deus e deuses a um bezerro: e nós, por mercê de vossa bondade infinita, tão longe estamos e estivemos sempre de menor defeito ou escrúpulo nesta parte que muitos deixaram a pátria, a casa, a fazenda, e ainda a mulher e os filhos, e passam em suma miséria desterrados, só por não viver nem comunicar com homens que se separaram da vossa Igreja. Pois, Senhor meu e Deus meu, se por vosso amor e por vossa fé, ainda sem perigo de a perder ou arriscar, fazem tais finezas os portugueses: *Quare obliviscaris inopiae nostrae? Et tribulationis nostrae?* Por que vos esqueceis de tão religiosas misérias, de tão católicas tribulações? Como é possível que se ponha vossa majestade irada contra estes fidelíssimos servos, e favoreça a parte dos infiéis, dos excomungados, dos ímpios?

Oh, como nos podemos queixar neste passo, como se queixava lastimado Jó, quando, despojado dos sabeus e caldeus, se viu, como nós nos vemos, no extremo da opressão e miséria: *Nunquid bonum tibi videtur, si calumnieris me et opprimas me opus manuum tuarun et consilium impiorum adjuves?*[17] Parece-vos bem, Senhor, parece-vos bem isto? Que a mim, que sou vosso servo, me oprimais e aflijais, e aos ímpios, aos inimigos vossos os favoreçais e ajudeis? Parece-vos bem que sejam eles os prosperados e assistidos de vossa providência, e nós, os deixados de vossa mão; nós, os esquecidos de vossa memória, nós, o exemplo de vossos rigores, nós, o despojo de vossa ira? Tão pouco é desterrar-nos por vós e deixar tudo? Tão pouco é padecer trabalhos, pobrezas e os desprezos que elas trazem consigo, por vosso amor? Já a fé não tem merecimento? Já a piedade não tem valor? Já a perseverança não vos agrada? Pois se há tanta diferença entre nós, ainda que maus, e aqueles pérfidos por que os ajudais a eles e nos desfavoreceis a nós? *Nunquid bonum tibi videtur:* "A vós, que sois a mesma bondade, parece-vos bem isto?".

---

[17] *Jó, X, 3.*

III

Considerai, Deus meu — e perdoai-me, se falo inconsideradamente —, considerai a quem tirais as terras do Brasil e a quem as dais. Tirais estas terras aos portugueses a quem nos princípios as destes; e bastava dizer a quem as dais, para perigar o crédito de vosso nome, que não podem dar nome de liberal mercê com arrependimento. Para que nos disse S. Paulo, que vós, Senhor, "quando dais, não vos arrependeis": *Sine paenitentia enim sunt dona Dei?*[18] Mas deixado isto à parte: tirais estas terras àqueles mesmos portugueses a quem escolhestes entre todas as nações do mundo para conquistadores da vossa fé, e a quem destes por armas como insígnia e divisa singular vossas próprias chagas. E será bem, Supremo Senhor e Governador do universo, que às sagradas quinas de Portugal e às armas e chagas de Cristo, sucedam as heréticas listas de Holanda, rebeldes a seu rei e a Deus? Será bem que estas se vejam tremular ao vento vitoriosas, e aquelas abatidas, arrastadas e ignominiosamente rendidas? *Et quid facies magno nomini tuo?*[19] E que fareis (como dizia Josué) ou que será feito de vosso glorioso nome em casos de tanta afronta?

Tirais também o Brasil aos portugueses, que assim estas terras vastíssimas, como as remotíssimas do Oriente, as conquistaram à custa de tantas vidas e tanto sangue, mais por dilatar vosso nome e vossa fé (que esse era o zelo daqueles cristianíssimos reis) que por amplificar e estender seu império. Assim fostes servido que entrássemos nestes novos mundos, tão honrada e tão gloriosamente, e assim permitis que saiamos agora (quem tal imaginaria de vossa bondade!), com tanta afronta e ignomínia! Oh, como receio que não falte quem diga o que diziam os egípcios: *Callide eduxit eos, ut interficeret et deleret e terra.*[20] Que a larga mão com que nos destes tantos domínios e reinos não foram mercês de vossa liberalidade, senão cautela e dissimulação de vossa ira, para aqui fora e longe de nossa pátria nos matardes, nos destruirdes, nos acabardes de todo. Se esta havia de ser a paga e o fruto de nossos trabalhos, para que foi o trabalhar, para que foi o servir, para que foi o derramar tanto e tão ilustre sangue nestas conquistas? Para que abrimos os mares nunca dantes navegados? Para que descobrimos as regiões e os climas não conhecidos? Para que contrastamos os ventos e as tempestades com

---

[18] *Romanos, XI, 29.*
[19] *Josué, VII, 9.*
[20] *Êxodo, XXXII, 12.*

tanto arrojo, que apenas há baixio no oceano, que não esteja infamado com miserabilíssimos naufrágios de portugueses? E depois de tantos perigos, depois de tantas desgraças, depois de tantas e tão lastimosas mortes, ou nas praias desertas sem sepultura, ou sepultados nas entranhas dos alarves, das feras, dos peixes, que as terras que assim ganhamos, as hajamos de perder assim? Oh, quanto melhor nos fora nunca conseguir nem intentar tais empresas!

Mais santo que nós era Josué, menos apurada tinha a paciência, e, contudo, em ocasião semelhante, não falou (falando convosco) por diferente linguagem. Depois de os filhos de Israel passarem às terras ultramarinas do Jordão, como nós a estas, avançou parte do exército a dar assalto à cidade de Hai, a qual nos ecos do nome já parece que trazia o prognóstico do infeliz sucesso que os israelitas nela tiveram; porque foram rotos e desbaratados, posto que com menos mortos e feridos, do que nós por cá costumamos. E que faria Josué à vista desta desgraça? Rasga as vestiduras imperiais, lança-se por terra, começa a clamar ao céu: *Heu! Domine Deus, quid voluisti traducere populum istum Jordanem fluvium, ut traderes nos in manus Amorrhaei?*[21] "Deus meu e Senhor meu, que é isto? Para que nos mandastes passar o Jordão e nos metestes de posse destas terras, se aqui nos haveis de entregar nas mãos dos amorreus e perder-nos?" *Utinam mansissemus trans Jordanem!* "Oh, nunca nós passáramos tal rio!"

Assim se queixava Josué a Deus, e assim nos podemos nós queixar, e com muito maior razão que ele. Se este havia de ser o fim de nossas navegações, se estas fortunas nos esperavam nas terras conquistadas: "Oh, nunca nós passáramos tal rio!" *Utinam mansissemus trans Jordanem!* Prouvera a vossa Divina Majestade que nunca saíramos de Portugal, nem fiáramos nossas vidas às ondas e aos ventos, nem conhecêramos ou puséramos os pés em terras estranhas! Ganhá-las para as não lograr, desgraça foi e não ventura; possuí-las para as perder, castigo foi de vossa ira, Senhor, e não mercê nem favor de vossa liberalidade. Se determináveis dar estas mesmas terras aos piratas de Holanda, por que lhas não destes enquanto eram agrestes e incultas, senão agora? Tantos serviços vos tem feito esta gente pervertida e apóstata, que nos mandastes primeiro cá por seus aposentadores; para lhe lavrarmos as terras, para lhe edificarmos as cidades, e depois de cultivadas e enriquecidas lhas entregardes? Assim se hão de lograr os hereges e inimigos da fé, dos trabalhos

---

[21] *Josué, VII, 7.*

portugueses e dos suores católicos? *En queis consevimus agros!* "Eis aqui para quem trabalhamos há tantos anos!"

Mas pois vós, Senhor, o quereis e ordenais assim, fazei o que fordes servido. Entregai aos holandeses o Brasil, entregai-lhes as Índias, entregai-lhes as Espanhas (que não são menos perigosas as consequências do Brasil perdido); entregai-lhes quanto temos e possuímos (como já lhes entregastes tanta parte); ponde em suas mãos o mundo; e a nós, aos portugueses e espanhóis, deixai-nos, repudiai-nos, desfazei-nos, acabai-nos. Mas só digo e lembro a Vossa Majestade, Senhor, que estes mesmos que agora desfavoreceis e lançais de vós, pode ser que os queirais algum dia, e que os não tenhais.

Não me atrevera a falar assim, se não tirara as palavras da boca de Jó, que como tão lastimado, não é muito entre muitas vezes nesta tragédia. Queixava-se o exemplo da paciência a Deus (que nos quer Deus sofridos, mas não insensíveis), queixava-se do tesão de suas penas demandando e altercando, por que se lhe não havia de remitir e afrouxar um pouco o rigor delas; e como a todas as réplicas e instâncias o Senhor se mostrasse inexorável, quando já não teve mais que dizer, concluiu assim: *Ecce nunc in pulvere dormiam, et si mane me quaesieris, non subsistam.*[22] Já que não quereis, Senhor, desistir ou moderar o tormento, já que não quereis senão continuar o rigor e chegar com ele ao cabo, seja muito embora; matai-me, consumi-me, enterrai-me: *Ecce nunc in pulvere dormiam*; mas só vos digo e vos lembro uma coisa: que "se me buscardes amanhã, que me não haveis de achar": *Et si mane me quaesieris, non subsistam.* Tereis aos sabeus, tereis aos caldeus, que sejam o roubo e o açoite de vossa casa; mas não achareis a um Jó que a sirva, não achareis a um Jó que a venere, não achareis a um Jó, que ainda com suas chagas a não desautorize. O mesmo digo eu, senhor, que não é muito rompa nos mesmos afetos, quem se vê no mesmo estado. Abrasai, destruí, consumi-nos a todos; mas pode ser que algum dia queirais espanhóis e portugueses, e que os não acheis. Holanda vos dará os apostólicos conquistadores, que levem pelo mundo os estandartes da cruz; Holanda vos dará os pregadores evangélicos, que semeiem nas terras dos bárbaros a doutrina católica e a reguem com o próprio sangue; Holanda defenderá a verdade de vossos Sacramentos e a autoridade da Igreja Romana; Holanda edificará templos, Holanda levantará

---

[22] *Jó, VII, 21.*

altares, Holanda consagrará sacerdotes e oferecerá o sacrifício de vosso Santíssimo Corpo; Holanda, enfim, vos servirá e venerará tão religiosamente, como em Amsterdã, Meldeburgo e Flisinga e em todas as outras colônias daquele frio e alagado inferno se está fazendo todos os dias.

IV

Bem vejo que me podeis dizer, Senhor, que a propagação de vossa fé e as obras de vossa glória não dependem de nós, nem de ninguém, e que sois poderoso, quando faltem homens, para fazer das pedras filhos de Abraão. Mas também a vossa sabedoria e a experiência de todos os séculos nos têm ensinado que depois de Adão não criastes homens de novo, que vos servis dos que tendes neste mundo e que nunca admitis os menos bons, senão em falta dos melhores. Assim o fizestes na parábola do banquete. Mandastes chamar os convidados que tínheis escolhido, e porque eles se escusaram e não quiseram vir, então admitistes os cegos e mancos, e os introduzistes em seu lugar: *Caecos et claudos introduc huc*.[23] E se esta é, Deus meu, a regular disposição de vossa providência divina, como a vemos agora tão trocada em nós e tão diferente conosco? Quais foram estes convidados e quais são estes cegos e mancos? Os convidados fomos nós, a quem primeiro chamastes para estas terras, e nelas nos pusestes a mesa, tão franca e abundante, como de vossa grandeza se podia esperar. Os cegos e mancos são os luteranos e calvinistas, cegos sem fé e mancos sem obras, na reprovação das quais consiste o principal erro da sua heresia. Pois se nós, que fomos os convidados, não nos escusamos nem duvidamos de vir, antes rompemos por muitos inconvenientes em que pudéramos duvidar; se viemos e nos assentamos à mesa, como nos excluís agora e lançais fora dela e introduzis violentamente os cegos e mancos, e dais os nossos lugares ao herege? Quando em tudo o mais foram eles tão bons como nós, ou nós tão maus como eles, por que nos não há de valer pelo menos o privilégio e prerrogativa da fé? Em tudo parece, Senhor, que trocais os estilos de vossa providência e mudais as leis de vossa justiça conosco.

Aquelas dez virgens do vosso evangelho, todas se renderam ao

---

[23] *Lucas, XVI, 21*.

sono, todas adormeceram, todas foram iguais no mesmo descuido: *Dormitaverunt omnes et dormierunt*.[24] E, contudo, a cinco delas passou-lhes o esposo por este defeito, e só porque conservaram as alâmpadas acesas, mereceram entrar às bodas, de que as outras foram excluídas. Se assim é, Senhor meu, se assim o julgastes então (que vós sois aquele Esposo Divino), por que não nos vale a nós também conservar as alâmpadas da fé acesas, que no herege estão tão apagadas e tão mortas? É possível que haveis de abrir as portas a quem traz as alâmpadas apagadas, e as haveis de fechar a quem as tem acesas? Reparai, Senhor, que não é autoridade do vosso divino tribunal que saíam dele no mesmo caso duas sentenças tão encontradas. Se às que deixaram apagar as alâmpadas se disse: *Nescio vos*;[25] se para elas se fecharam as portas: *Clausa est janua*;[26] quem merece ouvir de vossa boca um *Nescio vos* tremendo, senão o herege, que vos não conhece? E a quem deveis dar com a porta nos olhos, senão ao herege, que os tem tão cegos? Mas eu vejo que nem esta cegueira nem este desconhecimento, tão merecedores de vosso rigor, lhe retarda o progresso de suas fortunas, antes a passo largo se vêm chegando a nós suas armas vitoriosas, e cedo nos baterão às portas desta vossa cidade...

Desta vossa cidade disse; mas não sei se o nome do Salvador, com que a honrastes, a salvará e defenderá, como já outra vez não defendeu; nem sei se estas nossas deprecações, posto que tão repetidas e continuadas, acharão acesso a vosso conspecto divino, pois há tantos anos que está bradando ao céu a nossa justa dor, sem a vossa clemência dar ouvidos a nossos clamores.

Se acaso for assim (o que vós não permitais), e está determinado em vosso secreto juízo que entrem os hereges na Bahia, o que só vos represento humildemente e muito deveras é que antes da execução da sentença repareis bem, Senhor, no que vos pode suceder depois, e que o consulteis com vosso coração enquanto é tempo; porque melhor será arrepender agora, que quando o mal passado não tenha remédio. Bem estais na intenção e alusão com que digo isto, e na razão, fundada em vós mesmo, que tenho para o dizer. Também antes do dilúvio estáveis vós mui colérico e irado contra os homens, e por mais que Noé orava em todos aqueles cem anos, nunca houve remédio

---

[24] *Mateus, XXV, 5*.
[25] *Ibidem, 12*.
[26] *Ibidem, 10*.

para que se aplacasse vossa ira. Romperam-se, enfim, as cataratas do céu, cresceu o mar até os cumes dos montes, alagou-se o mundo todo: já estaria satisfeita a vossa justiça. Senão quando, ao terceiro dia, começaram a boiar os corpos mortos, e a surgir e aparecer em multidão infinita aquelas figuras pálidas, e então se representou sobre as ondas a mais triste e funesta tragédia que nunca viram os anjos, que homens que a vissem não os havia. Vistes vós também (como se o vísseis de novo) aquele lastimosíssimo espetáculo, e posto que não chorastes, porque ainda não tínheis olhos capazes de lágrimas, enterneceram-se, porém, as entranhas de vossa Divindade, "com tão intrínseca dor": *Tactus dolore cordis intrinsecus*[27] que, do modo que em vós cabe arrependimento, vos arrependestes do que tínheis feito ao mundo; e foi tão inteira a vossa contrição, que não só tivestes pesar do passado, senão propósito firme de nunca mais o fazer: *Nequanquam ultra maledicam terrae propter homines*.[28]

Este sois, Senhor, este sois; e pois sois este, não vos tomeis com vosso coração. Para que é fazer agora valentias contra ele, se o seu sentimento, e o vosso as há de pagar depois? Já que as execuções de vossa justiça custam arrependimento à vossa bondade, vede o que fazeis antes que o façais, não vos aconteça outra. E para que o vejais com cores humanas, que já vos não são estranhas, dai-me licença que eu vos represente primeiro ao vivo as lástimas e misérias deste futuro dilúvio, e se esta representação vos não enternecer e tiverdes entranhas para o ver sem grande dor, executai-o embora.

Finjamos, pois (o que até fingido e imaginado faz horror); finjamos que vem a Bahia e o resto do Brasil à mãos dos holandeses; que é o que há de suceder em tal caso? — Entrarão por esta cidade com fúria de vencedores e de hereges; não perdoarão a estado, a sexo nem a idade; com os fios dos mesmos alfanjes medirão a todos; chorarão as mulheres, vendo que se não guarda decoro à sua modéstia; chorarão os velhos, vendo que se não guarda respeito a suas cãs; chorarão os nobres, vendo que se não guarda cortesia à sua qualidade; chorarão os religiosos e veneráveis sacerdotes, vendo que até as coroas sagradas os não defendem; chorarão finalmente todos, e entre todos mais lastimosamente os inocentes, porque nem a esses perdoará (como em outras ocasiões não perdoou) a desumanidade herética. Sei eu, Senhor, que só por amor dos inocentes dissestes vós alguma hora,

---

[27] *Gênesis, VI, 6.*
[28] *Ibidem, VIII, 21.*

que não era bem castigar a Nínive. Mas não sei que tempos, nem que desgraça é esta nossa, que até a mesma inocência vos não abranda. Pois também a vós, Senhor, vos há de alcançar parte do castigo (que é o que mais sente a piedade cristã), também a vós há de chegar.

Entrarão os hereges nesta igreja e nas outras; arrebatarão essa custódia, em que agora estais adorado dos anjos; tomarão os cálices e vasos sagrados, e aplicá-los-ão a suas nefandas embriaguezes; derrubarão dos altares os vultos e estátuas dos santos, deformá-las-ão a cutiladas e metê-las-ão no fogo; e não perdoarão as mãos furiosas e sacrílegas nem às imagens tremendas de Cristo crucificado, nem às da Virgem Maria.

Não me admiro tanto, Senhor, de que hajais de consentir semelhantes agravos e afrontas nas vossas imagens, pois já as permitistes em vosso sacratíssimo corpo; mas nas da Virgem Maria, nas de vossa Santíssima Mãe, não sei como isto pode estar com a piedade e amor de Filho. No Monte Calvário esteve esta Senhora sempre ao pé da cruz, e com serem aqueles algozes tão descorteses e cruéis, nenhum se atreveu a lhe tocar nem a lhe perder o respeito. Assim foi e assim havia de ser, porque assim o tínheis vós prometido pelo Profeta: *Flagellum non appropinquabit tabernaculo tuo*. Pois, Filho da Virgem Maria, se tanto cuidado tiveste então do respeito e decoro de vossa Mãe, como consentis agora que se lhe façam tantos desacatos? Nem me digais, Senhor, que lá era a pessoa, cá a imagem. Imagem somente da mesma Virgem era a Arca do Testamento, e só porque Oza a quis tocar, lhe tirastes a vida. Pois se então havia tanto rigor para quem ofendia a imagem de Maria, por que o não há também agora? Bastava então qualquer dos outros desacatos às coisas sagradas, para uma severíssima demonstração vossa, ainda milagrosa. Se a Jeroboão, por que levantou a mão para um Profeta, se lhe secou logo o braço milagrosamente, como aos hereges, depois de se atreverem a afrontar vossos santos, lhes ficam ainda braços para outros delitos? Se a Baltasar, por beber pelos vasos do templo, em que não se consagrava vosso sangue, o privastes da vida e do reino, por que vivem os hereges, que convertem vossos cálices a usos profanos? Já não há três dedos que escrevam sentença de morte contra sacrílegos?

Enfim, Senhor, despojados assim os templos e derrubados os altares, acabar-se-á no Brasil a cristandade católica; acabar-se-á o culto divino; nascerá erva nas igrejas como nos campos; não haverá quem entre nelas. Passará um dia de Natal, e não haverá memória de vosso nascimento; passará a Quaresma e a Semana Santa, e não se celebrarão os mistérios de vossa Paixão. Chorarão as pedras das ruas, como diz Jeremias que choravam as de Jerusalém destruída: *Viae Sion lugent, eo quod non sint qui veniant ad solemnitatem.* Ver--se-ão ermas e solitárias, e que as não pisa a devoção dos fiéis, como costumava em semelhantes dias. Não haverá missas, nem altares, nem sacerdotes que as digam; morrerão os católicos sem confissão nem sacramentos; pregar-se-ão heresias nestes mesmos púlpitos, e em lugar de São Jerônimo e Santo Agostinho, ouvir-se-ão e alegar-se-ão neles os infames nomes de Calvino e Lutero; beberão a falsa doutrina os inocentes que ficarem, relíquias dos portugueses; e chegaremos a estado que, se perguntarem aos filhos e netos dos que aqui estão: Menino, de que seita sois? Um responderá: Eu sou calvinista; outro: Eu sou luterano.

Pois isto se há de sofrer, Deus meu? Quando quisestes entregar vossas ovelhas a São Pedro, examinaste-lo três vezes se vos amava: *Diligis me, diligis me, diligis me?*[29] E agora as entregais desta maneira, não a pastores, senão aos lobos? Sois o mesmo, ou sois outro? Aos hereges o vosso rebanho? Aos hereges as almas? Como tenho dito, e nomeei almas, não vos quero dizer mais. Já sei, Senhor, que vos haveis de enternecer e arrepender, e que não haveis de ter coração para ver tais lástimas e tais estragos. E se assim é (que assim o estão prometendo vossas entranhas piedosíssimas), se é que há de haver dor, se é que há de haver arrependimento depois, cessem as iras, cessem as execuções agora, que não é justo vos contente antes o de que vos há de pesar em algum tempo.

Muito honrastes, Senhor, ao homem na criação do mundo, formando-o com vossas próprias mãos, informando-o e animando-o com vosso próprio alento e imprimindo nele o caráter de vossa imagem e semelhança. Mas parece que logo desde aquele mesmo dia vos não contentastes dele, porque de todas as outras coisas que criastes, diz a Escritura que vos pareceram bem: *Vidit Deus quod esset bonum;*[30] e só do homem o não diz. Na admiração desta misteriosa reticência andou desde então suspenso e vacilando o juízo humano, não podendo penetrar qual fosse a causa por que, agradando-vos com tão pública demonstração todas as vossas obras, só do homem, que era a mais perfeita de todas, não mostrásseis agrado. Finalmente, passados mais de mil e setecentos anos, a mesma Escritura, que tinha calado aquele

---

[29] *Jó, XXI, 15.*
[30] *Gênesis, I, 10.*

mistério, nos declarou que vós estáveis arrependido de ter criado o homem: *Paenituit eum quod hominem fecisset in terra*,[31] e que vós mesmo dissestes que vos pesava: *Paenitet me fecisse eos*;[32] e então ficou patente e manifesto a todos o segredo que tantos tempos tínheis ocultado. E vós, Senhor, dizeis que vos pesa e que estais arrependido de ter criado o homem; pois essa é a causa por que logo desde o princípio de sua criação, vos não agradastes dele, nem quisestes que se dissesse que vos parecera bem, julgando, como era razão, por coisa muito alheia de vossa sabedoria e providência, que em nenhum tempo vos agradasse nem parecesse bem aquilo de que depois vos havíeis de arrepender e ter pesar de ter feito: *Paenitet me fecisse*.

Sendo, pois, esta a condição verdadeiramente divina e a altíssima razão de estado de vossa providência — não haver jamais agrado do que há de haver arrependimento —; e sendo também certo nas piedosíssimas entranhas de vossa misericórdia, que se permitirdes agora as lástimas, as misérias, os estragos que tenho representado, é força que vos há de pesar depois e vos haveis de arrepender, arrependei-vos, misericordioso Deus, enquanto estamos em tempo, ponde em nós os olhos de vossa piedade, ide à mão à vossa irritada justiça, quebre vosso amor as setas de vossa ira, e não permitais tantos danos, e tão irreparáveis. Isto é o que vos pedem, tantas vezes prostradas diante de vosso divino acatamento, estas almas tão fielmente católicas, em nome seu e de todas as deste Estado. E não vos fazem esta humilde deprecação pelas perdas temporais, de que cedem, e as podeis executar neles por outras vias; mas pela perda espiritual eterna de tantas almas, pelas injúrias de vossos templos e altares, pela exterminação do sacrossanto sacrifício de vosso corpo e sangue, e pela ausência insofrível, pela ausência e saudades desse Santíssimo Sacramento, que não sabemos quanto tempo teremos presente.

V

Chegado a este ponto, de que não sei nem se pode passar, parece-me que nos está dizendo vossa divina e humana bondade, Senhor, que o fizéreis assim facilmente, e vos deixaríeis persuadir,

---

[31] *Ibidem*, 6.
[32] *Ibidem*, 7.

e convencer destas nossas razões, senão que está clamando por outra parte vossa divina justiça; e como sois igualmente justo e misericordioso, que não podeis deixar de castigar, sendo os pecados do Brasil tantos e tão grandes. Confesso, Deus meu, que assim é, e todos confessamos que somos grandíssimos pecadores. Mas tão longe estou de me aquietar com esta resposta que antes esses mesmos pecados muitos e grandes são um novo e poderoso motivo dado por vós mesmo para mais convencer vossa bondade.

A maior força dos meus argumentos não consistiu em outro fundamento até agora que no crédito, na honra e na glória de vosso santíssimo nome: *Propter nomen tuum*. E que motivo posso eu oferecer mais glorioso ao mesmo nome, que serem muitos e grandes os nossos pecados? *Propter nomen tuum, Domine, propitiaberis peccato meo: multum est enim*:[33] "Por amor de vosso nome, Senhor, estou certo", dizia Davi, "que me haveis de perdoar meus pecados, porque não são quaisquer pecados, senão muitos e grandes". *Multum est enim*. Oh, motivo digno só do peito de Deus! Oh, consequência que só na suma bondade pode ser forçosa! De maneira que, para lhe serem perdoados seus pecados, alegou um pecador a Deus que são muitos e grandes. Sim, e não por amor do pecador, nem por amor dos pecados, senão por amor da honra e glória do mesmo Deus, a qual quanto mais e maiores são os pecados que perdoa, tanto maior é e mais engrandece e exalta o seu santíssimo nome: *Propter nomen tuum, Domine, propitiaberis peccato meo: multum est enim*. O mesmo Davi distingue na misericórdia de Deus grandeza e multidão. A grandeza: *Secundum magnam misericordiam tuam*; a multidão: *Et secundum multitudinem miserationum tuarum*.[34] E como a grandeza da misericórdia divina é imensa e a multidão de suas misericórdias infinita; e o imenso não se pode medir, nem o infinito contar; para que uma e outra, de algum modo, tenha proporcionada matéria de glória, importa à mesma grandeza da misericórdia que os pecados sejam grandes e à mesma multidão das misericórdias, que sejam muitos: *Multum est enim*. Razão tenho eu logo, Senhor, de me não render à razão de serem muitos e grandes nossos pecados. E razão tenho também de instar em vos pedir a razão por que não desistis de

---

[33] *Salmos, XXIV, 11*.
[34] *Ibidem, L, 3*.

os castigar: *Quare obdormis? Quare faciem tuum avertis? Quare obliviscéris inopiae et tribulationis nostrae?*[35]

Esta mesma razão vos pediu Jó quando disse: *Cur non tollis peccatum meum et quare non aufers iniquitatem meam?*[36] E posto que não faltou um grande intérprete de vossas Escrituras que arguisse por vossa parte, enfim se deu por vencido e confessou que tinha razão Jó em vo-la pedir: *Criminis in loco Deo impingis, quod ejus, qui deliquit, non miseretur?* — diz S. Cirilo Alexandrino. Basta, Jó, que criminais e acusais a Deus, de que castiga vossos pecados? Nas mesmas palavras confessais que cometestes pecados e maldades; e com as mesmas palavras pedis razão a Deus por que as castiga? Isto é dar a razão, e mais pedi-la. Os pecados e maldades, que não ocultais, são a razão do castigo: pois se dais a razão, por que a pedis? Porque ainda que Deus, para castigar os pecados, tem a razão de sua justiça, para os perdoar e desistir do castigo tem outra razão maior, que é a da sua glória: *Qui enim misereri consuevit, et non vulgarem in eo gloriam habet; ob quam causam mei non miseretur?* Pede razão Jó a Deus, e tem muita razão de a pedir (responde por ele o mesmo santo, que o arguiu), porque, se é condição de Deus usar de misericórdia, e é grande e não vulgar a glória que adquire em perdoar pecados, que razão tem, ou pode dar bastante, de os não perdoar? O mesmo Jó tinha já declarado a força deste seu argumento nas palavras antecedentes com energia para Deus muito forte: *Peccavi, quid faciam tibi?* Como se dissera: "Se eu fiz, Senhor, como homem em pecar, que razão tendes vós para não fazer, como Deus, em me perdoar?". Ainda disse e quis dizer mais: *Peccavi, quid faciam tibi?*[37] "Pequei, que mais posso fazer?" E que fizestes vós, Jó, a Deus, em pecar? — Não lhe fiz pouco; porque lhe dei ocasião a me perdoar, e perdoando-me, ganhar muita glória. Eu dever-lhe-ei a ele, como a causa, a graça que me fizer; e ele dever-me-á a mim, como ocasião, a glória que alcançar.

E se é assim, Senhor, sem licença nem encarecimento; se é assim, misericordioso Deus, que em perdoar pecados se aumenta a vossa glória, que é o fim de todas as vossas ações; não digais que nos não perdoais, porque são muitos e grandes os nossos pecados, que antes porque são muitos e grandes, deveis dar essa grande glória à grandeza

---

[35] *Ibidem, XLIII, 23.*
[36] *Jó, VII, 21.*
[37] *Ibidem, 20.*

e multidão de vossas misericórdias. Perdoando-nos e tendo piedade de nós é que haveis de ostentar a soberania de vossa majestade, e não castigando-nos, em que mais se abate vosso poder, do que se acredita. Vede-o neste último castigo, em que contra toda a esperança do mundo e do tempo fizestes que se derrotasse a nossa armada, a maior que nunca passou a Equinocial. Pudestes, Senhor, derrotá--la; e que grande glória foi de vossa onipotência poder o que pode o vento? *Contra folium, quod vento rapitur, ostendis potentiam.*[38] Desplantar uma nação, como nos ides desplantando, e plantar outra, também é poder que vós cometestes a um homenzinho de Anatote: *Ecce constitui te super gentes et super regna, ut evellas et destruas et disperdas et dissipes et aedifices et plantes.*[39] O em que se manifesta a majestade, a grandeza e a glória de vossa infinita onipotência é em perdoar e usar de misericórdia: *Qui omnipotentiam tuam, parcendo maxime, et miserando, manifestas.* Em castigar, venceis-nos a nós, que somos criaturas fracas; mas em perdoar, venceis-vos a vós mesmo, que sois todo-poderoso e infinito. Só esta vitória é digna de vós, porque só vossa misericórdia pode pelejar com armas iguais contra vossa justiça; e sendo infinito o vencido, infinita fica a glória do vencedor. Perdoai, pois, benigníssimo Senhor, por esta grande glória vossa: *Propter magnam gloriam tuam*: perdoai por esta glória imensa de vosso santíssimo nome: *Propter nomen tuum.*

E se acaso ainda reclama vossa divina justiça, por certo, não já misericordioso, senão justíssimo Deus, que também a mesma justiça se pudera dar por satisfeita com os rigores e castigos de tantos anos. Não sois vós, enquanto justo, aquele justo juiz de quem canta o vosso Profeta: *Deus Judex justus, fortis et patiens, nunquid irascitur per singulos dies?*[40] Pois se a vossa ira, ainda como de justo juiz, não é de todos os dias nem de muitos, por que se não dará por satisfeita com rigores de anos e tantos anos? Sei eu, Legislador Supremo, que nos casos de ira, posto que justificada, nos manda vossa santíssima lei que não passe de um dia, e que antes de se pôr o sol tenhamos perdoado: *Sol non occidat super iracundiam vestram.*[41] Pois se da fraqueza humana, e tão sensitiva, espera tal moderação nos agravos vossa

---

[38] *Ibidem, XIII, 25.*
[39] *Jeremias, I, 10.*
[40] *Salmos, VII, 12.*
[41] *Efésios, IV, 26.*

mesma lei, e lhe manda que perdoe e se aplaque em termo tão breve e tão preciso, vós, que sois Deus infinito e tendes um coração tão dilatado como vossa mesma imensidade, e em matéria de perdão vos propondes aos homens por exemplo, como é possível que os rigores de vossa ira se não abrandem em tantos anos, e que se ponha e torne a nascer o sol tantas e tantas vezes, vendo sempre desembainhada e correndo sangue a espada de vossa vingança? Sol de justiça cuidei eu que vos chamavam as Escrituras, porque, ainda quando mais fogoso e ardente, dentro do breve espaço de doze horas, passava o rigor de vossos raios; mas não o dirá assim este sol material que nos alumia e rodeia, pois há tantos dias e tantos anos que, passando duas vezes sobre nós de um trópico a outro, sempre vos vê irado.

Já vos não alego, Senhor, com o que dirá a terra e os homens, mas com o que dirá o céu e o mesmo sol. Quando Josué mandou parar o sol, as palavras da língua hebraica em que lhe falou foram não que parasse, senão que se calasse: *Sol tace contra Gabaon*.[42] Calar mandou ao sol o valente capitão, porque aqueles resplandores amortecidos com que se ia sepultar no ocaso eram umas línguas mudas com que o mesmo sol o murmurava de demasiadamente vingativo; eram umas vozes altíssimas, com que desde o céu lhe lembrava a lei de Deus, e lhe pregava que não podia continuar a vingança, pois ele se ia meter no Ocidente: *Sol non occidat super iracundiam vestram*. E se Deus, como autor da mesma lei, ordenou que o sol parasse, e aquele dia (o maior que viu o mundo) excedesse os termos da natureza por muitas horas e fosse o maior, foi para que, concordando a justa lei com a justa vingança, nem por uma parte se deixasse de executar o rigor do castigo, nem por outra se dispensasse no rigor do preceito. Castigue--se o gabaonita, pois é justo castigá-lo; mas esteja o sol parado até que se acabe o castigo, para que a ira, posto que justa, do vencedor, não passe os limites de um dia.

Pois se este é, Senhor, o termo prescrito de vossa lei; se fazeis milagres e tais milagres para que ela se conserve inteira, e se Josué manda calar e emudecer o sol, porque se não queixe e dê vozes contra a continuação de sua ira, que quereis que diga o mesmo sol, não parado nem emudecido? Que quereis que diga a lua e as estrelas, já cansadas de ver nossas misérias? Que quereis que digam todos esses

---

[42] *Josué, X, 12*.

céus criados, não para apregoar vossas justiças, senão para cantar vossas glórias: *Coeli enarrant gloriam Dei?*[43]

Finalmente, benigníssimo Jesus, verdadeiro Josué e verdadeiro sol, seja o epílogo e conclusão de todas as nossas razões o vosso mesmo nome: *Propter nomen tuum.* Se o sol estranha a Josué rigores de mais de um dia, e Josué manda calar o sol, porque lhos não estranhe; como pode estranhar vossa divina justiça que useis conosco de misericórdia, depois da execução de tantos e tão rigorosos castigos continuados, não por um dia ou muitos dias de doze horas, senão por tantos e tão compridos anos, que cedo serão doze? Se sois Jesus, que quer dizer Salvador, sede Jesus e sede Salvador nosso. Se sois sol e sol de justiça, antes que se ponha o deste dia, deponde os rigores da vossa. Deixai já o signo rigoroso de Leão, e dai um passo ao signo de Virgem, signo propício e benéfico. Recebei influências humanas, de quem recebestes a humanidade. Perdoai-nos, Senhor, pelos merecimentos da Virgem Santíssima. Perdoai-nos por seus rogos, ou perdoai-nos por seus impérios; que, se como criatura vos pede por nós o perdão, como Mãe vos pode mandar e vos manda que nos perdoeis. Perdoai-nos, enfim, para que a vosso exemplo perdoemos; e perdoai-nos também a exemplo nosso, que todos desde esta hora perdoamos a todos por vosso amor: *Dimitte nobis debita nostra, sicut et nos dimittimus debitoribus nostris. Amen.*[44]

❖

---

[43] *Salmos, XVIII, I.*
[44] *Mateus, VI, 12.*

Sermão de Quarta-Feira de Cinza em Roma, na Igreja de S. Antonio dos Portugueses. Ano de 1672

Memento homo, quia pulvis es, et in pulverem reverentis

§I

O pó futuro, em que nos havemos de converter é visível à vista, mas o pó presente, o pó que somos, como poderemos entender essa verdade? A resposta a essa dúvida será a matéria do presente discurso.

Duas coisas prega hoje a Igreja a todos os mortais, ambas grandes, ambas tristes, ambas temerosas, ambas certas. Mas uma de tal maneira certa e evidente, que não é necessário entendimento para crer; outra de tal maneira certa e dificultosa, que nenhum entendimento basta para a alcançar. Uma é presente, outra futura, mas a futura veem-na os olhos, a presente não a alcança o entendimento. E que duas coisas enigmáticas são estas? *Pulvis es, tu in pulverem reverteris:* Sois pó, e em pó vos haveis de converter. Sois pó, é a presente; em pó vos haveis de converter, é a futura. O pó futuro, o pó em que nos havemos de converter, veem-no os olhos; o pó presente, o pó que somos, nem os olhos o veem, nem o entendimento o alcança. Que me diga a Igreja que hei de ser pó: *In pulverem reverteris*, não é necessário fé nem entendimento para o crer. Naquelas sepulturas, ou abertas ou cerradas, o estão vendo os olhos. Que dizem aquelas letras? Que cobrem aquelas pedras? As letras dizem pó, as pedras cobrem pó, e tudo o que ali há é o nada que havemos de ser: tudo pó. Vamos, para maior exemplo e maior horror, a esses sepulcros recentes do Vaticano. Se perguntardes de quem são pó aquelas cinzas, responder-vos-ão os epitáfios, que só as distinguem: Aquele pó foi Urbano, aquele pó foi Inocêncio, aquele pó foi Alexandre, e este que ainda não está de todo desfeito, foi Clemente. De sorte que para eu crer que hei de ser pó, não é necessário fé, nem entendimento, basta a vista. Mas que me diga e me pregue hoje a mesma Igreja, regra da fé e da verdade, que não só hei de ser pó de futuro, senão que já sou pó de presente: *Pulvis es?* Como o pode alcançar o entendimento, se os olhos estão vendo o contrário? É possível que estes olhos que veem, estes ouvidos que ouvem, esta língua que fala, estas mãos e estes braços que se movem, estes pés que andam e pisam, tudo isto, já hoje é pó: *Pulvis es?* Argumento à Igreja com a mesma Igreja: *Memento homo*. A Igreja diz-me, e supõe que sou homem: logo não sou pó. O homem é uma substância vivente, sensitiva, racional. O pó vive? Não. Pois como é pó o vivente? O pó sente? Não. Pois como é pó o sensitivo? O pó entende e discorre? Não. Pois como é pó o racional? Enfim, se me concedem que sou homem: *Memento homo*, como me pregam que sou pó: *Quia pulvis es?* Nenhuma coisa nos podia estar melhor que não ter resposta nem solução esta dúvida. Mas a resposta e a solução dela será a matéria do nosso discurso. Para que eu acerte a declarar esta dificultosa verdade, e todos nós saibamos aproveitar deste tão importante desengano, peçamos àquela Senhora, que só foi exceção deste pó, se digne de nos alcançar graça.

Ave Maria.

§II

O homem foi pó e há de ser pó, logo é pó, pois tudo o que vive não é o que é, é o que foi e o que há de ser O exemplo da vara de Arão que se converte em serpente. Deus se definiu a Moisés como aquele que é o que é, porque só ele é o que foi e o que há de ser Se alguém puder afirmar o mesmo de si próprio também é digno de ser adorado.

Enfim, senhores, não só havemos de ser pó, mas já somos pó: *Pulvis es*. Todos os embargos que se podiam por contra esta sentença universal são os que ouvistes. Porém como ela foi pronunciada definitiva e declaradamente por Deus ao primeiro homem e a todos seus descendentes, nem admite interpretação, nem pode ter dúvida. Mas como pode ser? Como pode ser que eu que o digo, vós que o ouvis, e todos os que vivemos sejamos já pó: *Pulvis es*? A razão é esta. O homem, em qualquer estado que esteja, é certo que foi pó, e há de tornar a ser pó. Foi pó, e há de tornar a ser pó? Logo é pó. Porque tudo o que vive nesta vida, não é o que é: é o que foi e o que há de ser. Ora vede.

No dia aprazado em que Moisés e os magos do Egito haviam de fazer prova e ostentação de seus poderes diante de el rei Faraó, Moisés estava só com Arão de uma parte, e todos os magos da outra. Deu sinal o rei, mandou Moisés a Arão que lançasse a sua vara em terra, e converteu-se subitamente em uma serpente viva e tão temerosa, como aquela de que o mesmo Moisés no deserto se não dava por seguro. Fizeram todos os magos o mesmo: começam a saltar e a ferver serpentes, porém a de Moisés investiu e avançou a todas elas intrépida e senhorilmente, e assim, vivas como estavam, sem matar nem despedaçar, comeu e engoliu a todas. Refere o caso a Escritura, e diz estas palavras: *Devoravit virga Aaron virgas eorum:* a vara de Arão comeu e engoliu as dos egípcios (Êx. 7,12). – Parece que não havia de dizer: a vara, senão: a serpente. A vara não tinha boca para comer, nem dentes para mastigar, nem garganta para engolir, nem estômago para recolher tanta multidão de serpentes. A serpente, em que a vara se converteu, sim, porque era um dragão vivo, voraz e terrível, capaz de tamanha batalha e de tanta façanha. Pois, por que diz o texto que a vara foi a que fez tudo isto, e não a serpente? Porque cada um é o que foi e o que há de ser. A vara de Moisés, antes de ser serpente, foi vara, e depois de ser serpente, tornou a ser vara; a serpente que foi vara e há de tornar a ser vara não é serpente, é vara: *Virga Aaron*. É verdade que a serpente naquele tempo estava viva, e andava, e comia, e batalhava, e vencia, e triunfava, mas como tinha sido vara, e havia de tornar a ser vara, não era o que era: era o que fora e o que havia de ser: *Virga*.

Ah! serpentes astutas do mundo vivas, e tão vivas! Não vos fieis da vossa vida nem da vossa viveza; não sois o que cuidais nem o que sois: sois o que fostes e o que haveis de ser. Por mais que vós vejais agora um dragão coroado e vestido de armas douradas, com a cauda levantada e retorcida açoitando os ventos, o peito inchado, as asas estendidas, o colo encrespado e soberbo, a boca aberta, dentes agudos, língua trifitricada, olhos cintilantes, garras e unhas rompentes, por mais que se veja esse dragão já tremular na bandeira dos lacedemônios, já passear nos jardins das hespérides, já guardar os tesouros de Midas, ou seja dragão volante entre os meteoros, ou dragão de estrelas entre as constelações, ou dragão de divindade afetada entre as hierarquias, se foi vara, e há de ser vara, é vara; se foi terra, e há de ser terra, é terra; se foi nada, e há de ser nada, é nada, porque tudo o que vive neste mundo é o que foi e o que há de ser. Só Deus é o que é, mas por isso mesmo. Por isso mesmo. Notai.

Apareceu Deus ao mesmo Moisés nos desertos de Midiã; manda-o que leve a nova da liberdade ao povo cativo, e perguntando Moisés quem havia de dizer que o mandava, para que lhe dessem crédito, respondeu Deus e definiu-se: *Ego sum qui sum:* Eu sou o que sou (Êx. 3,14). Dirás que o que é te manda: *Qui est misit me ad vos? Qui est?* O que é? E que nome, ou que distinção é esta? Também Moisés é o que é, também Faraó é o que é, também o povo, com que há de falar, é o que é. Pois se este nome e esta definição toca a todos e a tudo, como a toma Deus só por sua? E se todos são o que são, e cada um é o que é, por que diz Deus não só como atributo, senão como essência própria da sua divindade: *Ego sum qui sum:* Eu sou o que sou? Excelentemente S. Jerônimo, respondendo com as palavras do Apocalipse: *Qui est, et qui erat, et qui venturus est*. Sabeis por que diz Deus: *Ego sum qui sum?* Sabeis por que só Deus é o que é? Porque só Deus é o que foi e o que há de ser. Deus é Deus, e foi Deus, e há de ser Deus; e só quem é o que foi e o que há de ser, é o que é: *Qui est, et qui erat, et qui venturus est. Ego sum qui sum*. De maneira que quem é o que foi e o que há de ser, é o que é, e este é só Deus. Quem não é o que foi e o que há de ser, não é o que é: é o que foi e o que há de ser: e esses somos nós. Olhemos para trás: que é o que fomos? Pó. Olhemos para diante: que é o que havemos de ser? Pó. Fomos pó e havemos de ser pó? Pois isso é o que somos: *Pulvis es*.

Eu bem sei que também há deuses da terra, e que esta terra onde estamos foi a pátria comum de todos os deuses, ou próprios, ou estrangeiros. Aqueles deuses eram de diversos metais; estes são de barro, ou cru ou mal cozido, mas deuses. Deuses na grandeza, deuses na majestade, deuses no poder, deuses na adoração, e também deuses no nome: *Ego dixi, dii estis*. Mas se houver, que pode haver, se houver algum destes deuses que cuide ou diga: *Ego sum qui sum*, olhe primeiro o que foi e o que há de ser. Se foi Deus, e há de ser Deus, é Deus: eu o creio e o adoro; mas se não foi Deus, nem há de ser Deus, se foi pó, e há de ser pó, faça mais caso da sua sepultura que da sua divindade. Assim lho disse e os desenganou o mesmo Deus que lhes chamou deuses: *Ego dixi, dii estis. Vos outem sicut homines moremini.* Quem foi pó e há de ser pó, seja o que quiser e quanto quiser, é pó: *Pulvis es.*

§III

Jó define-se como quem foi pó e há de ser pó: Abraão define-se como quem é pó. O texto sagrado não diz: converter-vos-eis em pó mas tornareis a ser pó. O que chamamos vida não é mais que um círculo que fazemos de pó a pó.

Parece-me que tenho provado a minha razão e a consequência dela. Se a quereis ver praticada em próprios termos, sou contente. Praticaram este desengano dois homens que sabiam mais de nós que nós: Abraão e Jó, com outro *memento* como o nosso, dizia a Deus: *Memento quaeso, quod sicuit lutum feceris me, et in pulverem deduces me:* Lembrai-vos, Senhor, que me fizestes de pó, e que em pó me haveis de tornar (Jó 10, 9). – Abraão, pedindo licença ou atrevimento para falar a Deus: *Loquar ad Dominum, cum sim pulvis et cinis:* Falar-vos-ei, Senhor, ainda que sou pó e cinza (Gên. 18, 27). – Já vedes a diferença dos termos que não pode ser maior, nem também mais natural ao nosso intento. Jó diz que foi pó e há de ser pó; Abraão não diz que foi, nem que há de ser, senão que já é pó: *Cum sim pulvis et cinis.* Se um destes homens fora morto e outro vivo, falavam muito propriamente, porque todo o vivo pode dizer: Eu fui pó, e hei de ser pó; e um morto, se falar, havia de dizer: Eu já sou pó. Mas Abraão que disse isto, não estava morto, senão vivo, como Jó; e Abraão e Jó não eram de diferente metal, nem de diferente natureza. Pois se ambos eram da mesma natureza, e ambos estavam vivos, como diz um que já é pó, e outro não diz que o é, senão que o foi e que o há de ser? Por isso mesmo. Porque Jó foi pó e há de ser pó, por isso Abraão é pó. Em Jó falou a morte, em Abraão falou a vida, em ambos a natureza. Um descreveu-se pelo passado e pelo futuro, o outro definiu-se pelo presente; um reconheceu o efeito, o outro considerou a cousa; um disse o que era, o outro declarou o porquê. Porque Jó e Abraão e qualquer outro homem foi pó, por isso já é pó. Fostes pó e haveis de ser pó como Jó? Pois já sois pó como Abraão: *Cum sim pulvis et cinis.*

Tudo temos no nosso texto, se bem se considera, porque as segundas palavras dele não só contêm a declaração, senão também a razão das primeiras. *Pulvis es:* sois pó. E por quê? Porque in *pulverem mverteris:* porque fostes pó e haveis de tomar a ser pó. Esta é a força da palavra *reverteris*, a qual não só significa o pó que havemos de ser; senão também o pó que somos. Por isso não diz: *convertetis*, converter-vos-eis em pó, senão: *reverteris*, tornareis a ser o pó que fostes. Quando dizemos que os mortos se convertem em pó, falamos impropriamente, porque aquilo não é conversão, é reversão: *reverteris*. É tornar a ser na morte a pó que somos no nascimento; é tornar a ser na sepultura o pó que somos no campo damasceno. E porque somos pó e havemos de tornar a ser pó: Ia *pulverem neverteris*, por isso já somos pó: *Pulvis es*. — Não é exposição minha, senão formalidade do mesmo texto, com que Deus pronunciou a sentença de morte contra Adão: *Donec reverteris in terram de qua sumptus es: quia pulvis es* (Gên. 3,19): — Até que tomes a ser a tenra de que fostes formado, porque és pó. — De maneira que a razão e o porquê de sermos pó: *Qutíapulvis es*, é porque somos pó, e havemos de tomar a ser pó: *Donec revertaris in terram de qua sumptus es*.

Só parece que se pode opor ou dizer em contrário, que aquele *donec:* até que, significa tempo em meio entre o pó que somos e o pó que havemos de ser, e que neste meio tempo não somos pó. Mas a mesma verdade divina que disse: *donec*, disse também: *pulvis es*. E a razão desta consequência está no *reverteris*, porque a reversão com que tornamos a ser o pó que fomos começa circularmente, não do último senão do primeiro ponto da vida. Notai. Esta nossa chamada vida não é mais que um círculo que fazemos de pó a pó: do pó que fomos ao pó que havemos de ser. Uns fazem o círculo maior, outros menor, outros mínimo: *De útero transíatus ad tumulum*. Mas, ou o caminho seja largo, ou breve, ou brevíssimo, como é círculo de pó a pó, sempre e em qualquer parte da vida somos pó. Quem vai circularmente de um ponto para o mesmo ponto, quanto mais se aparta dele tanto mais se chega para ele; e quem quanto mais se aparta mais se chega, não se aparta. O pó que foi nosso princípio, esse mesmo, e não outro, é o nosso fim, e porque caminhamos circularmente deste pó para este pó, quanto mais parece que nos apartamos dele, tanto mais nos chegamos para ele; o passo que nos aparta, esse mesmo nos chega; o dia que faz a vida, esse mesmo a desfaz. E como esta roda que anda e desanda juntamente sempre nos vai moendo, sempre somos pó. Por isso, quando Deus intimou a Adão a reversão ou revolução deste circulo: *Donec revertaris*, das premissas: pó foste, e pó serás, tirou por consequência, pó és: *Quia pulvis es*. Assim que desde o primeiro instante da vida até o último nos devemos persuadir e assentar conosco, que não só somos e havemos de ser pó, senão que já o somos, e por isso mesmo. Foste pó e hás de ser pó? És pó: *Pulvis es*.

§IV

Se já somos pó, qual a diferença existente entre vivos e mortos? Os vivos são o pó levantado pelo vento, os mortos são o pó caído. Adão, frito de pó, recebendo o vento do sopro divino torna-se vivo. Nas Escrituras, levantar é viver, cair é morrer. Assim, como distingue Davi, há o pó da morte e o pó da vida.

Ora, suposto que já somos pó, e não pode deixar de ser, pois Deus o disse, perguntar-me-eis e com muita razão, em que nos distinguimos logo os vivos dos mortos? Os mortos são pó, nós também somos pó: em que nos distinguimos uns dos outros? Distinguimo-nos os vivos dos mortos, assim como se distingue o pó do pó. Os vivos são pó levantado, os mortos são pó caído: os vivos são pó que anda, os mortos são pó que jaz: *Hic jacet*. Estão essas praças no verão cobertas de pó; dá um pé de vento, levanta-se o pó no ar, e que faz? O que fazem as vivos, e muitos vivos. Não aquieta o pó, nem pode estar queda: anda, corre, voa, entra por esta rua, sai por aquela; já vai adiante, já torna atrás; tudo enche, tudo cobre, tudo envolve, tudo perturba, tudo cega, tudo penetra, em tudo e por tudo se mete, sem aquietar, nem sossegar um momento, enquanto o vento dura. Acalmou o vento, cai o pó, e onde o vento parou, ali fica, ou dentro de casa, ou na rua, ou em cima de um telhado, ou no mar; ou no rio, ou no monte, ou na campanha. Não é assim? Assim é. E que pó, e que vento é este? O pó somos nós:

Quia pulvis es; o vento é a nossa vida: *Quia ventus es vita mea* (Jó 7,7). Deu o vento, levantou-se o pó; parou o vento, caiu. Deu o vento, eis o pó levantado: esses são os vivos. Parou o vento, eis o pó caído: estes são os mortos. Os vivos pó, os mortos pó; os vivos pó levantado, os mortos pó caído; os vivos pó com vento, e por isso vãos; os mortos pó sem vento, e por isso sem vaidade. Esta é a distinção, e não há outra.

Nem cuide alguém que é isto metáfora ou comparação, senão realidade experimentada e certa. Forma Deus de pó aquela primeira estátua, que depois se chamou carpa de Adão. Assim o diz o texto original: *Formavit Deus hominem de pulvere terrae* (Gên. 2,7). A figura era humana e muito primorosamente delineada, mas a substância ou a matéria não era mais que pó. A cabeça pó, o peito pó, os braços pó, os olhos, a boca, a língua, o coração, tudo pó. Chega-se pois Deus à estátua, e que fez? *Inspiravit in faciem ejus:* Assoprou-a (Gên. 2,7). E tanto que o vento do assopro deu no pó: *Et factus est homo in animam viventem:* eis o pó levantado e vivo; já é homem, já se chama Adão. Ah! pó, se aquietaras e pararas aí! Mas pó assoprado, e com vento, como havia de aquietar? Ei-la abaixo, ei-lo acima, e tanto acima, e tanto abaixo, dando uma tão grande volta, e tantas voltas. Já senhor do universo, já escravo de si mesmo; já só, já acompanhado; já nu, já vestido; já coberto de folhas; já de peles; já tentado, já vencido; já homiziado, já desterrado; já pecador, já penitente, e para maior penitência, pai, chorando os filhos, lavrando a terra, recolhendo espinhos por frutos, suando, trabalhando, lidando, fatigando, com tantos vaivéns do gosto e da fortuna, sempre em uma roda viva. Assim andou levantado o pó enquanto durou o vento. O vento durou muito, porque naquele tempo eram mais largas as vidas, mas alfim parou. E que lhe sucedeu no mesmo ponto a Adão? O que sucede ao pó. Assim como o vento o levantou, e o sustinha, tanto que o vento parou, caiu. Pó levantado, Adão vivo; pó caído, Adão morto: *Et mortus est.*

Este foi o primeiro pó, e o primeiro vivo, e o primeiro condenado à morte, e esta é a diferença que há de vivos a mortos, e de pó a pó. Por isso na Escritura o morrer se chama cair, e o viver levantar-se. O morrer, cair: *Vos outem sicut hominas moriemini, et sicut unus de principibus cadetis*. O viver, levantar-se: *Adolescens, tibi dico, surget*. Se levantados, vivos; se caídos, mortos; mas ou caídos ou levantados, ou mortos, ou vivos, pó: os levantados pó da vida, os mortos pó da morte. Assim a entendeu e notou Davi, e esta é a distinção que fez quando disse: *In pulvere mortis deduxisti me:* Levastes-me, Senhor, ao pó da morte. Não bastava dizer: *In pulverem deduxisti*, assim como: *In pulverem reverteris?* Se bastava; mas disse com maior energia: *Ia pulverem mortis:* ao pó da morte, porque há pó da morte, e pó da vida: os vivos, que andamos em pé, somos o pó da vida: *Pulvis es;* os mortos, que jazem na sepultura, são o pó da morte: *In pulverem reverteris.*

V

O memento dos vivos; lembre-se o pó levantado que há de ser pó caído. O vento da vida e o vento da fortuna. A estátua de Nabucodonosor: o ouro, a prata, o bronze, o ferro, tudo se converte em pó de terra. Significado do nome de Adão. Santo Agostinho e a glória de Roma. Roma, a caveira do mundo, ainda está sujeita a novas destruições. Salomão e o espelho do passado e do futuro.

À vista desta distinção tão verdadeira e deste desengano tão certo, que posso eu dizer ao nosso pó senão o que lhe diz a Igreja: *Memento homo*. Dois mementos hei de fazer hoje ao pó: um memento ao pó levantado, outro memento ao pó caído; um memento ao pó que somos, outro memento ao pó que havemos de ser; um memento ao pó que me ouve, outro memento ao pó que não pode ouvir. O primeiro será o memento dos vivos, o segundo o dos mortos.

Aos vivos, que direi eu? Diga que se lembre o pó levantado que há de ser pó caído. Levanta-se o pó com o vento da vida, e muito mais com o vento da fortuna; mas lembre-se o pó que o vento da fortuna não pode durar mais que o vento da vida, e que pode durar muito menos, porque é mais inconstante. O vento da vida por mais que cresça, nunca pode chegar a ser bonança; o vento da fortuna, se cresce, pode chegar a ser tempestade, e tão grande tempestade que se afogue nela o mesmo vento da vida. Pó levantado, lembra-te outra vez que hás de ser pó caído, e que tudo há de cair e ser pó contigo. Estátua de Nabuco: ouro, prata, bronze, ferro, lustre, riqueza, fama, poder, lembra-te que tudo há de cair de um golpe, e que então se verá o que agora não queremos ver: que tudo é pó, e pó de terra. Eu não me admiro, senhores, que aquela estátua em um momento se convertesse toda em pó: era imagem de homem; isso bastava. O que me admira e admirou sempre é que se convertesse, como diz o texto, em pó de terra: *In favilíam aestivae areae* (Dan. 2,35). A cabeça da estátua não era de ouro? Pois porque se não converte o ouro em pó de ouro? O peito e os braços não eram de prata? Porque se não converte a prata em pó de prata? O ventre não era de bronze, e ademais de ferro? Porque se não converte o bronze em pó de bronze e o ferro em pó de ferro? Mas o ouro, a prata, o bronze, o ferro, tudo em pó de terra? Sim. Tudo em pó de terra. Cuida a ilustre desvanecida que é de ouro, e todo esse resplendor, em caindo, há de ser pó, e pó de terra. Cuida o rico inchado que é de prata, e toda essa riqueza em caindo há de ser pó, e pó de terra. Cuida o robusto que é de bronze, cuida o valente que é de ferro, um confiado, outro arrogante, e toda essa fortaleza, e toda essa valentia em caindo há de ser pó, e pó de terra: *In favilíam aestivae areae*.

Senhor pó: *Nimium ne crede colori*. A pedra que desfez em pó a estátua, é a pedra daquela sepultura. Aquela pedra é como a pedra do pintor, que mói todas as cores, e todas as desfaz em pó. O negro da sotaina, o branco da cota, o pavonaço do mantelete, o vermelho da púrpura, tudo ali se desfaz em pó. Adão quer dizer *ruber*, o vermelho, porque o pó da campa damasceno, de que Adão foi formado, era vermelho, e parece que escolheu Deus o pó daquela cor tão prezada, para nela, e com ela, desenganar a todas as cores. Desengane-se a escarlata mais fina, mais alta e mais coroada, e desenganem-se dai abaixo todas as cores, que todas se hão de moer naquela pedra e desfazer em pó, e o que é mais, todas em pó da mesma cor. Na estátua o ouro era amarelo, a prata branca, o bronze verde, o ferro negro, mas tanto que a tocou a pedra, tudo ficou da mesma cor, tudo da cor da terra: *In favilíam aestivae areae*. O pó levantado, como vão, quis fazer distinções de pó a pó, e porque não pôde distinguir a substância, pôs a diferença nas cores. Porém a morte, como vingadora de todos os agravos da natureza, a todas essas cores faz da mesma cor, para que não distinga a vaidade e a fortuna os que fez iguais a razão. Ouvi a Santo Agostinho: *Respice sepulchra et vide quis dominus, quis servus, quis poupei; quis dives? Discerne, si potes, regem a vincto, fartem a debili, pulchrum a deformit*. Abri aquelas sepulturas, diz Agostinho, e vede qual é ali o senhor e qual o servo; qual é ali o pobre e qual o rico? *Discerne, si potes*: distingui-me ali, se podeis, o valente do fraco, o formoso do feio, o rei coroado de ouro do escravo de Argel carregado de ferros? Distingui-los? Conhecei-los? Não por certo. O grande e o pequeno, o rico e o pobre, o sábio e o ignorante, o senhor e o escravo, o príncipe e o cavador, o alemão e o etíope, todos ali são da mesma cor.

Passa Santo Agostinho da sua África à nossa Roma, e pergunta assim: *Ubi sunt quos ambiebant civium potentatus? Ubi insuperabiles imperatores? Ubi exercituum duces? Ubi satrapae et tyranni?*. Onde estão os cônsules romanos? Onde estão aqueles imperadores e capitães famosos, que desde o Capitólio mandavam o mundo? Que se fez dos Césares e dos Pampeus, dos Mários e dos Silas, dos Cipiões e dos Emílios? Os Augustos, os Cláudios, os Tibérios, os Vespasianos, os Titos, os Trajanos, que é deles? *Nunc omnia pulvis:* tudo pó; *Nunc omnia favillae:* tudo cinza; *Nunc in poucis versibus eorum memoria est:* não resta de todos eles outra memória, mais que os poucos versos das suas sepulturas. Meu Agostinho, também esses versos que se liam então, já os não há: apagaram-se as letras, comeu o tempo as pedras; também as pedras morrem: *Mors etiam saxis, nominibus que veni* Oh! que memento este para Roma!

Já não digo como até agora: lembra-te homem que és pó levantado e hás de ser pó caído. O que digo é: lembra-te Roma que és pó levantado, e que és pó caído juntamente. Olha Roma daqui para baixo, e ver-te-ás caída e sepultada debaixo de ti; olha Roma de lá para cima, e ver-te-ás levantada e pendente em cima de ti. Roma sobre Roma, e Roma debaixo de Roma. Nas margens do Tibre, a Roma que se vê para cima, vê-se também para baixo; mas aquilo são sombras. Aqui a Roma que se vê em cima, vê-se também embaixo, e não é engano da vista, senão verdade; a cidade sobre as ruínas, o corpo sobre o cadáver, a Roma viva sobre a morta. Que coisa é Roma senão um sepulcro de si mesma? Embaixo as cinzas, em cima a estátua; embaixo os ossos, em cima o vulto. Este vulto, esta majestade, esta grandeza é a imagem, e só a imagem, da que está debaixo da terra. Ordenou a Providência divina que Roma fosse tantas vezes destruída, e depois edificada sobre suas ruínas, para que a cabeça do mundo tivesse uma caveira em que se ver. Um homem pode-se ver na caveira de outro homem; a cabeça do mundo não se podia ver senão na sua própria caveira. Que é Roma levantada? A cabeça do mundo. Que é Roma caída? A caveira do mundo. Que são esses pedaços de Termas e Coliseus senão os ossos rotos e truncados desta grande caveira? E que são essas colunas, essas agulhas desenterradas, senão os dentes, mais duros, desencaixadas dela! Oh! que sisuda seria a cabeça do mundo se se visse bem na sua caveira!

Nabuco, depois de ver a estátua convertida em pó, edificou outra estátua. Louco! Que é o que te disse o profeta? Tu *rex es caput:* Tu, rei, és a cabeça da estátua (Dan. 2, 38). Pois se tu és a cabeça, e estás viva, olhe a cabeça viva para a cabeça defunta, olhe a cabeça levantada para a cabeça caída, olhe a cabeça para a caveira. Oh! Se Roma fizesse o que não soube fazer Nabuco! Oh! se a cabeça do mundo olhasse para a caveira do mundo! A caveira é maior que a cabeça para que tenha menos lugar a vaidade, e maior matéria a desengana. Isto fui, e isto sou? Nisto parou a grandeza daquele imenso todo, de que hoje sou tão pequena parte? Nisto parou. E a pior é, Roma minha, se me dás licença para que tu diga, que não há de parar só nisto. Este destroça e estas ruínas que vês tuas, não são as últimas: ainda te espera outra antes do fim do mundo profetizada nas Escrituras. Aquela Babilônia de que fala S. João, quando diz no Apocalipse: *Cedidit, cedidit Babylon* (Apoc. 14,8), é Roma, não pela que hoje é, senão pela que há de ser. Assim o entendem S. Jerônimo, Santo Agostinho, S. Ambrósia, Tertuliano, Ecumênio, Cassiadara, e outros Padres, a quem seguem concordemente intérpretes e teólogos. Roma, a espiritual, é eterna, porque *Portae infrri non praevalebunt adversus eam*; mas Roma, a temporal, sujeita está com as outras metrópoles das monarquias, e não só sujeita, mas condenada à catástrofe das coisas mudáveis e aos eclipses do tempo. Nas tuas ruínas vês a que foste, nos teus oráculos lês a que hás de ser, e se queres fazer verdadeiro juízo de ti mesma pelo que foste e pelo que hás de ser, estima a que és.

Nesta mesma roda natural das coisas humanas, descobriu a sabedoria de Salomão dois espelhos recíprocos, que podemos chamar do tempo, em que se vê facilmente o que foi e o que há de ser. *Quid est quod fuit? Ipsum quod futu rum est. Quid est quod factun est? Ipsum quod faciendunt est:* Que é o que foi? Aquela mesma que há de ser. Que é o que há de ser? Aquilo mesmo que foi (Ecl. 1,9). Ponde estes dois espelhos um defronte do outro, e assim com os raios do ocaso ferem o oriente e os do oriente o ocaso, assim, por reverberação natural e recíproca, achareis que no espelho da passada se vê o que há de ser, e no do futuro o que foi. Se quereis ver o futuro, lede as histórias e olhai para o passado; se quereis ver o passado, lede as profecias e olhai para o futuro. E quem quiser ver o presente, para onde há de olhar? Não o disse Salomão, mas eu o direi. Diga que olhe juntamente para um e para outro espelho. Olhai para o passado e para o futuro, e vereis o presente. A razão ou consequência é manifesta. Se no passado se vê o futuro, e no futuro se vê o passado, segue-se que no passado e no futuro se vê o presente, porque o presente é o futuro do passado, e o mesmo presente é o passado do futuro. *Quid est quod fuit? Ipsum quod futurum est Quid est quod est? Ipsum quod fuit et quod futurum est.* Roma, o que foste, isso hás de ser; e o que foste, e o que hás de ser, isso és. Vê-te bem nestes dois espelhos do tempo, e conhecer-te-ás. E se a verdade deste desengana tem lugar nas pedras, quanto mais nos homens. No passado foste pó? No futuro hás de ser pó? Logo, no presente és pó: *Pulvis es*.

§VI

O memento dos mortos: lembre-se o pó caído que há de ser pó levantado. O pó que foi homem, há de tornar a ser homem. Jó compara-se à fênix e não à águia. O autor não teme a morte, teme imortalidade, já reconhecida pelos filósofos pagãos. Nem vivemos como mortais, nem vivemos como imortais. A observação de Sêneca.

Este foi o memento dos vivos; acaba com o memento dos mortos. Aos vivos disse: lembre-se o pó levantado que há de ser pó caído. Aos mortos digo: lembre-se o pó caído que há de ser pó levantado. Ninguém morre para estar sempre morto; por isso a morte nas Escrituras se chama sono. Os vivos caem em terra com o sono da morte: os mortos jazem na sepultura dormindo, sem movimento nem sentido, aquele profundo e dilatado letargo; mas quando o pregão da trombeta final os chamar o juízo, todos hão de acordar e levantar-se outra vez. Então dirá cada um com Davi: *Ego dormivi, et soporatus sum, et esxurrexi.* Lembre-se pois o pó caído que há de ser pó levantado.

Este segundo memento é muito mais terrível que o primeiro. Aos vivos disse: *Memento homo quia pulvis es, et in pulverem reverteris;* aos mortos digo com as palavras trocadas, mas com sentido igualmente verdadeiro: *Memento pulvis quia homo es, et in hominem reverteris:* lembra-te pó que és homem, e que em homem te hás de tornar. Os que me ouviram já sabem que cada um é o que foi e o que há de ser. Tu que jazes nesta sepultura, sabe-o agora. Eu vivo, tu estás morto; eu falo, tu estás mudo; mas assim como eu sendo homem, porque fui pó, e hei de tornar a ser pó, sou pó, assim tu, sendo pó, porque foste homem, e hás de tornar a ser homem, és homem. Morre a águia, morre a fênix, mas a águia morta não é águia, a fênix morta é fênix. E porquê? A águia morta não é águia porque foi águia, mas não há de tornar a ser águia. A fênix morta é fênix, porque foi fênix, e há de tornar a ser fênix. Assim és tu que jazes nessa sepultura. Morto sim, desfeito em cinzas sim, mas em cinzas como as da fênix. A fênix desfeita em cinzas é fênix, porque foi fênix, e há de tornar a ser fênix. E tu desfeito também em cinzas és homem, porque foste homem, e hás de tornar a ser homem. Não é a proposição, nem comparação minha, senão da Sabedoria e Verdade eterna. Ouçam os mortos a um morto que melhor que todos os vivos conheceu e pregou a fé da imortalidade. *In nidulo meo morias,; et sicut phoenix multiplicabo dies meos*: Morrerei no meu ninho, diz Jó, e como fênix multiplicarei os meus dias. Os dias soma-os a vida, diminui-os a morte e multiplica-os a ressurreição. Por isso Jó como vivo, como morto e como imortal se compara à fênix. Bem pudera este grande herói, pois chamou ninho à sua sepultura, comparar-se à rainha das aves, como rei que era. Mas falando de si e conosco naquela medida em que todos somos iguais, não se comparou à águia, senão à fênix, porque o nascer águia é fortuna de poucos, o renascer fênix é natureza de todos. Todos nascemos para morrer, e todos morremos para ressuscitar. Para nascer antes de ser, tivemos necessidade de pai e mãe que nos gerasse; para renascer depois de morrer, como a fênix, o mesmo pó em que se corrompeu e desfez o corpo, é o pai e a mãe de que havemos de tornar a ser gerados. *Putredini dixi: pater meus es, mater mea, et soror mea vermibus*. Sendo pois igualmente certa esta segunda metamorfose, como a primeira, preguemos também aos mortos, como pregou Ezequiel, para que nos ouçam mortos e vivos (Ez. 37, 4). Se dissermos aos vivos: lembra-te homem que és pó, porque foste pó, e hás de tornar a ser pó, bradamos com a mesma verdade aos mortos que já são pó; lembra-te pó que és homem porque foste homem, e hás de tornar a ser homem: *Memento pulvis quia homo es, et in hominem reverteris*.

Senhores meus, não seja isto cerimônia: falemos muito seriamente, que o dia é disso. Ou cremos que somos imortais, ou não. Se o homem acaba com o pó, não tenho que dizer; mas se o pó há de tornar a ser homem, não sei o que vos diga, nem o que me diga. A mim não me faz medo o pó que hei de ser; faz medo o que há de ser o pó. Eu não temo na morte a morte, temo a imortalidade; eu não temo hoje o dia de cinza, temo hoje o dia de Páscoa, porque sei que hei de ressuscitar, porque sei que hei de viver para sempre, porque sei que me espera uma eternidade, ou no céu, ou no inferno. *Scio enim quod Redemptor meus vivit, et in novissimo die de terra surrecturus sum*, *Scio*, diz : Notai. Não diz: Creio, senão; Scio, sei. Porque a verdade e certeza da imortalidade do homem não só é fé, senão também ciência. Por ciência e por razão natural a conheceram Platão, Aristóteles e tantos outros filósofos gentios. Mas que importava que o não alcançasse a razão onde está a fé? Que importa a autoridade dos homens onde está o testemunho de Deus? O pó daquela sepultura está clamando: *De terra surrecturus sum, et rursum circundabor pelle mea, et in carne mea videbo Deum meum, quem visurus sum ego ipse, et oculi mei conspecturi sunt, et non alius*. Este homem, este corpo, estes ossos, esta carne, esta pele, estes olhos, este eu, e não outro, é o que há de morrer? Sim; mas reviver e ressuscitar à imortalidade. Mortal até o pó, mas depois do pó, imortal. *Credis hoc? Utique, Domine.* Pois que efeito faz em nós este conhecimento da morte, e esta fé da imortalidade?

Quando considero na vida que se usa, acho que não vivemos como mortais, nem vivemos como imortais. Não vivemos como mortais, porque tratamos das coisas desta vida como se esta vida fora eterna. Não vivemos como imortais, porque nos esquecemos tanto da vida eterna, como se não houvera tal vida. Se esta vida fora imortal, e nós imortais, que havíamos de fazer, senão o que fazemos? Estai comigo. Se Deus, assim como fez um Adão, fizera dois, e o segundo fora mais sisudo que o nosso, nós havíamos de ser mortais como somos, e os filhos de outro Adão haviam de ser imortais. E estes homens imortais, que haviam de fazer neste mundo? Isto mesmo que nós fazemos. Depois que não coubessem no Paraíso, e se fossem multiplicando, haviam-se de estender pela terra, haviam de conduzir de todas as partes do mundo todo o bom, precioso e deleitoso que Deus para eles tinha criado, haviam de ordenar cidades e palácios, quintas, jardins, fontes, delícias, banquetes, representações, músicas, festas, e tudo aquilo que pudesse formar uma vida alegre e deleitosa. Não é isto o que nós fazemos? E muito mais do que eles haviam de fazer, porque o haviam de fazer com justiça, com razão, com modéstia, com temperança; sem luxo, sem soberba, sem ambição, sem inveja; e com concórdia, com caridade, com humanidade. Mas como se ririam de nós, e como pasmariam de nós aqueles homens imortais. Como se ririam das nossas loucuras, como pasmariam da nossa cegueira, vendo-nos tão ocupados, tão solícitos, tão desvelados pela nossa vidazinha de dois dias, e tão esquecidos, e descuidados da morte, como se fôramos tão imortais como eles! Eles sem dor, nem enfermidade; nós enfermos e gemendo; eles vivendo sempre, nós morrendo; eles não sabendo o nome à sepultura, nós enterrando uns a outros; eles gozando o mundo em paz, e nós fazendo demandas e guerras pelo que não havemos de gozar. Homenzinhos miseráveis, — haviam de dizer, — homenzinhos miseráveis, loucos, insensatos; não vedes que sois mortais? Não vedes que haveis de acabar amanhã? Não vedes que vos hão de meter debaixo de uma sepultura, e que de tudo quanto andais afanando e adquirindo, não haveis de lograr mais que sete pés de terra? Que doidice, que cegueira é logo a vossa? Não sendo como nós, quereis viver como nós? – Assim é. *Morimur ut mortales, vivimus ut imortales:* morreremos como mortais que somos, e vivemos como se fôramos imortais. Assim o dizia Sêneca gentio à Roma gentia. Vós a isto dizeis que Sêneca era um estóico. E não é mais ser cristão que ser estóico? Sêneca não conhecia a imortalidade da alma; o mais a que chegou foi a duvidá-la, e contudo entendia isto.

§VII

Cuidar da vida imortal. As duas portas da morte. Opinião de Aristóteles. A escada do sonho de Jacó. No momento da morte não se teme a morte, teme-se a vida. Resolução.

Ora, senhores, já que somos cristãos, já que sabemos que havemos de morrer e que somos imortais, saibamos usar da morte e da imortalidade. Tratemos desta vida como mortais, e da outra como imortais. Pode haver loucura mais rematada, pode haver cegueira mais cega que empregar-me todo na vida que há de acabar, e não tratar da vida que há de durar para sempre? Cansar-me, afligir-me, matar-me pelo que forçosamente hei de deixar, e do que hei de lograr ou perder para sempre, não fazer nenhum caso! Tantas diligências para esta vida, nenhuma diligência para a outra vida? Tanto medo, tanto receio da morte temporal, e da eterna nenhum temor? Mortos, mortos, desenganai estes vivos. Dizei-nos que pensamentos e que sentimentos foram os vossos quando entrastes e saístes pelas portas da morte? A morte tem duas portas: *Qui exaltas me de portis mortis.* Uma porta de vidro, por onde se sai da vida, outra porta de diamante, por onde se entra à eternidade. Entre estas duas portas se acha subitamente um homem no instante da morte, sem poder tornar atrás, nem parar, nem fugir, nem dilatar, senão entrar para onde não sabe, e para sempre. Oh! que transe tão apertado! Oh! que passo tão estreito! Oh! que momento tão terrível! Aristóteles disse que entre todas as coisas terríveis, a mais terrível é a morte. Disse bem mas não entendeu o que disse. Não é terrível a morte pela vida que acaba, senão pela eternidade que começa. Não é terrível a porta por onde se sai; a terrível é a porta por onde se entra. Se olhais para cima, uma escada que chega até o céu; se olhais para baixo, um precipício que vai parar no inferno, e isto incerto.

Dormindo Jacó sobre uma pedra, viu aquela escada que chegava da terra até o céu, e acordou atônito gritando: *Terribilis est locus iste!*

Oh! que terrível lugar é este (Gên. 18,17)! E por que é terrível, Jacó? *Non est híc aliud nisi domus Dei et porta caeli:* Porque isto não é outra coisa senão a porta do céu. — Pois a porta do céu, a porta da bem-aventurança é terrível? Sim. Porque é uma porta que se pode abrir e que se pode fechar. E aquela porta, que se abriu para as cinco virgens prudentes, e que se fechou para as cinco néscias: *Et clousa est janua* (Mt. 25,10). E se esta porta é terrível para quem olha só para cima, quão terrível será para quem olhar para cima e mais para baixo? Se é terrível para quem olha só para o céu, quanto mais terrível será para quem olhar para o céu e para o inferno juntamente? Este é o mistério de toda a escada, em que Jacó não reparou inteiramente, como quem estava dormindo. Bem viu Jacó que pela escada subiam e desciam anjos, mas não reparou que aquela escada tinha mais degraus para descer que para subir: para subir era escada da terra até o céu, para descer era escada do céu até o inferno; para subir era escada por onde subiram anjos a ser bem aventurados, para descer era escada por onde desceram anjos a ser demônios. Terrível escada para quem não sobe, porque perde o céu e a vista de Deus, e mais terrível para quem desce, porque não só perdeu o céu e a vista de Deus, mas vai arder no inferno eternamente. Esta é a visão mais que terrível que todos havemos de ver; este o lugar mais que terrível por onde todos havemos de passar, e por onde já passaram todos os que ali jazem. Jacó jazia sobre a pedra; ali a pedra jaz sobre Jacó, ou Jacó debaixo da pedra. Já dormiram o seu sono: *Dormierunt somnum suum* (Sl. 75, 6); já viram aquela visão; já subiram ou desceram pela escada. Se estão no céu ou no inferno, Deus o sabe; mas tudo se averiguou naquele momento.

Oh! que momento, torno a dizer, oh! que passo, oh! que transe tão terrível! Oh que temores, oh! que aflição, oh! que angústias! Ali, senhores, não se teme a morte, teme-se a vida. Tudo o que ali dá pena, é tudo o que nesta vida deu gosto, e tudo o que buscamos por nosso gosto, muitas vezes com tantas penas. Oh! Que diferentes parecerão então todas as coisas desta vida! Que verdades, que desenganos, que luzes tão claras de tudo o que neste mundo nos cega! Nenhum homem há naquele ponto que não desejara muito uma de duas: ou não ter nascido, ou tornar a nascer de novo, para fazer uma vida muito diferente. Mas já é tarde, já não há tempo: *Quia tempus non erit amplius* (Apc. 10,6). Cristãos e senhores meus, por misericórdia de Deus ainda estamos em tempo. É certo que todos caminhamos para aquele passo, é infalível que todos havemos de chegar, e todos nos havemos de ver naquele terrível momento, e pode ser que muito cedo. Julgue cada um de nós, se será melhor arrepender-se agora, ou deixar o arrependimento para quando não tenha lugar, nem seja arrependimento. Deus nos avisa, Deus nos dá estas vozes; não deixemos passar esta inspiração, que não sabemos se será a última. Se então havemos de desejar em vão começar outra vida, comecemo-la agora: Dixi: *nunc caepi*. Comecemos de hoje em diante a viver como quereremos ter vivido na hora da morte. Vive assim como quiseras ter vivido quando morras. Oh! que consolação tão grande será então a nossa, se o fizermos assim! E pelo contrário, que desconsolação tão irremediável e tão desesperada, se nos deixarmos levar da corrente, quando nos acharmos onde ela nos leva! É possível que me condenei por minha culpa e por minha vontade, e conhecendo muito bem o que agora experimento sem nenhum remédio? É possível que por uma cegueira de que me não quis apartar, por um apetite que passou em um momento, hei de arder no inferno enquanto Deus for Deus? Cuidemos nisto, cristãos, cuidemos nisto. Em que cuidamos, e em que não cuidamos? Homens mortais, homens imortais, se todos os dias podemos morrer, se cada dia nos imos chegando mais à morte, e ela a nós, não se acabe com este dia a memória da morte. Resolução, resolução uma vez, que sem resolução nada se faz. E para que esta resolução dure e não seja como outras, tomemos cada dia uma hora em que cuidemos bem naquela hora. De vinte e quatro horas que tem o dia, por que se não dará uma hora à triste alma? Esta é a melhor devoção e mais útil penitência, e mais agradável a Deus, que podeis fazer nesta quaresma. Tomar uma hora cada dia, em que só por só com Deus e conosco cuidemos na nossa morte e na nossa vida. E porque espero da vossa piedade e do vosso juízo que aceitareis este bom conselho, quero acabar deixando-vos quatro pontos de consideração para os quatro quartos desta hora. Primeiro: quanto tenho vivido? Segundo: como vivi? Terceiro: quanto posso viver? Quarto: como é bem que viva? Torno a dizer para que vos fique na memória: Quanto tenho vivido? Como vivi? Quanto posso viver? Como é bem que viva? *Memento hom*

Caro mea vere est cibus, et sanguis meus vere est potus.

§I

Por que somente na instituição do sacramento da Eucaristia Jesus usou, e por duas vezes, o advérbio: verdadeiramente. O Mistério da Fé por antonomásia torna-se para o autor o mistério da razão. Os sete inimigos dessa verdade: o judeu, o gentio, o herege, o filósofo, o político, o devoto e o demônio.

Duas palavras de mais, ou uma duas vezes repetida, achava eu com fácil reparo na cláusula que propus do Evangelho: *Vere cibus,vere potus* (Jo. 6,56). Todos os mistérios da fé, todos os sacramentos da Igreja são verdadeiros mistérios e verdadeiros sacramentos; contudo, se atentamente lermos todos os Evangelhos, se atentamente advertirmos todas as palavras de Cristo, acharemos que em nenhum outro mistério, em nenhum outro sacramento, senão no da Eucaristia, ratificou o Senhor aquela palavra Vere: verdadeiramente. Instituiu Cristo o sacramento da Penitência, e disse: *Quorum remiseritis peccata, remittuntur eis:* A quem perdoardes os pecados, serão perdoados (Jo. 20, 23). E não disse: vere, verdadeiramente perdoados. Instituiu o sacramento do Batismo, e disse: *Qui crediderit et baptizatus fuerit, salvus erit:* Quem crer e for batizado será salvo (Mc. 16, 15). Mas não disse: vere, verdadeiramente salvo. Pois se nos outros mistérios, se nos outros sacramentos, não expressou o soberano Senhor, nem ratificou a verdade de seus efeitos, no sacramento de seu corpo e sangue, por que confirma com tão particular expressão? Por que a ratifica uma e outra vez: *Vere est cibus, vere est potus?* Nas maiores alturas sempre são mais ocasionados os precipícios, e como o mistério da Eucaristia é o mais alto de todos os mistérios, como o sacramento do corpo e sangue de Cristo é o mais levantado de todos os sacramentos, previu o Senhor que havia de achar nele a fraqueza, e descobrir a malícia maiores ocasiões de duvidar. Haviam-no de duvidar os sentidos, e haviam-no de duvidar as potências; havia-o de duvidar a ciência, e havia-o de duvidar a ignorância; havia-o de duvidar o escrúpulo, e havia-o de duvidar a curiosidade, e onde estava mais ocasionada a dúvida, era bem que ficasse mais expressa e mais ratificada a verdade. Por isso ratificou a verdade de seu corpo debaixo das espécies da hóstia: *Caro mea vere est cibus;* por isso ratificou a verdade de seu sangue debaixo das espécies do cálix: *Et sanguis meus vere est potus.*

Suposta esta inteligência, que não é menos que do Concílio Tridentino, e suposta a ocasião desta solenidade, instituída para desagravar a verdade deste soberano mistério, vendo-me eu hoje neste verdadeiramente grande teatro da fé, determino sustentar contra todos os inimigos dela a verdade infalível daquele *vere: Vere est cibus, vere est potus*. Estas duas conclusões de Cristo havemos de defender hoje com sua graça. E porque os princípios da fé contra aqueles que a negam, ou não valem, ou não querem que valham, ainda que infalíveis, pondo de parte o escudo da mesma fé, e saindo a campo em tudo com armas iguais, argumentarei somente hoje com as da razão. O mistério da Eucaristia chama-se Mistério da Fé por antonomásia: *Hic est calix sanguinis mei novi et aeterni testamenti, mysterium fidei;* mas hoje, com novidade pode ser que nunca ouvida, faremos o Mistério da Fé mistério da razão. Sairão a argumentar contra a verdade deste mistério não só os inimigos declarados dela, mas todos os que por qualquer via a podem dificultar: e serão sete. Um judeu, um gentio, um herege, um filósofo, um político, um devoto, e o mesmo demônio. Todos estes porão suas dúvidas, e a todos satisfará a razão. E para que a vitória seja mais gloriosa, vencendo a cada um com suas próprias armas, ao judeu responderá a razão com as Escrituras do Testamento Velho, ao gentio com as suas fábulas, ao herege com o Evangelho, ao filósofo com a natureza, ao político com a conveniência, ao devoto com os seus afetos, e ao demônio com as suas tentações. Temos a matéria. Para que seja a glória de nossa santa fé e honra do diviníssimo Sacramento, peçamos àquela Senhora que deu a Deus a carne e sangue de que se instituiu este mistério, e não é menos interessada na vitória de seus inimigos, nos alcance a luz, o esforço, a graça, que para tão nova batalha havemos mister. *Ave Maria*.

§II

O primeiro inimigo: o judeu. Primeira objeção: a possibilidade do sacramento. Por que Cristo, em vez de atender-lhes a dúvida ameaçou-lhe a malícia? Para os judeus, apoiando-se nas Escrituras, é impossível Deus, imenso, limitar-se ao pão; e invisível, limitar-se ao visível. Por que então no deserto pediram a Arão, sacerdote, que lhes fizesse um Deus visível? O que eles pediram, nós recebemos. Um argumento a nosso favor: os judeus adoraram o bezerro e foram castigados; nós adoramos a hóstia e não o somos, embora os primei-

ros cristãos tenham sido judeus. Se o judeu crê nos outros milagres da Escritura, por que não crer na Eucaristia? Se crê no poder das palavras de Josué ao sol e de Moisés à rocha, por que não acreditar no poder das palavras do sacerdote? Para o judeu crer na Eucaristia não lhe é necessária nova fé. Cristo ao instituir a Eucaristia não pediu entendimento, pediu memória.

Caro mea vere est cibus, et sanguis meus vere est potus. O primeiro inimigo de Cristo que temos em campo contra a verdade daquele sacrossanto mistério, é o judeu. Judaica perfídia foi, como se crê, a que deu cousa à dor, e ocasião à glória deste grande dia. Mas, para convencer o judeu, e o sujeitar à fé do mistério da Eucaristia, não há mister a razão as nossas Escrituras, bastam-lhe as suas mesmas. A primeira e maior dúvida que tiveram os judeus contra a verdade deste sacramento, foi a possibilidade dele. *Quomodo potest hic nobis carnem suam dare ad manducandum?* Como pode este, diziam, dar-nos a comer sua carne? (Jo. 6, 53). Não é possível. E Cristo que lhes respondeu? *Nisi manducaveritis carnem Filii hominis, et biberitis ejus sanguinem, non habebitis vitam in vobis* (Jo. 6, 54): Se não comerdes a minha carne e beberdes o meu sangue, não tereis vida. Senhor; com licença de vossa sabedoria divina, a questão dos judeus era duvidarem da possibilidade deste mistério, e as dúvidas postas em presença do mestre, soltam-se com a explicação, e não com o castigo. Se estes homens duvidam da possibilidade do mistério, dizei-lhes como é possível, e declarai-lhes o modo com que pode ser, e ficarão satisfeitos. Pois por que seguiu Cristo neste caso outro caminho tão diferente, e em lugar de lhes dar a explicação, os ameaçou com castigo? A razão foi, porque os que duvidavam neste passo eram os judeus: *Litigabant ergo judaei* (Jó. 6, 53), e para os judeus conhecerem a possibilidade daquele mistério, não é necessária a doutrina de Cristo: basta-lhes as suas Escrituras e a razão. Provo do mesmo texto. *Litigabant ergo judaei.* Diz que os judeus litigavam uns contra os outros sobre o caso. Se litigavam, logo uns diziam que sim, outros que não: os que diziam que sim, davam razões para ser possível; os que diziam que não, davam razões para o não ser; e eram tão eficazes as razões dos que diziam que sim, que não teve Cristo necessidade de dar as suas. Por isso, acudiu à pertinácia como castigo, e não à dúvida com a explicação. Três coisas concorriam nesta demanda: a dúvida do mistério, a malícia dos que o negavam, e a razão dos que o defendiam. E quando Cristo parece que havia de acudir à dúvida com a explicação, acudiu à malícia como castigo, porque os argumentos dos que negavam o mistério já estavam convencidos na razão dos que o defendiam. De maneira que, para convencer ao judaísmo da possibilidade do Sacramento da Eucaristia, não é necessária a fé, nem a doutrina de Cristo: basta a fé e a razão dos mesmos judeus.

E se não, desçamos em particular aos impossíveis que neste mistério reconhece, ou se lhe representam ao judeu. *Quomodo potest?* Diz o judeu que o mistério da Eucaristia, na forma em que o cremos os cristãos, nem é possível quanto à substância, nem quanto ao modo. Não é possível quanto à substância, porque, como diz Moisés no Êxodo, e Salomão no terceiro dos Reis (Êx. 33, 20; 3 Rs. 8, 27), Deus é imenso e invisível, e o imenso não se pode limitar a tão pequena esfera, nem o invisível reduzir-se ao que se vê. E não é possível quanto ao modo, porque, como diz Davi nos salmos (Sl. 71, 18; 135, 4), o autor dos milagres é só Deus, e o sujeito dos milagres são as criaturas; sendo logo o sacerdote criatura, como pode fazer milagres em Deus, e converter em corpo de Deus a substância do pão: *Quomodo potest?* Para satisfazer a razão as aparências destes dois impossíveis, não tem necessidade de ir buscar razões a outros entendimentos, porque no entendimento dos mesmos judeus as tem ambas concedidas e convencidas.

Enquanto Moisés se detinha no monte recebendo a lei, cansados os judeus (que agora não cansam) de esperar, disseram assim a Arão: *Fac nobis Eloim, qui nos praecedat* (Êx. 32, 1): Arão, fazeinos um Deus que possamos ver e seguir, e vá diante de nós nesta viagem. — Notai a palavra *Eloim*, que não só significa Deus, senão o Deus verdadeiro que criou o céu e a terra. Assim o escreveu Moisés nas primeiras palavras que escreveu: *In principio creavit Eloim caelum et terram* (Gên. 1, 1). Esta proposta pois dos judeus tinha dois grandes reparos: o primeiro, que pediram a um homem que lhes fizesse Deus; o segundo, que pediram isto a Arão, e não a outro homem. Não sabiam os hebreus que Deus é imenso e que ocupa todo o lugar? Pois como lhe pediam que fizesse um Deus que pudesse mudar lugar e ir diante? Não sabiam que Deus é invisível, e fora da esfera e objeto dos olhos humanos? Pois como pediam que lhes fizesse um Deus que pudessem ver e seguir? Tudo isto quer dizer: *Qui nos praecedat* E já que pediam esta grande obra e este grande milagre a um homem, não estavam ali outras grandes pessoas, cabeças das tribos e governadores do povo, e sobre todos não estava Hur, nomeado pelo mesmo Moisés por adjunto de Arão, enquanto durasse a sua ausência? *Habetis Aaron, et Hur, si quid natum fuerit quaestionis, referetis ad eos.* Pois por que não pediram a Hur;, ou a algum dos outros, que obrasse essa maravilha, senão a Arão e só a Arão? Aqui vereis quão racionais são e quão conformes ao entendimento humano os mistérios da fé católica. Ainda quando os judeus foram hereges da sua fé, não puderam negar a razão da nossa. Pediram os judeus a Arão que lhes fizesse um Deus que pudessem ver e seguir, porque entenderam que ainda que Deus era imenso e invisível, sem menoscabo de sua grandeza, se podia limitar a menor esfera, e sem perigo de sua invisibilidade, se podia encobrir debaixo de alguma figura e sinal visível. E escolheram por ministro desta maravilha a Arão, que era sacerdote, e não a outrem, porque entenderam também que ação tão sobrenatural e milagrosa, como pôr a Deus debaixo de espécies criadas, não podia competir a outro senão ao sacerdote. Eis aqui o que os judeus pediram então, e eis aqui o que nós adoramos hoje: um Deus debaixo de espécies visíveis, posto nelas milagrosamente por ministério dos sacerdotes. Os judeus foram os que traçaram o mistério, e nós somos os que o gozamos; eles fizeram a petição, e nós recebemos o despacho; eles erraram, e nós não podemos errar. E em que esteve a diferença? Esteve só a diferença em que eles creram que se podia fazer esta maravilha por autoridade humana: *Fac nobis Eloim qui nos praecedat;* e nós cremos que só se faz e se pode fazer por autoridade divina: *Hoc facite in mean commemorationem* (Lc. 22, 19). E que crendo o judeu que se podia fazer por poder humano, não creia que se possa fazer por onipotência divina: *Quomodo potest?* Não é isto só erro da fé: é cegueira da razão.

E se não, ajude-se a razão da experiência. Quando os judeus neste caso adoraram o bezerro, no mesmo dia os castigou Deus, matando mais de vinte mil deles (Êx. 32, 18). É assim? Logo bem se segue que está Deus na hóstia consagrada. Provo a consequência. Se Deus, ponhamos este impossível, se Deus não está naquela hóstia, todos os cristãos são idólatras, como o foram os judeus quando adoraram o bezerro. É certo porque em tal caso reconhecemos divindade onde a não há. Pois se somos idólatras, por que nos não castiga Deus, assim como castigou aos judeus? Aperto a dúvida: porque os judeus adoraram o bezerro uma só vez, os cristãos adoram a hóstia consagrada há mil e seiscentos anos; os judeus adoram o bezerro em um só lugar, os cristãos adoramos o Sacramento em todas as partes do mundo; os judeus que adoraram o bezerro eram de uma só nação, e os cristãos que adoram o Sacramento são de todas as nações do universo. Ainda falta o mais forçoso argumento. Muitos dos que creem e adoram este soberano mistério, são hebreus da mesma nação, verdadeiramente convertidos à fé; o mesmo autor e instituidor dele, Cristo Redentor e Senhor nosso, era hebreu; os primeiros que o adoraram, creram e comungaram, que foram os apóstolos e os discípulos, eram também hebreus, e esses mesmos hebreus foram os primeiros sacerdotes que o consagraram, e os primeiros pregadores que o levaram, promulgaram, fundaram e estabeleceram por todo o mundo. Pois se Deus é o mesmo, e os adoradores deste mistério os mesmos, por que os não castiga Deus a eles e a nós, como castigou aos antigos hebreus? Se adorar aquela hóstia é idolatria, como foi adorar o bezerro, por que sofre Deus mil e seiscentos anos na face de todo o mundo, o que não sofreu um dia em um deserto? É porque eles foram verdadeiramente idólatras, e nós somos verdadeiros fiéis; é porque eles, adorando o bezerro, reconheciam divindade onde não havia, e nós, adorando aquela hóstia consagrada, reconhecemos divindade onde verdadeiramente está Deus. De maneira, judeu, que com o teu mesmo castigo, com as tuas mesmas Escrituras, e com o teu mesmo entendimento, te está convencendo a razão a mesma verdade que negas, e os mesmos impossíveis e dificuldades que finges.

Mas vamos continuando e discorrendo por todas as dificuldades deste mistério, e veremos como os judeus as têm já crido todas nas suas Escrituras. O Sacramento da Eucaristia por antonomásia é mistério do Testamento Novo: *Hic calix novum testamentum est in meo sanguine* (1 Cor. 11, 25). Mas de tal modo é mistério novo, e do Testamento Novo, que todas as suas dificuldades se creram e se tiraram no Velho. Grande dificuldade é desse mistério, que o pão se converta em corpo de Cristo, e o vinho em seu sangue; mas se o judeu crê nas suas Escrituras que a mulher de Jó se converteu em estátua, se crê que a vara de Moisés se converteu em serpente, se crê que o Rio Nilo se converteu em sangue, que razão tem para não crer que o pão se converte em corpo de Cristo. Grande dificuldade é deste mistério que se conservem os acidentes fora do sujeito e que subsistam por si sem o arrimo da substância; mas se o judeu crê que a luz, que é acidente do sol, foi criada ao primeiro dia, e o sol, que é a substância da luz, foi criado ao quarto, que razão tem para não crer que existam os acidentes de pão que vemos, onde não tem substância de pão que os sustente? Grande dificuldade é neste mistério que receba tanto o que comungou toda a hóstia, como o que recebeu uma pequena parte; mas se o judeu crê que quando seus pais iam colher o maná ao campo, os que colhiam muito e os que colhiam pouco, todos se achavam igualmente com a mesma medida, que razão tem para não crer que assim os que recebem parte, como os que recebem toda a hóstia, comungam todo Cristo? Finalmente é grande dificuldade neste mistério, que todas as maravilhas dele se obrem com quatro palavras, e que esteja Deus sujeito e como obediente às do sacerdote; mas se o judeu crê que a três palavras de Josué obedeceu Deus, e parou o sol, e que por não crer Moisés que bastavam palavras para converter a penha em fonte, foi condenado a não entrar na Terra de Promissão, que razão tem para não crer que bastam as palavras do sacerdote para que Cristo desça e o pão se mude. De maneira que para o judeu confessar a possibilidade no mistério da Eucaristia, em que tropeça, não lhe é necessário nova fé, nem a nossa: basta-lhe a velha, a sua, ajudada só da razão. O que creu nas suas Escrituras, é o que aqui lhe manda crer a fé, só com esta diferença, que aqui mandam-se-lhe crer por junto os milagres que lá creu repartidos. A seu profeta o disse: *Memoriam fecit mirabilium suorum, escam dedit timentibus se* (Sl. 110, 4): Fez uma memória Deus das suas maravilhas no pão que deu a comer aos que o temem. De sorte que a memória é nova, mas as maravilhas são antigas; lá estavam divididas, aqui estão compendiadas.

Donde é muito para notar acerca do *Memoriam fecit*, que quando Cristo instituiu e se deixou no Sacramento, não pediu mais que memória: *In mei memoriam facietis*. E por que não pediu entendimento e vontade? Cristo neste mistério pretendia amor e fé; para o amor era necessária vontade, para a fé entendimento; pois, por que se cansa em encomendar a memória? Porque o lugar onde Cristo instituiu este mistério era Jerusalém, e as pessoas diante de quem o instituiu, eram os judeus, e para Jerusalém e os judeus crerem e amarem este mistério, não lhes é necessário discorrerem como entendimento, nem aplicarem nova vontade; basta que se lembrem com a memória. Lembrem-se do que creram na sua lei, e não duvidarão de adorar o que nós cremos na nossa. Nenhuma nação do mundo tem mais facilitada a fé do Santíssimo Sacramento que os judeus, porque as outras nações para crerem, hão mister entendimento e vontade; o judeu para crer, basta-lhe a memória. Lembrem-se, e crerão. De sorte que a infidelidade nos judeus não é tanto infidelidade, quanto esquecimento: não creem porque não se lembram. E se basta a memória para crerem, quanto mais bastará o discurso e a razão? Confessem pois convencidos dela a verdade infalível daquele *Vere: Vere est cibus, vere est potus.*

§III

Segundo inimigo: o gentio. O exemplo de Atreu, dando a comer as carnes de seu filho. Averróis horroriza-se com as palavras de Cristo. Apoiando-se em Tertuliano, o autor usa contra os gentios suas próprias fábulas. A idolatria é degrau para a fé. Vários exemplos tirados da mitologia. Nada há de descrédito para nossa religião nessas semelhanças. Davi e S. Pedro encarecem os mistérios da fé comparando-os com as fábulas pagãs. Se o gentio crê na fábula, que é arremedo, por que não crer na existência verdadeira de suas fábulas?

Ao gentio também lhe parece impossível este mistério, e a maior dificuldade que acha nele, são as mesmas palavras de Cristo: *Caro mea vere est cibus, et sanguis meus vere est potus*. Como é possível, diz o gentio, que seja Deus quem diz que lhe comam a carne e lhe bebam o sangue? Quando Atreu deu a comer a Tiestes a carne de seu filho, diz a gentilidade, que fez tal horror este caso à mesma natureza, que o sol contra seu curso tornou atrás, por não contaminar a pureza de seus raios dando luz a tão abominável mesa. Como pode logo ser Deus quem diz que lhe comam a carne e lhe bebam o sangue? E como podem ser homens os que comem a carne e bebem o sangue a seu próprio Deus? Pareceu tão forçoso este argumento, tão desumana esta ação a Averróis, comentador de Aristóteles, que só por não ser de uma lei em que era obrigado a comer seu Deus, não quis ser cristão, e se deixou morrer gentio.

Aos argumentos dos gentios prometeu a razão que responderia com as suas fábulas; e por que não pareça pouco sólido este novo modo de responder; ouçamos primeiro a Tertuliano. Argumentando contra a gentilidade, Tertuliano, no seu Apologético, disse que as fábulas dos gentios faziam mais críveis os mistérios dos cristãos. Parece proposição dificultosa, porque as fábulas dos gentios são mentiras, são fingimentos; os mistérios dos cristãos são verdades infalíveis: como logo pode ser que a mentira acrescente crédito à verdade? O mesmo Tertuliano se explicou como juízo que costuma: *Fideliora sunt nostra, magisque credenda, quórum imagines quoque fidem invenerunt*: as fábulas dos gentios, se bem se consideram, são uns arremedos, são umas semelhanças, são umas imagens ou imaginações dos mistérios dos cristãos. E se os gentios deram fé ao arremedado somente dos nossos mistérios, por que a não hão de dar ao verdadeiro deles? Se creram e adoraram os retratos, por que hão de duvidar a crença e negar a adoração aos originais? *Fideliora, magisque credenda, quarum imagines quoque fidem invenerunt*: com a sua mesma idolatria está convencendo a razão aos gentios para que não possam negar a fé, porque nenhuma coisa lhes propõe tão dificultosa de crer a fé, que eles a não tenham já concedido e confessado nas suas fábulas. Daqui se entenderá a razão e providência altíssima que Deus teve, para permitir a idolatria no mundo. E qual foi? Para que a mesma idolatria abrisse o caminho à fé e facilitasse no entendimento dos homens a crença de tão altos e tão secretos mistérios, como os que Deus tinha guardado para a lei da graça. Assim como Deus neste mundo criou um homem para pai de todos os homens, que foi Adão, assim fez outro homem para pai de todos os crentes, que foi Abraão. A um deu o primado da natureza, a outro a primazia da fé. Mas esse mesmo Abraão, se bem lhe examinarmos a vida, acharemos que antes de crer no verdadeiro Deus, foi idólatra: *Thare pater Abrahae, et Nachor, servierunt que diis alienis*. Pois idólatra Abraão, que há de ser pai de todos os crentes? Sim, e por isso mesmo. Permitiu Deus que o pai da fé fosse filho da idolatria, porque a idolatria é degrau e sucessão para a fé. A porta da fé é a credulidade, como dizem os teólogos, porque antes de uma coisa ser crida, há de julgar o entendimento que é crível. E isto é o que fez a idolatria no mundo, vindo diante da fé. A idolatria semeou a credibilidade, e a fé colheu a crença; a idolatria, com as fábulas, começou a fazer os gentios crédulos, e a fé, com os mistérios acabou de os fazer crentes. Como a fé é crença de coisas verdadeiras e dificultosas, a idolatria facilitou o dificultoso, e logo a fé introduziu o verdadeiro. As repugnâncias que tem a fé, e o grande, o árduo, o escuro, e o sobrenatural dos mistérios: crer o que não vejo, e confessar o que não entendo. E estas repuguâncias já a idolatria as tinha vencido nas fábulas, quando a fé as convenceu nos mistérios.

Suposta esta verdade, ficam mui fáceis de crer aos gentios quaisquer dificuldades que se lhes representem no Sacramento do Altar, porque tudo o que nós cremos neste mistério, creram eles primeiro nas suas fábulas. Se os gentios criam que no pão comiam um deus e no vinho bebiam outro, no pão a Ceres e no vinho a Baco, que dificuldade lhes fica para crerem que debaixo das espécies do pão comemos a carne, e debaixo das espécies do vinho bebemos o sangue do nosso Deus? Se comêssemos a carne e sangue em própria espécie, seria horror da natureza, mas debaixo de espécies alheias, tão naturais como as de pão e vinho, nenhum horror faz nem pode fazer, ainda a quem tenha a vista tão mimosa e o gosto tão achacado como Averróis.

Em todos os outros impossíveis que se representam ao gentio neste mistério corre o mesmo. Parece impossível neste mistério que a substância do pão passe a ser corpo de Cristo; parece impossível que a quantidade do pão ocupe um só lugar na mesma hóstia; parece impossível que o mesmo manjar cause morte e cause vida; parece impossível que o mesmo Cristo esteja juntamente no céu e mais na terra; parece impossível que desça Deus cada dia à terra para se unir com o homem e o levar ao céu; e parece finalmente impossível que o homem comendo se transforme, com um bocado, de homem em Deus. Mas, se os gentios criam (desfaçamos todos esses impossíveis) se os gentios criam que Dafne se convertera em louro, que Narciso se convertera em flor, que Niobe se convertera em mármore, Hipomenes em leão e Aretusa em fonte, que razão lhes fica para duvidar que o pão se converte em corpo e o vinho em sangue de Cristo? Se os gentios criam que no corpo de Gerião havia três corpos, que razão têm para duvidar que a quantidade do corpo de Cristo, e a quantidade do pão, sendo duas, ocupem um só lugar na mesma hóstia? Se os gentios criam que a espada de Aquiles ferira a Telefo, quando inimigo, e que a mesma espada o sarara depois quando reconciliado, que razão têm para duvidar que o mesmo corpo de Cristo é morte para os obstinados e vida para os arrependidos? Se os gentios criam que Hecate estava juntamente no céu, na terra e no inferno: no céu com e nome de Lua; na terra com o nome de Diana, no inferno com o nome de proserpina, que razão têm para duvidar que o mesmo Cristo está no céu e na terra, e em diversos lugares dela juntamente? Se os gentios criam que Júpiter descera à terra em chuva de ouro, para render e obrigar a Danae, e em figura de águia para levar ao céu a Ganímedes, que razão lhes fica para duvidar que desça Deus à tenra em outros dois disfarces para render e se unir com os homens nesta vida, e para os levar ao céu na outra? Finalmente se os gentios creem que Glauco, mastigando uma erva, mudou a natureza e se converteu em Deus do mar, que dificuldade têm para crer que por meio daquele manjar soberano mudem os cristãos a natureza, e de humanos fiquem divinos? Assim que não lhes fica razão nenhuma de duvidar neste mistério aos gentios, porque tudo o que se manda crer no Sacramento, creram eles primeiro nas suas fábulas.

Nem cuide alguém que é descrédito de nossa religião parecerem-se os seus mistérios com as fábulas dos gentios, porque antes esse é o maior crédito da fé e o maior abono da onipotência. Louva Davi os mistérios da lei escrita, e encarece-os por comparação às fábulas dos gentios: *Narraverunt mihi iniqui jabulationes, sed non ut lex tua.* Louva S. Pedro os mistérios da lei da graça, e encarece-os por comparação às fábulas da mesma gentilidade: *Non enim doctas fabulas secuti, notam facimus vobis virtutem, et praesentiam Jesu Christi.* Notável comparação e notável conformidade entre as duas maiores colunas da lei velha e nova. Se Davi e Pedro querem encarecer os mistérios divinos da fé por comparação à gentilidade, por que os não comparam com as histórias dos gentios senão com as suas fábulas? A profissão da história é dizer verdade, e as histórias dos gentios tiveram feitos heroicos e casos famosíssimos, como se vê nas dos gregos e dos romanos. Pois por que comparam Davi e Pedro os mistérios sagrados, não às histórias, senão às fábulas? Porque as histórias contam o que os homens fizeram, e as fábulas contam o que os homens fingiram; e vencer Deus aos homens no que puderam fazer, não é argumento de sua grandeza, mas vencer Deus aos homens no que souberam fingir, esse é o louvor cabal de seu poder. Que chegassem as obras de sua onipotência onde chegaram os fingimentos de nossa imaginação, que chegasse a onipotência divina obrando, onde chegou a imaginação humana fingindo? Grande poder! Grande sabedoria! Grande Deus! Isto é o que adoramos e confessamos naquele mistério. As fábulas dos gentios foram imaginações fingidas das maravilhas daquele mistério, e as maravilhas daquele mistério são existências verdadeiras das suas fábulas. Pois se as creram na imaginação, por que as hão de negar na realidade? Confesse logo o gentio, convencido da razão, a verdade manifesta daquele *Vere*, e diga: *Vere est cibus, vere est potus*.

§IV

Terceiro inimigo: o herege. Objeção: Cristo muitas vezes chama pão a este mistério, logo é pão. É preciso estudar-se a terminologia dos livros sagrados. As Escrituras dão nome as coisas, ou pelo que foram, ou pelo que parecem, ou pelo que são. Segunda objeção: se assim é, Cristo poderia ter chamado corpo ao pão, sem que isto viesse alterar a substância do pão. Ainda mais: é chamado vide, pedra e cordeiro, sem ser nenhuma dessas três coisas. Razão da palavra vere. *Distinção entre sentido metafórico e verdadeiro.*

O herege, como inimigo doméstico, argumenta com o Evangelho, e das palavras de Cristo forma armas contra o mesmo Cristo. Crê e pretende provar que o que está debaixo das espécies sacramentais é verdadeira substância de pão, e argui desta maneira: Cristo no Evangelho chama muitas vezes pão a este mistério: *Hic est panis, qui de caelo descendit. Qui manducat hunc panem, vivet in aeternum.* Cristo chama-lhe pão? Logo é pão. Provo a consequência, diz o herege. Porque a razão por que os católicos cremos que na hóstia está a substância do corpo de Cristo, é porque Cristo disse: *Hoc est corpus meum:* Este é meu corpo (Mt. 26, 26). Pois se na hóstia está a substância do corpo, porque Cristo disse: *Hoc est corpus meum*, também na hóstia está a substância de pão, porque Cristo disse: *Hic est panis*.

Responde a razão facilmente. Chama Cristo pão à hóstia consagrada sem ser pão, porque ainda que não é pão, foi pão, ainda que não é pão, parece pão, e para ter o nome não é necessário ser, basta haver sido; não é necessário ser, basta parecer. Prova a razão com o mesmo Evangelho. *Panis quem dabo, caro mea est* (Jo. 6, 52): O pão que eu vos hei de dar, diz Cristo, é meu corpo. — Pois; se é corpo, por que lhe chama pão? E se lhe chama pão, por que lhe chama corpo? Chama-lhe corpo pelo que é, e chama-lhe pão, pelo que foi? Chama-lhe corpo pelo que é, e chama-lhe pão pelo que parece. Aquela hóstia não é pão, mas foi pão e parece pão, e basta o parecer e o haver sido, para se chamar assim. E por que não possa dizer o herege que isto é explicação humana e nossa, veja ele, e vejam todos, como esta é a frase e o modo de falar de Deus e de suas Escrituras. Convertida a vara de Moisés (que também se chama de Arão) em serpente, convertidas também em serpentes as varas dos magos de Faraó, investiu a serpente de Moisés as outras, e diz assim o texto: *Virga Aaron devoravit virgas eorum:* a vara de Moisés comeu as varas dos egípcios (Êx. 7, 12). Parece que não havia de dizer assim. As serpentes dos egípcios não as comeu a vara de Moisés, senão a serpente de Moisés, porque a vara não podia comer; senão a serpente. Pois se a serpente foi a que comeu, por que se diz que comeu a vara? Porque a serpente de Moisés tinha sido vara de Moisés, e para a serpente se chamar vara, basta que tenha sido vara, ainda que seja serpente. O mesmo passa neste mistério. A hóstia consagrada, que agora é corpo de Cristo, tinha sido pão; e para a hóstia, que é corpo de Cristo, se chamar pão, basta que tenha sido pão, ainda que seja corpo de Cristo. De sorte que, sem ser pão, se pode chamar pão, não porque o é, senão porque o foi. Da mesma maneira se chama pão, não porque o é, senão porque o parece. Refere o texto sagrado a criação dos planetas e astros celestes, e diz que fez Deus duas luzes, ou lumieiras, como lhes chama o texto, maiores que todas, que são o sol e a lua: *Fecit duo luminaria magna* (Gên. 1, 16). Se consultarmos a astrologia, havemos de achar que a maior de todas as luzes celestes é o sol, e a menor de todas é a lua. Pois se a lua é o menor de todos os astros, por que se chama maior? Que se chame maior o sol, é devido esse nome à sua grandeza; mas chamar-se maior a lua? Sim. O sol chama-se maior, porque o é; a lua chama-se maior porque o parece. Todos os astros são maiores que a lua, mas a lua parece maior que todos, e basta que pareça maior, ainda que o não seja, para que se chame maior. Assim, nem mais nem menos, aquela sagrada hóstia não é pão, mas parece pão, porque ficaram nela os acidentes de pão em que topam os nossos sentidos; e basta que pareça pão, ainda que o não seja, para que se chame pão: *Hic est panis*.

E se acaso algum herege se não deixar convencer destes exemplos, por serem do Testamento Velho (que alguns deles negaram, como os maniqueus), no Testamento Novo temos os mesmos, e ainda, se pode ver, mais claros. Nas bodas de Caná de Galileia, quando arquitriclino, ou regente da mesa, provou o vinho milagroso, diz o evangelista S. João que gostou a água feita vinho: *Gustavit architriclinus aquam vinum factam* (Jo. 2, 9). Na manhã da ressurreição, quando as Marias entraram no sepulcro, diz o evangelista S. Marcos, que viram um mancebo vestido de branco assentado à parte direita: *viderunt juvenem sedentam a dextris, coopertum stola candida* (Mc. 16, 5). E este mancebo, diz S. Mateus que era um anjo: *Angelus enim Domini descendit de caelo, et revolvit lapidem, et sedebat super eum*. Nestes dois casos tem o herege ambos os seus reparos; o vinho milagroso, depois da conversão, era verdadeiro vinho; o anjo que viram as Marias vestido de branco, também era verdadeiro anjo. Pois se o vinho verdadeiramente e na substância era vinho, como lhe chama ainda água o evangelista S. João: *Aquam vinum factam?* E se o anjo verdadeiramente e na substância era anjo, como lhe chama homem o evangelista S. Marcos: *Viderunt juvenem sedentem?* Ambos falaram como evangelistas, e ambos com verdade e propriedade natural. S. João chamou água ao vinho, porque ainda que já não era água, senão vinho, tinha sido água: *Aquam vinum factam*. E S. Marcos chamou ao anjo homem, porque ainda que não era homem, senão anjo, na figura e no trajo parecia homem: *Juvenem sedentem, coopertum stola candida*. O mesmo acontece na hóstia consagrada, e por isso falou dela Cristo, como os seus evangelistas falaram do vinho milagroso e do anjo disfarçado. Assim como a substância da água se tinha convertido em substância de vinho, e contudo se chama água depois da conversão, não porque fosse ainda água, senão porque o tinha sido, assim o corpo de Cristo no Sacramento se chama pão, não porque seja pão, senão porque o foi. E assim como o anjo na substância era verdadeiro anjo, e contudo se chama homem, porque vinha disfarçado em trajos de homens e parecia homem, assim o corpo de Cristo, debaixo das espécies sacramentais, se chama pão, não porque seja pão, senão porque parece pão: *Hic est panis*.

Sim. Mas daqui mesmo insta e argumenta o herege, que assim como Cristo chamou pão à hóstia sem ser pão, assim lhe podia chamar seu corpo, sem ser seu corpo. Não podia, diz a razão, e daí mesmo o prova e convence admiravelmente. À hóstia pode-se chamar pão sem ser pão, porque foi pão, e parece pão; mas não se pode chamar corpo de Cristo sem ser corpo de Cristo, porque nem o foi, nem o parece. De um de três modos se pode chamar a hóstia corpo de Cristo: ou porque o é, ou porque o foi, ou porque o parece. Porque o parece, não, porque aquela hóstia, depois de consagrada, não parece corpo de Cristo. Porque o foi, não, porque aquela hóstia, antes de consagrada, não foi corpo de Cristo. Logo se se chama corpo de Cristo, é porque verdadeiramente o é, e porque não fica outro verdadeiro sentido em que as palavras de Cristo se possam verificar.

Contra-replica ainda o herege obstinadamente. Cristo na Escritura chama-se pedra, chama-se cordeiro, chama-se vide. Chama-se pedra, porque assim o disse S. Paulo: *Bibebant de consequente eos petra, petra outem erat Christus*. Chama-se cordeiro, porque assim o disse S. João Batista: *Ecce Agnus Dei, ecce qui tollit peccata mundi*. Chama-se vide, porque o mesmo Cristo o disse falando de si: *Ego sum vitis, vos palmites*. E contudo, nem Cristo foi pedra, nem parece pedra, nem é pedra; nem foi cordeiro, nem parece cordeiro, nem é cordeiro; nem foi vide, nem parece vide, nem é vide; logo, ainda que o Sacramento se chame pão, porque foi pão e parece pão, bem se pode chamar corpo de Cristo sem ser Corpo de Cristo, assim como se chama pedra, cordeiro e vide, sem ser vide, cordeiro, nem pedra. Bendita seja, Senhor, a vossa sabedoria e providência, que contra toda a pertinácia e astúcia de tão obstinados inimigos de nossa fé, deixastes armada vossa Igreja, e defendida a verdade desse soberano mistério com uma só palavra: *Vere*. Entre o sentido verdadeiro e o metafórico há esta diferença: que o sentido metafórico significa somente semelhança; o verdadeiro significa realidade. E para tirar toda esta equivocação e qualquer outra dúvida, o mesmo instituidor do Sacramento, Cristo, declarou e repetiu uma e outra vez que o sentido em que falava, assim de seu corpo como de seu sangue, não era metafórico senão verdadeiro. Verdadeiro na significação do corpo: *Caro mea vere est cibus*, e verdadeiro na significação do sangue: *Et sanguis meus vere est potus*.

Se eu dissera a Lutero e Calvino, que eram homens, claro está que haviam de entender que falava em sentido verdadeiro, porque ainda que foram dois monstros tão irracionais, eram compostos de alma e corpo. Mas se eu lhes dissera que eram duas serpentes venenosas, que eram dois lobos do rebanho de Cristo, que eram duas pestes do mundo e da Igreja, também haviam de entender que falava em sentido metafórico. Pois a mesma diferença vai do texto de Cristo a esses textos mal interpretados que eles alegam contra a verdade do Sacramento. Chama S. Paulo a Cristo pedra, porque assim como da pedra do deserto, de que ele falava, brotou a fonte perene de que bebia o povo de Deus, assim de Cristo manaram, e manam as fontes da graça, de que se alimenta o povo cristão. Chama o Batista a Cristo cordeiro, porque assim como na lei antiga se sacrificavam cordeiros para aplacar a Deus ofendido, assim Cristo, figurado neles, se sacrificou na cruz pelos pecados do mundo. E chama-se finalmente o mesmo Cristo vide, porque assim como a vara cortada ou separada da vide não pode dar fruto, assim os que se separam de Cristo e de sua Igreja, como os hereges, não podem fazer obra boa nem meritória. Deste modo é Cristo pedra, é cordeiro, é vide, mas não por realidade, senão por semelhança, e não em sentido verdadeiro, senão no metafórico. Porém, quando o mesmo Senhor fala de seu corpo e de seu sangue como o corpo e sangue de sua sagrada humanidade, era verdadeiro corpo e verdadeiro sangue, e não metafórico, também o sentido em que fala não pode ser metafórico, senão verdadeiro. E se não, respondam estes dois heresiarcas e digam-me se o corpo de Cristo que foi imolado na cruz e o sangue que foi derramado no Calvário era verdadeiro corpo e verdadeiro sangue de Cristo? Ambos eles confessam que sim, pois esse mesmo corpo, que foi imolado na cruz, é o que nos deu Cristo a comer na hóstia, e por isso disse: *Hoc est corpus meum, quod pro vobis tradetur*. E esse mesmo sangue, que foi derramado no Calvário, é o que nos deu a beber no cálix, e por isso disse: *Hic est calix sanguinis mei, Qui pro vobis, effundentur*. Emudeça logo o herege, tape a boca ímpia e blasfema, e creia, e confesse com as mãos atadas a verdade daquele *vere: Vere est cibus, vere est potus*.

V

Quarto inimigo: o filósofo. O filósofo usa contra a Eucaristia argumentos tirados da natureza, e com a mesma natureza, mestra da fé, replica o autor. I objeção: as substâncias das coisas são imutáveis? Resposta: na nutrição do corpo humano os alimentos se transformam em substância de carne e sangue em menos de oito horas: o que a natureza faz devagar Deus faz depressa, e nisto é que está o milagre. II objeção: o todo é maior que a parte e a parte menor que o todo, logo Cristo não pode estar todo em uma parte da hóstia. Prova em contrário: o espelho quebrado. Comparação de Davi. III objeção: o entendimento julga pelos sentidos. Mas se a vista se engana nas obras da natureza, como o arco-íris, como não se enganar nas que são sobre a natureza?

O filósofo (que é gente tão cega pela presunção, como os que até agora vimos pela infidelidade) cuida que tem fortíssimos argumentos contra este mistério, e diz que não pode ser verdadeiro por muitos princípios. Primeiro, porque as naturezas e substâncias das coisas são imutáveis: logo o que era substância de pão, não se pode converter em substância de Cristo. Segundo, porque o todo é maior que a parte, e a parte menor que o todo: logo, se todo Cristo está em toda a hóstia, todo Cristo não pode estar em qualquer parte dela. Terceiro: porque o entendimento deve julgar conforme as espécies dos sentidos, que são as portas de todo o conhecimento humano: os sentidos cheiram, gostam e apalpam pão, logo pão é e não corpo de Cristo o que está naquela hóstia. Com a natureza argumenta o filósofo, e com a mesma natureza o há de convencer a razão, e muito facilmente e sem trabalho, porque com a fé ser sobrenatural, a melhor ou mais fácil mestra da fé é a natureza. Os profetas, que foram os que pregaram e ensinaram os mistérios da fé aos homens, não os mandou Deus ao mundo no tempo da lei da natureza, senão no tempo que se seguiu depois dela, que foi o da Escrita. E por quê? Douta e avisadamente Tertuliano: *Praemisit tibi naturam magistrain submissurus et prophetiam, quo facilius crederes prophetiae discipulus naturae:* Deu Deus primeiro aos homens por mestra a natureza, havendo-lhes de dar depois a profecia, porque as obras da natureza são rudimentos dos mistérios da graça, e muito mais facilmente aprenderiam os homens o que se lhes ensinasse na escola da fé, tendo sido primeiro discípulos da natureza: *Quo facilius crederes prophetiae discipulus naturae.* Se queres ser mestre na fé, faze-te discípulo da natureza, porque os exemplos da natureza te desatarão as dificuldades da fé. Ouça pois o filósofo, discípulo da natureza, por mais graduado que seja nela, e verá como lhe desfaz a razão com os princípios de sua mesma escola todos os argumentos que tem contra a fé daquele mistério.

À primeira dificuldade responde a razão que não tem a filosofia que se espantar de lhe dizer a fé que a substância do pão se converte na substância do corpo, e a substância do vinho na substância do sangue de Cristo, porque este milagre vemos sensivelmente cada dia na nutrição natural do corpo humano. Na nutrição natural do corpo humano a substância do pão e do vinho não se converte em substância de carne e sangue? Pois, se a natureza é poderosa para converter pão e vinho em carne e sangue em espaço de oito horas, por que não será poderoso Deus a converter pão e vinho em substância de carne e sangue em menos tempo? Para confessar este milagre, não é necessário crer que Deus é mais poderoso que a natureza; basta conceder que é mais apressado. O que a natureza faz devagar, por que o não fará Deus um pouco mais depressa? Os dois milagres célebres que Cristo fez em pão e vinho, foram as bodas de Caná e o do deserto: nas bodas converteu a água em vinho; no deserto, com cinco pães, deu de comer a cinco mil homens. Um reparo a ambos os casos. Para Cristo dar pão no deserto, não tinha necessidade de se aproveitar dos cinco pães; para Cristo dar vinho nas bodas, não tinha necessidade de que as jarras se enchessem de água. Pois por que não quis dar vinho, senão convertido de água? Por que não quis dar pão, senão multiplicado de pães? A razão foi, diz Santo Agostinho, porque quis que nos exemplos da natureza se facilitasse a fé das suas maravilhas. Na multiplicação dos pães, fez o que faz a terra; na conversão do vinho, fez o que fazem as vides. Na multiplicação dos pães, fez o que faz a terra, porque a terra, semeiam-lhe pouco pão, e dá muito; na conversão do vinho, fez o que fazem as vides, porque as vides, a água que chove do céu, convertem em vinho. Isto fez Cristo no deserto, isto fez Cristo nas bodas. No deserto, de pouco pão fez muito; nas bodas, de água fez vinho. Mas se Cristo fez o que faz a terra, se Cristo fez o que fazem as vides, em que esteve o milagre? Esteve o milagre em que Cristo fez em um instante o que a terra e as vides fazem em seis meses. Oh! que boa doutrina esta, se fora hoje o seu dia! De maneira que o que distingue as obras de Deus, enquanto autor sobrenatural das obras da natureza, é a pressa ou o vagar com que se fazem. Milagres feitos devagar são obras da natureza: obras da natureza feitas depressa são milagres. Isto é o que passa no nosso mistério. Converter pão e vinho em carne e sangue, assim como o faz Cristo no Sacramento, assim o faz a natureza na nutrição, mas com esta diferença, que a natureza fá-lo em muitas horas, e Cristo em um instante. Pois, filósofo, o que a natureza faz devagar, o autor da natureza e da graça, por que o não fará depressa?

O impossível de estar todo em todo, e todo em qualquer parte, também o descrerá o filósofo e confessará facilmente que é possível, se tornar à escola da natureza. Tome o filósofo nas mãos um espelho de Cristal, veja-se nele, e verá uma só figura. Quebre logo esse espelho, e que verá? Verá tantas vezes multiplicada a mesma figura quantas são as partes do Cristal, e tão inteira e perfeita nas partes grandes e maiores, como nas pequenas, como nas menores, como nas mínimas. Pois assim como um Cristal inteiro é um só espelho, e dividido são muitos espelhos, assim aquele circulo branco de pão, inteiro é uma só hóstia, e partido são muitas. E assim como se parte o Cristal sem se partir a figura, assim se parte a hóstia sem partir o corpo de Cristo. E assim como a figura está em todo o Cristal, e toda em qualquer parte dele, ainda que seja muito pequena, assim em toda a hóstia está todo Cristo, e todo em qualquer parte dela, por menor e por mínima que seja. E assim, finalmente, como o rosto que se vê no Cristal, dividido em tantas partes, é sempre um só e o mesmo, e somente se multiplicam as imagens dele, assim também o corpo de Cristo, que está na hóstia dividido em tantas partes, é sempre um só corpo, e somente se multiplicam as suas presenças. Lá o objeto é um só e as imagens são muitas; cá da mesma maneira as presenças são muitas, mas o objeto é um só. Pode haver semelhança mais viva? Pode haver propriedade mais própria? Parece que criou Deus o mistério do Cristal só para espelho do sacramento. Assim o disse Davi e o entendeu a Igreja: *Mittit crystallum suam sicut bucelías:* Deita Deus os seus Cristais do céu à terra como bocados de pão. Notável, como peregrina comparação! Que semelhança têm os bocados de pão com o Cristal, ou o Cristal com os bocados de pão? Com os bocados do pão usual da vossa mesa, nenhum; mas com os bocados do Pão Sacramental da mesa eucarística, toda aquela semelhança maravilhosa, que vistes. Porque tudo o que no Cristal se vê como por vidraças, é o que passa dentro no Sacramento com as cortinas corridas. Assim como no Cristal se vê por milagre manifesto da natureza o todo sem ocupar mais que a parte, a divisão sem destruir a inteireza, e a multiplicação sem exceder a singularidade, assim na hóstia, com oculta e sobrenatural maravilha, o mesmo corpo de Cristo é um e infinitamente multiplicado, dividido, e sempre inteiro, e tão todo na parte como no todo.

E que não haja o filósofo de crer aos olhos, ainda que lhe digam contestemente que ali está pão, a mesma natureza lho ensina com um notável exemplo. Na íris, ou arco celeste, todos os nossos olhos jurarão que estão vendo variedade de cores, e contudo ensina a verdadeira filosofia que naquele arco não há cores, senão luz e água. Pois se a filosofia ensina que não há cor onde os olhos estão vendo cor que muito que ensine a fé que não há pão onde os olhos parece que veem pão? Por isso dizia Davi, falando de seus olhos, uma coisa muito digna de reparar, em que ninguém repara: *Revela óculos meos, et considerabo mirabilia de lege tua* (Sl. 118, 18): Senhor, revelai-me os olhos, e considerarei vossas maravilhas. Parece que havia de dizer o profeta: Senhor, revelai-me vossas maravilhas, para que eu as conheça, mas revelai-me os olhos para que conheça vossas maravilhas! Sim, porque muitas vezes os olhos contradizem as maravilhas de Deus, como se vê no mistério da Eucaristia. E para entender semelhantes maravilhas, são necessárias duas revelações: uma revelação nas maravilhas, para que o entendimento as conheça, outra revelação nos olhos, para que a vista as não contradiga. Mas esta segunda revelação não é necessário que a faça Deus; basta que a faça a razão. Se a vista se engana nas obras da natureza, nas que são sobre a natureza, como se não há de enganar? E se em um arco de luz e nuvem assim erram e desatinam os olhos, em um círculo de nuvem sem luz, que crédito lhes há de dar? Emende logo o filósofo a vista com o discurso, e confesse ensinado da natureza e convencido da razão a verdade indubitável daquele *Vere: Vere est cibus, vere est potus*.

§VI

Quinto inimigo: troca-se mui acertadamente o político pelo demônio. Objeção: é impossível que os homens que comungam a Cristo no sacramento sejam como Deus, visto como o demônio apenas querendo assemelhar-se a Deus foi por isso castigado. Se o maná era pão de anjos, como o corpo do Filho de Deus há de ser pão de homens? — Deus unindo-se à natureza humana, e não à angélica, preferiu os homens aos anjos. O primeiro inventor da Eucaristia foi o próprio demônio no Paraíso terrestre. Cristo apenas fez verdadeira a sua mentira, consagrando debaixo das espécies de pão o que ele fingira debaixo das aparências de pomo.

Agora se seguia o político, mas fique para o fim, e entre em seu lugar o diabo, que talvez não seria desacertada esta troca. Tempos houve em que os demônios falavam e o mundo os ouvia; mas depois que ouviu os políticos, ainda é pior mundo. O diabo como soberbo e como ciente, que é dobrada soberba ou dobrada inchação, como lhe chamau S. Paulo. *Scientia inflat* (1 Cor. 8,1), argumenta assim: Se os homens comungaram a Cristo no Sacramento, foram como Deus: os homens não podem ser como Deus, logo não comungam a Cristo no Sacramento. A consequência, diz o diabo, é tão evidente como minha; a suposição, não a podem negar os homens, porque é sua. Se os homens comungaram a Cristo, foram como Deus; o seu mesmo texto o diz: *In me manet, et ego in illo*. E que os homens não possam ser como Deus, eu o digo e eu o padeço, diz o demônio; que se eu não intentara no céu ser como Deus, não pagara hoje este impossível, como o estou pagando. Pois se a mim, se a Lúcifer, se à mais nobre de todas as criaturas é impossível a semelhança do Altíssimo: *Similis ero Altissimo* (Is. 14, 14), ao homem vil, feito de barro, como há de ser possível, não só a semelhança, mas a transformação, que isto quer dizer: Ele em mim e eu nele? Crerem os homens esta loucura é não se conhecerem a si, nem nos conhecerem a nós. Nós, ainda que perseguidos, somos anjos, que quem nos pode roubar o lugar, não nos pode tirar a natureza. E se o maná, que tanto era menos nobre, se chamau pão de anjos, o corpo do Filho de Deus, que excede ao maná com infinita nobreza, como há de ser pão de homens (Sl. 77, 15)!

A última parte deste soberbo argumento do demônio responde a razão com a cousa de sua mesma caída. Depois que Cristo uniu a si a natureza humana, e não a angélica: *Nus quam angelos apprehendit, sed semen Abrahae apprehendit.* não há que espantar que os homens sejam em tudo preferidos aos anjos. Nesta primeira admiração e neste primeiro assombro se sumirão todos os espantas. E quanto ao impossível de os homens, comendo, poderem ser como Deus, não argumenta o diabo contra nós, argumenta contra si. O primeiro inventor, ninguém se espante do que digo, o primeiro inventor da traça, ou do desenho do mistério da Eucaristia, foi o demônio. Quando o demônio tentou a Eva, disse-lhe assim: *In quocumque die comederitis, eritis sicut Dii* (Gên. 3, 5): Comei do pomo vedado, porque no dia que comerdes, ficareis como Deus. — Eis aqui o mistério da Eucaristia, não só quanto à substância, senão também quanto aos efeitos. Quanto à substância, porque diz o demônio que está a divindade em um pomo; quanto aos efeitos, porque diz que, comendo, o homem há de ficar como Deus. Pois vem cá, diabo: *De ore tuo te judico*. Se tu dizes que o homem comendo ficará como Deus, e que no pomo daquela árvore está encoberta a divindade, como negas que pode estar encoberta a divindade debaixo das espécies de pão, e que comendo o homem pode ficar como Deus? O que Cristo nos concedeu neste mistério é o que o diabo nos prometeu no paraíso. Fez Cristo verdadeira a mentira do diabo, para desta maneira o vencer a ele e nos desafrontar a nós. Naquele encontro do paraíso ficou o demônio vencedor e o homem afrontado; vencedor o demônio porque enganou; afrontado o homem porque ficou enganado, despojado, perdido. Pois que remédio para desafrontar o homem e o vingar do demônio? O remédio foi fazer Cristo da sua promessa dádiva, e da sua tentação sacramento: e assim o fez. Da promessa do demônio fez dádiva, porque nos deu a comer a divindade que ele nos prometera comendo: e fez da sua tentação sacramento, porque consagrou debaixo das espécies de pão o que ele fingira debaixo das aparências do pomo. De sorte que o demônio ficou vencido, porque a sua mentira ficou verdade, e o homem desafrontado, porque o seu engano ficou fé. O que creram nossos primeiros pais no paraíso é o que nós cremos no Sacramento: eles erradamente ao diabo, nós acertadamente a Deus.

Daqui se segue que neste mistério, nem o diabo pede ser tentador, nem o homem tentado. O diabo não pede ser tentador; porque se o diabo me quiser tentar na fé do mistério da Eucaristia, respondo-lhe eu assim: Quando tu, diabo, falaste a Eva, ou mentiste, ou disseste verdade. Se mentiste, não te devo crer, porque quem mentiu então, também mentirá agora. E se falaste verdade, também não te devo crer; porque se falaste verdade, pede Deus pôr divindade naquele pomo. Pois se Deus pede pôr divindade em um bocado, isso mesmo que tu concedes, é o que eu creio. Vai-te embora, ou na má hora. Também o homem não pode ser tentado porque, se o homem é pensamento de Ruperto; se o homem creu ao diabo quando lhe disse que comendo seria como Deus, como há de deixar de crer a Deus quando lhe diz o mesmo? Principalmente que o que o diabo dizia, não cabia na esfera da onipotência, e o que diz Cristo sim. A onipotência de Deus enquanto autor da natureza, tem menor esfera que a mesma onipotência de Deus enquanto autor da graça, porque a onipotência de

Deus, enquanto autor da natureza, só pode produzir efeitos naturais, e por virtude natural não pedia estar a divindade em um pomo. A onipotência de Deus, enquanto autor da graça, pode produzir efeitos sobrenaturais, e por virtude sobrenatural pode a divindade estar em um bocado. Pois se os homens foram tão inocentes que creram um impossível ao diabo, porque hão de ser tão irracionais, que neguem um possível a Deus? Desengane-se logo o demônio que neste mistério não só nos não pede vencer, mas nem ainda nos pode tentar, e confesse obrigado de sua mesma tentação a verdade daquele *Vere*, que como pai da mentira tem feito negar a tantos. *Vere est cibus, vere est potus*.

§VII

Sexto inimigo: o devoto. Mais por excesso de amor que por falta de fé, queixa-se o devoto dos acidentes que encobrem Cristo a seus olhos. Razão: os homens amam mais finamente a Cristo desejado por saudades do que gozado por vista. O desejo de S. Paulo.

O devoto, não por falta de fé, mas por excesso de amor, e mais queixoso dos acidentes que duvidoso da substância, por parte do seu afeto argui assim com o mesmo Cristo: a minha fé com os olhos fechados crê firmemente, Senhor, que estais nesse Sacramento; mas o meu amor com os olhos abertos não pode entender, nem penetrar, como seja possível esta verdade. Se, partindo-vos da terra, quisestes ficar na terra, foi para satisfação do vosso amor e para alívio do nosso; para crédito de vossas finezas e para remédio de nossas saudades. Assim o disse aquele grande intérprete dos segredos de vosso coração neste mistério: *De sua contristatis absentia solatium singulare reliquit*. Pois se ficastes para nossa consolação, como vos encobris a nossos olhos? Se foi amor o ficar, como pode ser amor o ficar desse modo? Ficar, e ficar encoberto, antes é martírio do desejo que alívio da saudade. Por certo que não eram esses antigamente os estilos de vosso amor, nem da sua paciência. *En ipse stat post parietem nostrum respiciens per fenestras; prospiciens per cancellos*. Havia sim, entre vós e a alma vossa querida, uma parede, mas com a parede ser sua, havia nela uma gelosia vossa por onde a víeis, e por onde vos via. Para não podermos ver vossa divindade, é nossa a parede deste corpo; mas para não vermos vossa humanidade, vossa é a parede desses acidentes. Pois, se os impedimentos e estorvos da vista são vossos, e vosso amor é onipotente, como quereis que creia o meu amor uma tão grande implicação do vosso, como é amar-me tanto e não vos deixardes ver? A fé o crê muito a seu pesar, mas o amor não o sofre nem o alcança, nem o pode deixar de ter por impossível.

    Assim argui amorosamente queixosa a devoção, mas tem fácil e mui inteira resposta a sua piedade. A um afeto amoroso da alma responde a razão com outro afeto mais amoroso de Cristo, e diz que maior amor é em Cristo o não se deixar ver, do que na devoção o desejar vê-lo. Ainda que Cristo se não deixa ver de nós, é certo que se deixou conosco, mas deixou-se de maneira que o não possamos ver, porque fiou mais seu amor de nossos desejos que de nossos olhos. O fim para que Cristo se deixou no Sacramento, foi para que os homens o amássemos. E sendo que o maior conhecimento é cousa do maior amor, amam os homens mais finamente a Cristo desejado por saudades, do que gozado por vista. Se eu me não engano, tenho bem imaginada a prova desta verdade. Saudoso S. Paulo de se ver com Cristo, dizia assim: *Desiderium habens dissolvi et esse cum Christo*. Oh! quem me dera que a minha alma se desatara e desunira do corpo, para poder estar com Cristo! Tendo isto assim, se perguntarmos aos teólogos, se as almas que estão vendo a Cristo têm algum desejo, resolvem todos que sim, e que desejam unir-se com seus corpos. Pois, dificulto agora e parece que apertadamente, se as almas que estão vendo a Cristo desejam unirse a seus corpos, por que diz a alma de S. Paulo que desejara desatar-se de seu corpo para ir ver a Cristo: *Desiderium habens dissolvi et esse cum Christo* (Flp. 1, 23)? A razão é porque Cristo, em respeito das almas dos bem-aventurados, é gozado por vista, e em respeito da alma de S. Paulo, era desejado por saudades, e o amor de Cristo desejado por saudades é muito mais eficaz nesta parte, ou mais afetuoso, ou mais impaciente, que o mesmo amor de Cristo gozado por vista. Cristo gozado por vista, ainda deixa amor a uma alma para desejar unir-se a seu corpo; mas Cristo desejado por saudades, até a união de seu próprio corpo lhe faz aborrecível: *Desiderium habens dissolvi et esse cum Christo*. E como a Cristo lhe vai melhor com as nossas saudades que com os nossos olhos, por isso se quis deixar em disfarce de desejado, e não em trajos de visto. Descoberto para os olhos, não; encoberto sim para as saudades. Conheça logo a nossa devoção que é fineza, e não implicação do amor de Cristo, o deixar-se invisível naquele mistério, e confesse não só a nossa fé com os olhos fechados, senão o nosso amor com os olhos abertos, a verdade amorosa daquele *Vere: Vere est cibus, vere est potus*.

§ VIII

Sétimo inimigo: o político. Os políticos argumentam com a autoridade: Como é possível que o monarca ao universo se exponha assim a todos, cercado só de uns acidentes de pão! – Razão: Onde se conquisiam venerações, não se perde autoridade. A lançada da lado de Cristo e a Igreja. A construção da igreja de Santa Eustáquia, e os muros de Lisboa.

Ultimamente argumenta o político, e do mesmo caso que deu ocasião a esta solenidade infere não estar a pessoa soberana de Cristo naquela hóstia. Os príncipes de nenhuma coisa são nem devem ser mais zelosos que de sua autoridade. Já arriscar e expor a soberania da própria pessoa a perder vir às mãos de seus inimigos, antes perderá um príncipe a vida e mil vidas, que consentir tal afronta. E se não, lembre-se a fé do primeiro rei de Israel. Perdida a batalha dos montes de Gelboé contra os filisteus, achava-se Saul tão malferido, que nem se pedia retirar nem defender. E que resolução tomou neste caso? Tira-me por esta espada, disse ao seu pajem da lança, e mata-me: *Ne forte veniant incircumsisi isti et interficiant illudentes mihi:* Por que não venham estes infiéis, e me tirem a vida, perdendo o respeito (1 Rs. 31, 4). Pelo respeito e pela autoridade o havia, e não pela vida, pois se mandava matar: Não teve ânimo o criado para o executar, e lançando-se o mesmo Soul sobre a ponta da sua espada, caiu morto por não cair nas mãos de seus inimigos. Assim estimam os príncipes, e assim devem estimar mais a autoridade que a vida. Pois se tanto preço tem na estimação dos monarcas supremos a autoridade e soberania de suas pessoas, se antes quer um rei generoso tirar-se a vida por suas mãos, que poder vir às de seus inimigos, como é possível nem crível, que o príncipe da glória, Cristo, que o rei dos homens e dos anjos, que o monarca universal do céu e da terra, deixasse tão mal guardada sua autoridade, e tão pouco defendido seu respeito, como é força que o esteja, cercado só de uns acidentes de pão? Como é possível, nem crível, que deixasse tão arriscada e exposta a majestade divina de sua pessoa a cair nas mãos infiéis e sacrílegas de seus inimigos, como publicam as memórias deste dia, e a ocasião e o nome destes desagravos?

Aos outros argumentos respondi pela razão, com o que estudei; a este respondo com o que vejo. Onde se conquistam venerações não se perde autoridade. Estes são os ditames de Deus, esta foi sempre sua razão de estado. Permitiu o que choramos para conseguir o que vemos. Que maior exaltação de fé, que maior confusão de heresia, que maior honra de Cristo? Tanto rende a Deus uma ofensa, quando é a cristandade a que sente, e a nobreza a que a desagrava. As majestades e altezas do mundo, os grandes, os títulos, os prelados, as religiões, todos prostrados por terra, todos servindo de joelhos, todos confessando-se por escravos humildes, e adorando como a supremo Senhor; aquela soberana majestade, sempre venerável e sempre veneranda, mas muito mais quando ofendida. Veja agora o político se perde Deus autoridade, ou se conquista honra e glória quando permite uma indecência? Dizia esse mesmo Senhor (que sempre é o mesmo, e sempre se parece consigo): *Si exaltatus fuero a terra, omnia traham ad me ipsum:* Quando eu for levantado da terra em uma cruz, hei de trazer tudo a mim (Jo. 12, 32). A afronta da cruz foi a maior que padeceu, nem pedia padecer Cristo a mãos da infidelidade e temeridade humana, mas as consequências dessa mesma afronta, diz o Senhor que haviam de ser as suas maiores glórias, trazendo tudo a si. Assim o mostrou e vai ainda mostrando o cumprimento desta profecia pelo discurso dos tempos da fé universal do mundo, quase todo já trazido ao conhecimento, obediência e veneração de Cristo. Mas, se quisermos apertar mais a significação e energia daquele *Si*: *Si exaltatus fuero a terra,* nos obséquios de José e Nicodemos, se verificou na mesma cruz o *Omnia trabani adme ipsum.* José, como notou S. Marcos, era nobre: *Nobilis decurio* (Mc. 15, 43); Nicodemos, como notou S. João, era príncipe: *Princeps judaeorum* (Jo. 3, 1). E como Cristo desde a sua cruz havia de trazer a si a nobreza e os príncipes, por isso diz que havia de trazer a si tudo: *Onmia traham ad me ipsum,* porque os príncipes e a nobreza é o tudo dos reinos. Escolheu Cristo aos nobres e senhores para que o tirassem do afrontoso suplício e fizessem as honras a seu corpo, porque honrar o corpo de Cristo afrontado, é ação que anda vinculada à nobreza. E quando assim trouxe a si a nobreza, diz que havia de trazer a si *omnia*, e não *omnes*; tudo, e não todos, porque os nobres não são todos, mas são tudo. Bem se cumpriu esta promessa então, mas muito melhor cumprida a vemos agora. *Omnia traham ad me ipsum.* Tudo o que há em Portugal, aqui o tem Cristo a seus pés.

Que fez este dia tão solene, e esta igreja tão célebre, senão uma injúria a Cristo? Quando o soldado infiel deu a lançada a Cristo, saíram do lado ferido todos os sacramentos. E disse judiciosamente Tertuliano: *Ut de injuria lateris ejus totu formaretur Ecclesia:* Que de uma injúria do corpo de Cristo, se formou toda a Igreja. O que Tertuliano disse da Igreja universal, podemos nós dizer desta material: que se fundou esta nova igreja de uma injúria do corpo de Cristo. Mas são muito de reparar os termos de Tertuliano, que da injúria do corpo de Cristo, não diz que se formaram só os fundamentos, senão toda a Igreja: *Tota formaretur Ecclesia*. Vemos levantados os fundamentos desta nova igreja muito nobres, muito suntuosos, muito magníficos e muito conformes aos ânimos generosos de seus ilustres fundadores; mas sente muito a piedade cristã e portuguesa ver a fábrica parada há tantos anos. Quando no interrompido ou ameaçado desta obra se pudera presumir descuido, assaz desculpado ficava com a variedade e estreiteza dos tempos, mas quanto esta estreiteza é mais pública e conhecida, tanto maior louvor merece o novo e presente zelo com que se trata de levar a fábrica por diante e não parar até se pôr em sua perfeição, sendo o primeiro exemplo o de sua majestade, que Deus nos guarde, cuja real liberalidade quer ter uma grande parte nesta obra, como em todas as de piedade.

Os tempos parece que estão pedindo que se edifiquem antes muros e castelos, que templos, mas esse privilégio têm nomeadamente os templos do Santíssimo Sacramento, que são as melhores fortificações dos remos. Edificou a divina Sabedoria um templo: *Sapientia aedificavit sibi domum* (Prov. 9, 1). Dedicou este templo ao Santíssimo Sacramento: *Miscuit vinum, et proposuit mensam*. E que se seguiu daqui? *Misit ancillas suas ut vocarent ad arcem et ad moenia civitatis*. Os que serviam naquele templo, como os que servem neste, era com nome de escravos, e a esses escravos mandou o Senhor que chamassem para a fortaleza e para os muros da cidade. Pois como? O que se edificou era templo ao Santíssimo Sacramento, e o recado com que se convocava a gente para o templo dizia que viesse para os muros e para as fortalezas da cidade: *Ad arcem et ad moenia civitatis?* Sim; que os templos do Santíssimo Sacramento são os mais fortes muros, são as mais inexpugnáveis fortalezas das cidades e dos remos. Edifique-se, leve-se por diante esta fábrica, que ela será os mais fortes muros de Lisboa, ela será a mais inexpugnável fortaleza de Portugal. E acabará de conhecer o político a razão de estado de Deus, que quando se expõe a cair nas mãos de seus inimigos, é para mais nos defender dos nossos, e para fundar sobre suas injúrias o edifício de suas glórias, aprendendo e confessando na política deste altíssimo conselho de Cristo a verdade secretíssima e sacratíssima daquele *Vere: Vere est cibus, vere est potus*.

§IX

Súplica em favor dos inimigos da Eucaristia.

Diviníssimo Sacramento, real e verdadeiro corpo de Cristo, Deus encoberto debaixo de substância de carne, homem encoberto debaixo de acidentes de pão, o filósofo, o devoto, o político, como cristãos e católicos, e com o filósofo toda a nossa ciência, e todas as ciências; com o devoto toda a nossa piedade e todos os nossos afetos; com o político toda a nossa conveniência e todos os nossos interesses, e todos os que estamos presentes com tudo o que sabemos, o que amamos e o que esperamos, obedientes à fé e guiados pela razão, às escuras, e com luz, com os olhos fechados, mas abertos, profundamente prostrados ante a majestade tremenda de vosso divino e humano acatamento, cremos, confessamos e adoramos a verdade infalível de vossa real presença debaixo da cortina sem substância desses acidentes visíveis. E com confiança, Senhor, da clemência com que nos sofre vosso amor, e da benignidade com que aceita a tibieza de nossos obséquios, nos oferecemos, nos dedicamos, nos entregamos todos a ele em perpétua obrigação de o servir como escravos, posto que indigníssimos, desse soberano Sacramento. Aumentai, Senhor, pela grandeza de vossa misericórdia, esta família vossa, e pois que o judeu obstinado, o herege cego, e o gentio ignorante não sabem, nem querem orar por si, nós oramos, e pedimos por eles a vós, soberano pastor, que de todos haveis de fazer um rebanho. Ensinai, Senhor, a ignorância do gentio, alumiai a cegueira do herege, abrandai a obstinação do judeu. E para que a maldade e astúcia do demônio tentador não os engane, chegue já a execução de vossa justiça e acabe o mundo de ver atada sua rebeldia naquelas cadeias e fechada naquele cárcere que há tantos anos lhe está ameaçado e prometido para que desta maneira, unidas todas as seitas do mundo na concórdia de uma só fé e religião, se forme de todas essas seis vozes uma total consonância e perpétua harmonia, cantando todas em todas as quatro partes do mundo, até o fim dele, e confessando alternadamente a muitas vozes, e juntas em uma só voz, a sagrada e consagrada verdade daquele *Vere: Vere est cibus, vere est potus.*

❖

Sermão de Quarta-Feira de Cinza em Roma, na Igreja de S. Antonio dos Portugueses. Ano de 1673, aos 15 de fevereiro, dia da trasladação do mesmo santo.

Pulvis es, et in pulverem reverteras.

I

Duas coisas prega hoje a Igreja: pó e pó. Um é a triaga e corretivo do outro, como os pós venenosos com que se quis envenenar o imperador Valente.

Duas coisas prega hoje a Igreja a todos os mortais, ambas grandes, ambas tristes, ambas temerosas, ambas certas. Assim comecei eu o ano passado, quando todos estávamos mais longe da morte; mas hoje, que também estamos todos mais perto dela, importa mais tratar do remédio, que encarecer o perigo. Adiantando pois o mesmo pensamento, e sobre as mesmas palavras, digo, senhores, que duas coisas prega hoje a Igreja a todos os vivos: uma grande, outra maior; uma triste, outra alegre; uma temerosa, outra segura; uma certa e necessária, outra contingente e livre. E que duas coisas são estas? Pó e pó. O pó que somos: *Pulvis es*, e o pó que havemos de ser: *In pulverem reverteras*. O pó que havemos de ser é triste, é temeroso, é certo e necessário, porque ninguém pode escapar da morte; o pó que somos é alegre, é seguro, é voluntário e livre, porque se nós o quisermos entender e aplicar como convém, o pó que somos será o remédio, será a triaga, será o corretivo do pó que havemos de ser.

Notável foi o caso sucedido em tempo do imperador Valente, do qual disse então, com elegante juízo, o poeta Ausônio aquela tão celebrada sentença: *Et cum Pata volunt, bina venena juvant*. Quis uma inimiga doméstica tirar a vida com veneno ao senhor da casa, e depois de ter medicado a bebida com certos pós venenosos, duvidando ainda se teriam bastante eficácia para segurar melhor o efeito, mandou buscar outros. Vieram os segundos pós, lança-os na mesma taça a traidora, bebe o inocente marido, mas quando ela esperava que caísse subitamente morto, ele ficou tão vivo e sem lesão como dantes. Admirável acontecimento! Se os primeiros pós bastavam para matar, e os segundos também, ambos juntos, por que não mataram? Este homem não era Mitrídates, que se alimentasse com veneno. Se bebia só os primeiros pós morria; se bebia só os segundos, também morria. Pois por que não morreu bebendo uns e mais os outros? Porque os segundos pós foram corretivos dos primeiros. A guerra que haviam de fazer ao coração, fizeram-na entre si, e em vez de matar, mataram-se. Tais são os dois pós com que hoje nos ameaça a sentença universal de Adão: *Pulvis es*, um pó; *In pulverem reverteris*, outro pó, ambos mortais, ambos venenosos, mas se nós quisermos, não está na mão dos fados, senão na nossa, que um seja a triaga e o corretivo do outro. Isto é o que determino pregar hoje. A Igreja põe-vos sobre a cabeça uma cinza feita de palmas; eu hei-vos de meter na mão uma palma feita de cinzas. Havemos de vencer um pó com outro pó; havemos de curar um veneno com outro veneno; havemos de matar uma morte com outra morte: a morte do pó que havemos de ser, com a morte do pó que somos: *Pulvis es, et in pulverem reverteris*. Para que eu saiba preparar estes pós de modo que venham a ter uma tão grande virtude, e para que vós e eu saibamos aplicar como convém, não por cerimônia, que não é o dia disso, senão muito de coração, peçamos a assistência da divina graça: *Ave Maria*.

II

Ser pó por eleição, antes de ser pó por necessidade, os que morrem quando morrem, segundo Davi, e os que morrem antes de morrer, segundo S. João. Os três perigos da morte: ser uma, ser incerta, ser momentânea.

Pulvis es, et in pulverem reverteris. Homem cristão, com quem fala a Igreja, és pó e hás de ser pó. Que remédio? Fazer que um pó seja conetivo do outro. Sê desde logo o pó que és, e não temerás depois ser o pó que hás de ser. Sabeis, senhores, por que tememos o pó que havemos de ser? E porque não queremos ser o pó que somos. Sou pó, e hei de ser pó; pois antes de ser o pó que hei de ser, tenho que ser o pó que sou. Já que hei de ser pó por força, quero ser pó por vontade. Não é melhor que faça desde já a razão, o que depois há de fazer a natureza? Se a natureza me há de resolver em pó, eu quero-me resolver a ser pó, e faça a razão por remédio, o que há de fazer a natureza sem remédio. Não sei se entendestes toda a metáfora que diz mais claramente que o remédio único contra a morte, é acabar a vida antes de morrer. Este é o meu pensamento, e envergonho-me, sendo pensamento tão cristão, que o dissesse primeiro um gentio. Considera *quam pulchra res sit consummare vitam ante mortem deinde expectare securum: reliquam temporis sui partem*. Lucílio meu, diz Sêneca, escrevendo de Roma à Sicília. O pensamento saiu de Roma, e fora melhor que não saísse. — Lucílio meu, considera com atenção o que agora te direi, e toma um conselho que te dou como mestre e como amigo. Se queres morrer seguro, e viver o que te resta sem temor, acaba a vida antes da morte. — Ó grande e profundo conselho, merecedor verdadeiramente de melhor autor, e digno de ser abraçado de todos os que tiverem fé e entendimento! *Consumare vitam ante mortem*: Acabar a vida antes de morrer, e ser pó por eleição, antes de ser pó por necessidade. Isto disse e ensinou um homem gentio, porque para conhecer esta verdade não é necessário ser cristão; basta ser homem: *Memento homo*.

Suba agora a fé sobre a razão, venha a autoridade divina sobre a humana, e ouçamos o que diz o céu à tetra. *Audivi vocem de caelo dicentem mihi: Scribe: Beati mortui qui in domino moriuntur* (Apc. 14, 13): Ouvi, diz S. João, uma voz do céu que me dizia e me mandava escrever esta sentença: Bem-aventurados os mortos que morrem em o Senhor. — Celestial oráculo, mas dificultoso! *Quis mortuus mori potest*? – argúi a pergunta S. Ambrósio. – Que morto há que possa morrer? *Nullus procul dubio* — Nenhum. — Tudo acaba a morte, e tudo se acaba com a morte, até a mesma morte. Quem morreu, já não pode morrer. Só os mortos têm este privilégio contra a jurisdição e império universal da morte. São sujeitos à morte os príncipes, os reis, os monarcas; só os mortos, depois que uma vez lhe pagaram tributo, ficarão isentos de sua jurisdição. Por isso Tertuliano chamou judiciosamente a sepultura *mortis asylum*: asilo, e sagrado, da morte. Contra a alçada da morte, nem o Vaticano é sagrado, mas a sepultura sim, porque os mortos já não podem morrer. Como diz logo a voz do céu a S. João: Bem-aventurados os mortos que morrem em o Senhor? Mortos que morrem? Que mortos são estes? São aqueles mortos que acabam a vida antes de morrer. Os que acabam a vida com a morte, são vivos que morrem, porque os tomou a morte vivos; os que acabam a vida antes de morrer, são mortos que morrem, porque os achou a morte já mortos. *Illi sunt beati, et illi in Domino moriuntur, qui prius moriuntur mundo, postea carne*, — responde o mesmo S. Ambrósio. Sabeis quais são os mortos que morrem? São aqueles que acabaram a vida antes de morrer, aqueles que morreram ao mundo antes que a morte os tire do mundo: *Qui prius moriuntur mundo, postea carne*. Estes são os mortos que morrem; estes são os que morrem em o Senhor; estes são os que a voz do céu canoniza por bem-aventurados: *Beati mortui*.

E se os que morrem mortos são bem-aventurados, os que morrem vivos, que serão? Sem dúvida mal-aventurados. Grande texto de Davi: *Veniat mors super illos, et descendant in infernum viventes* (Sl. 54, 16): Venha a morte sobre eles, e desçam vivos ao inferno. — A primeira parte desta sentença faz estranha e dificultosa a segunda. Que possam homens descer vivos ao inferno, exemplo temos em Datã e Abiron: abriu-se a terra, e engoliu-os o inferno vivos (Núm. 16, 32). Mas o caso do nosso texto ainda encerra maior maravilha. Diz que virá a morte sobre eles: *Veniat mors super illos*, e que assim descerão vivos ao inferno: *Et descendant in infernum viventes*. Se a morte veio sobre eles, já os matou, e se já são mortos, como diz o profeta que desceram ao inferno vivos? Porque esse é o estado em que os achará a morte. Não fala o profeta do estado em que hão de chegar ao inferno, senão do estado em que os achará e tomará a morte, quando lá der com eles. A morte quando vem, mata a cada um no estado em que o acha. Aos que acabaram a vida antes de morrer, mata-os já mortos; aos que não quiseram acabar a vida antes da morte, mata-os vivos. Estes tais, vem a morte sobre eles; os outros, vão eles sobre a morte. E vai tanta diferença de vir a morte sobre vós, ou irdes vós sobre ela, vai tanta diferença de morrer assim vivo, ou já morto, que os que morrem mortos, são os que têm seguro o céu: *Beati mortui, qui in Domino moriuntur*; e os que morrem vivos, são os que vão ao inferno: *Veniat mors super illos, et descendant in infernum viventes*.

Senhores meus, o dia é de desenganos. Morrer em o Senhor, ou não morrer em o Senhor, haver de ser bem-aventurado, ou não haver de ser bem-aventurado, é o ponto único a que se reduz toda esta vida e todo este mundo, todas as obras da natureza, e todas as da graça, tudo o que somos, e tudo o que havemos de ser, porque é salvar, ou não salvar. Este é o negócio de todos os negócios, este é o interesse de todos os interesses, esta é a importância de todas as importâncias, e esta é e deve ser na cúria, e fora dela, a pretensão de todas as pretensões, porque este é o meio de todos os meios, e o fim de todos os fins: morrer em graça, e segurar a bem-aventurança. E se me perguntardes: essa bem-aventurança, e esse seguro, e essa graça, por que a não promete a voz do céu aos vivos que morrem, senão aos mortos que morrem: *Mortui qui moriuntur*? A razão verdadeira e natural, e provada com a experiência de todos os que viveram e morreram, é porque aqueles que morrem quando morrem, hão de contrastar com todos os perigos e com todas as dificuldades da morte, que é coisa muito arriscada naquela hora; porém os que morrem antes de morrer, já levam vencidos e superados todos esses perigos e todas essas dificuldades, porque na primeira morte desarmaram e venceram a segunda.

Três coisas (dividamos o discurso para que declaremos e apartemos bem este ponto) três coisas fazem duvidosa, perigosa, e terrível a morte: ser uma, ser incerta, e ser momentânea. Estas são as três cabeças horrendas deste Cérbero, estas são as três gargantas por onde o inferno engole o mundo. E de todas estas dificuldades e perigos se livra seguramente só quem? Quem não guarda a morte para a morte, quem acaba a vida antes de morrer, quem se resolve a ser pó antes de ser pó: *Pulvis es*.

III

Primeira terrível condição da morte: ser uma. Razão da morte de Lázaro. Deus deixou o nascer à natureza e o morrer à eleição. O inferno, morte segunda para aqueles que só morrem uma só vez. A dupla morte das árvores.

Primeiramente é terrível e terribilíssima condição da morte, ser uma: *Statutum est hominibus semel mori*. Hei de morrer, e uma só vez. A lei geral de Adão diz: *Morte morieris*: Morrerás (Gên. 2, 17). A glosa de S. Paulo acrescenta: Semel: Uma vez. E sendo a lei tão temerosa, muito mais terrível é a glosa que a mesma lei. Os males desta vida, quanto mais se multiplicam, tanto são maiores: *Multiplicabo aerumnas tuas*, disse Deus a Eva. O maior mal da morte é não se poder multiplicar. Se a unidade da morte se multiplicara, e se pudera morrer mais de uma vez, apelara-se de uma para a outra. Quando Davi saiu a desafio com o gigante, meteu cinco pedras no surrão, porque se errasse a primeira pedrada, pudesse apelar para as outras pedras (1 Rs. 17, 40). Todos havemos de sair a desafio com este grão-gigante, com este Golias da morte, mas o vencer ou não vencer, está em um só tiro. Quem disse: *Non licet in bello bis errare*, errou. O que se erra em uma batalha, pode-se emendar na outra, e o que se perdeu em uma rota, pode-se recuperar em uma vitória: só a morte é aquela em que não é lícito errar duas vezes. *Ergo erravimus* (Sab. 5, 6): Enfim erramos, — diziam depois de mortos aqueles que tinham dito pouco antes: *Coronemus nos rosis, antequam marcescant* (Sab. 2, 8): Coroemo-nos de rosas, antes que se murchem. — Pois se errastes, por que não emendais o erro? Porque já não é tempo; somos mortos. Muito mais temerosa é nesta parte a morte do corpo que a morte da alma. Para a morte da vida espiritual há contrição, há penitência; para a morte da vida corporal não instituiu Deus sacramento, nem há remédio. Quem a errou uma vez, errou-a para sempre. A transmigração deste mundo para o outro não é como a transmigração de Pitágoras. Se a alma, depois de viver em um corpo, pudera animar outro, depois de o homem morrer a primeira vez em um ladrão, pudera morrer a segunda em um anacoreta. Mas quem uma vez morreu Judas, não lhe resta outra morte para morrer Paulo. Uma só morte, ou boa para sempre, ou má para sempre: *Semel*.

Não há dúvida que é terrível condição esta da morte. Mas para quem terrível? Para quem morre quando morre. Porém quem morre antes de morrer, zomba desta condição e ri-se desta terribilidade: *Ridebit in die novissimo*. Que se me dá a mim que a morte seja uma, se eu posso fazer que sejam duas? A morte não tem remédio depois, mas tem remédio antes. *Constituisti terminos ejus, qui praeteriri non poterunt*. Notai a palavra *praeteriri*. A morte é um termo que se não pode passar da parte dalém, mas pode-se antecipar da parte daquém. Não tem remédio depois, porque depois de uma morte não há outra morte; mas tem remédio antes, porque antes de uma morte pode haver outra. Por lei e por estatuto hei de morrer uma vez, mas na minha mão e na minha eleição está morrer duas, e este é o remédio. Morreu Lázaro, enterraram-no as irmãs, chegou Cristo ao sepulcro, e chorou. A vista destas lágrimas e da sepultura de Lázaro, admirados os circunstantes diziam: *Non poterat hic, qui aperuit oculos coeci nati, facere ut hic non moreretur?* (Jo. 11, 37): Este que chora, não é o mesmo que deu a vista ao cego de seu nascimento? Sim. Pois como não impediu que morresse Lázaro? — Se chora, é seu amigo; se deu vista ao cego, é poderoso: é amigo e poderoso, e não faz por seu amigo o que pode? Se o podia sarar, por que o deixou morrer, e não fez o que podia? Não fez Cristo neste caso o que podia, porque nos quis ensinar com este caso a fazer o que podemos. Quis-nos ensinar Cristo a morrer duas vezes. Altamente Santo Agostinho: *Ut unus homo semel nasci, et bis mori discernet*. Deixou Cristo morrer a Lázaro, e não o quis sarar enfermo, senão ressuscitar morto, para que à vista deste exemplar (morrendo Lázaro agora, e tomando a morrer depois) — aprendessem e soubessem os homens, que nascendo uma só vez, podem morrer duas: *Semel nasci et bis mori*. Oh! divino documento do divino Mestre: Nascer uma vez, e morrer duas vezes!

Bem creio eu que haverá bem poucos que quiseram antes trocados estes termos, e poder nascer duas vezes, para escolher nascimento. Mas Deus que nos fez para a eternidade, e não para o tempo, para a verdade e não para a vaidade, deixou o nascer à natureza, e o morrer à eleição. No nascer, em que todos somos iguais, não pode haver erro, e por isso basta nascer uma vez; no morrer, em que o erro ou acerto importa tudo, e há de durar para sempre, era justo que o homem pudesse morrer duas vezes, para eleger a morte que mais quisesse, e para aprender, morrendo, a saber morrer. Nenhuma coisa se faz bem da primeira vez, quanto mais a maior de todas, que é morrer bem. Reparo é digno de toda a admiração, que sendo tantas as meditações da morte, e tantos os espertadores deste desengano, sejam tão poucos os que sabem morrer. Mas a razão desta experiência e desta desgraça é porque as artes ou ciências práticas não se aprendem só especulando, senão exercitando. Como se aprende a escrever? Escrevendo. Como se aprende a esgrimir? Esgrimindo. Como se aprende a navegar? Navegando. Assim também se há de aprender a morrer, não só meditando, mas morrendo. Por isso Cristo nos ensinou em Lázaro a morrer duas vezes: uma vez para que aprendêssemos, outra para que soubéssemos morrer. Ao paralítico, e a outros a quem o Senhor deu saúde milagrosa, depois de os sarar, pregava-lhes; a Lázaro, e aos demais que ressuscitou, nenhum documento lhes deu. E por quê? Porque eram homens que já morreram uma vez, e haviam de morrer outra, e quem morre antes da morte, não há mister mais doutrina para bem morrer.

O inferno e a condenação eterna (que é o paradeiro dos que morrem mal), chama-se no Apocalipse morte segunda. E faz menção ali S. João de certas almas, em quem a morte segunda não tem poder: *In his secunda mors non habet potestatem* (Ape. 20, 6). E que almas venturosas são estas, em quem não tem poder a morte segunda? Todos, enquanto estamos sujeitos à morte primeira, que é a morte temporal, estamos também arriscados à morte segunda, que é a morte eterna, porque todos nos podemos condenar e ir ao inferno. Que almas são logo estas privilegiadas que totalmente se isentam do poder e jurisdição da morte segunda? São as almas daqueles que com verdadeira resolução e perseverança souberam acabar a vida antes da morte e morrer antes de morrer. Das mesmas palavras de S. João se colhe, se bem as consideramos. E se não, pergunto: Por que se chama a morte eterna precisa e determinadamente morte segunda, e não mais que segunda? Porque não pode ser morte senão daqueles que uma só vez. Morte segunda refere-se à morte primeira, e supõe antes de si outra morte, mas uma só, e não mais que uma, porque se as mortes antecedentes fossem duas, já não seria morte segunda, senão morte terceira. E como os que morrem em vida morrem duas vezes, uma quando morrem, e outra antes de morrer, já não tem neles lugar morte segunda. Para quem morre uma só vez há no inferno morte segunda; para quem morre duas vezes, não há lá morte terceira. Por isso a que se chama segunda, não tem sobre eles poder: *In his secunda mors non habet potestatem*. Oh! ditosos aqueles, que para evitar o perigo da morte segunda, souberem meter outra morte diante da primeira!

Cristãos, e senhores meus, se quereis morrer bem (como é certo que quereis) não deixeis o morrer para a morte: morrei em vida; não deixeis o morrer para a enfermidade e para a cama: morrei na saúde, e em pé. E se quiserdes para esta grande empresa um corpo, ou hieroglífico natural, não notado por Plínio ou Marco Varro, senão por autor divino e canônico, e vo-lo darei. Foi notar S. Judas Tadeu naquela sua admirável epístola, que as árvores morrem duas vezes: *Arbores autumnales, infrutuosae, bis mortuae*. A primeira vez, morrem as árvores em pé, a segunda deitadas; a primeira, quando se secam; a segunda, quando caem. Platão disse que os homens são árvores às avessas, e eu acrescento que, se morrerem como as árvores, serão homens às direitas. Na árvore, enquanto lhe dura a vida, ou a verdura, tudo são galas, tudo pompa, tudo novidades; morre finalmente a árvore com o tempo a primeira vez, e daquele corpo tão formoso e vário, que vestiam as folhas, que guarneciam as flores, que enriqueciam os frutos, não se vê mais que um cadáver seco, triste e destroncado. Neste despojo de tudo o que tinha sido, presa ainda pelas raízes, e sustentando-se na terra, mas não da terra, espera a árvore em pé a última caída, e esta é a segunda morte, com que de todo acaba. Assim deve acabar antes de acabar, quem quer acabar bem. Quantas primaveras têm passado por nós, quantos verões, e quantos outonos, e pode ser que com menos fruto que folha e flores! O que fazem os anos nas árvores, bem o puderam já ter feito em muitos de nós os mesmos anos. E é bem que a razão e o desengano o faça em todos, pois são mais fracas as nossas raízes. Esperemos mortos pela morte, e esperemo-la em pé, antes que ela nos deite na sepultura. Oh! ditosa sepultura a daqueles na qual se possa escrever com verdade o epitáfio vulgar do grande Escoto: *Semel sepultus, bis mortuus*: Uma vez sepultado, e duas morto.

IV

Segunda condição da morte: ser incerta. O pedido de Davi e a morte de Josias. Catão e o oráculo de Júpiter. Declarações de S. Paulo. O edito de Amã, condenando à morte os hebreus. S. Pedro e a incerteza da morte. O despacho de Davi poderia ser atendido por ele próprio.

Vencida assim esta primeira dificuldade de ser a morte uma, segue-se a segunda, não menos perigosa, nem menos terrível, que é o ser incerta. Certa a morte, porque todos certa e infalivelmente havemos de morrer; mas nessa mesma certeza, incerta, porque ninguém sabe o quando. Repartimos a vida em idades, em anos, em meses, em dias, em horas, mas todas estas partes são tão duvidosas e tão incertas, que não há idade tão florente, nem saúde tão robusta, nem vida tão bem regrada, que tenha um só momento seguro. Perplexo no meio desta incerteza, e temeroso dela, Davi fez esta petição a Deus: *Notum fac mihi, Domine, finem meum, et numerum dierum meorum, ut sciam quid desit mihi* (Sl. 38, 5): Senhor, não vos peço larga vida, mas estes dias poucos, ou muitos, que hei de viver, peço-vos que me digais quantos são, para saber o que me resta. — Assim o pediu Davi, mas é a lei da incerteza da morte tão indispensável, que nem a Davi o concedeu Deus. Era Davi aquele homem que com verdade dizia de si: *Incerta et oculta sapientiae tuae manifestasti mihi*, e manifestando-lhe Deus todos seus segredos, e as outras coisas mais incertas e ocultas de sua providência, só o incerto e oculto de sua morte lhe não quis revelar. Tão reservado é só para Deus o certo desta incerteza.

Mas dado caso que Deus revelara a Davi a certeza da sua morte, ainda depois de revelada e certificada por Deus, digo que ficaria incerta. Temos o caso em outro rei não menos santo, nem menos favorecido de Deus que Davi. Havendo el-rei Josias feito grandes serviços a Deus, em observância e aumento de religião, prometeu-lhe o mesmo Deus em prêmio destas boas obras, que morreria em paz: *Idcirco colligam te ad patres tuos, et colligeris ad sepulchrum tuum in pace*. Muito contente Josias com esta revelação, e muito animado com este seguro divino, como mancebo que era de trinta e nove anos, desejoso de glória, arma exército contra os assírios, mete-se em campanha, e tanto que os dois exércitos estiveram à vista, põe-se na testa dos esquadrões como bastão na mão e o cartaz de Deus no peito. Eu hei de morrer na paz, seguro estou na guerra. Cerram nisto os esquadrões, trava-se a batalha, voam as setas, senão quando uma delas atravessa pelo coração do rei Josias, e cai morto. Morto el-rei? Não pode ser. Não tinha Josias uma revelação e um assinado de Deus, que havia de morrer em paz? *Colligeris ad sepulchrum tuum in pace?* Pois, como morre na guerra e na batalha? Aqui vereis qual é a incerteza da morte. É certo que Josias morreu na guerra; é certo que Deus lhe tinha prometido que havia de morrer em paz; é certo que a palavra de Deus não pode faltar, e no meio de todas estas certezas foi incerto o dia, incerto o lugar; e incerto o gênero de morte de que havia de morrer e morreu Josias. Mas como pode estar esta incerteza, e tantas incertezas, com a certeza infalível da palavra divina? Disse-o Davi nas mesmas palavras, com que pouco há fez a sua petição: *Locutus sum in língua mea: notum fac mihi, Domine, finem meum*. Quando eu pedi a Deus que me revelasse o fim de minha vida, falei na minha língua: *Locutus sum in língua mea*. E assim como Davi falou a Deus na sua língua, assim Deus falou a Josias na sua. A língua de Deus, não a entendem bem os homens, porque pode ter muitos sentidos. E que importa que tenha eu palavra de Deus, e que a palavra de Deus seja certa, se o sentido da mesma palavra de Deus pode ser incerto, como aqui foi? Por isso fala Deus de propósito com palavras de sentido duvidoso e incerto, ainda quando revela os futuros da morte, para que a certeza dela fique reservada sempre à sua sabedoria somente, e para nós seja sempre duvidosa, e sempre incerta.

Tal é, senhores, a incerteza da morte; mas na nossa mão está fazê-la certa, se nos resolvemos a acabar a vida antes de morrer. Que bem vem caindo neste lugar aquele dito verdadeiramente romano do vosso Catão. Estava ele na África, sustentando só, como bom cidadão, as partes da república contra César; estava também ali o famosíssimo oráculo de Júpiter, Amon. Disseram-lhe que o consultasse. E que responderia Catão? Respondeu mais sabiamente do que pudera responder o mesmo Júpiter: *Me non oracula certum, sed mors cert facit*: Do meu fim não me certificam os oráculos: o meu oráculo certo é a morte certa. Falou barbaramente como gentio, mas generosamente como estoico. Era dogma da seita estoica, nos perigos de morrer indignamente, tirar-se a si mesmos a vida antes da morte. Assim o fez Catão tomando a morte certa por suas próprias mãos, por antecipar a morte duvidosa, vindo às mãos de César. Melhor o cristão que o estoico. O estoico mata-se para que o não matem: o cristão morre para morrer. Morrer mal, para não morrer pior, como faz o estoico, parece valor e prudência, mas é temeridade e fraqueza. Morrer bem, para morrer melhor, como faz o cristão, é valor, e verdadeira prudência. E se o estoico morre uma morte certa, o cristão morre duas, também certas, porque na certeza da primeira, segura a incerteza da segunda. Que se lhe dá logo ao cristão que a morte seja incerta, se ele, morrendo antes, a pode fazer certa.

Ouvi S. Paulo: *Ego curro non quasi incertum* (1 Cor. 9, 26): Eu passo a carreira da vida como os outros homens, mas não corro como eles, ao incerto, senão ao certo. — Alude o apóstolo aos jogos daquele tempo, em que os contendores corriam até certa baliza ou meta, incertos de quem havia chegar primeiro ou depois. A meta é a morte, a carreira é a vida. E por que diz Paulo que ele corria ao certo, e não ao incerto, como os demais? Porque os demais acabam a carreira quando chegam à meta; Paulo antes de chegar à meta, tinha já acabado a carreira. Os demais acabam a vida quando chegam à morte; Paulo tinha acabado a vida antes de morrer. O mesmo Apóstolo o disse, persistindo na mesma metáfora: *Bonum certamen certavi, cursum consummavi* (2 Tim. 4, 7): Já tenho vencido o certame, já tenho acabado a carreira. Já? Para bem vos seja, apóstolo sagrado: mas quando? Aqui está a dúvida. Disse isto S. Paulo na segunda epístola que escreveu a Timóteo, a qual, como nota o Cardeal Barônio, foi escrita no ano quinto de Nero, oito anos antes que o mesmo Nero lhe tirasse a cabeça. Pois se a S. Paulo lhe restavam ainda tantos anos de vida, e podia viver muitos mais, como diz que já tinha acabado a sua carreira: *Cursum consummavi?* Porque não esperou pela morte para acabar a vida: já tinha acabado a vida antes de morrer. E como tanto tempo antes podia dizer com verdade: *Cursum consummavi*, por isso disse também com a mesma verdade: *Ego curro non quasi in incertum*, porque já tinha feito certo o incerto da morte. Para quem acaba a carreira da vida quando morre, é a morte incerta; mas para quem a soube acabar antes de morrer, não é incerta, é certa.

E para que vejais quão certa é, notai que entre todas as mortes certas, só esta, com que acabamos a vida antes de morrer, tem infalível e total certeza. Todas as outras mortes, ou no ser, ou no modo, ou no tempo, têm suas incertezas; só esta em si, e em todas suas circunstâncias é certamente certa. Quando por traça de Amã se publicou edito de morte contra todos os hebreus que viviam nas cento e dezessete províncias sujeitas a el-rei Assuero, diz o texto sagrado que todo Israel clamou a Deus, vendo-se condenados sem remédio à morte certa: *Omnis Israel clamavit ad Dominum, e o quod eis certa mors impenderet* (Est. 13, 18). Era certa esta morte, porque estava sentenciada; era certa, porque estava determinado o dia; e sobretudo era certa, porque os decretos dos reis, por lei inviolável dos persas e medos, eram irrevogáveis. Mas esta mesma morte tão certa, e que por tantas razões carecia de toda a defesa e remédio humano, alfim mostrou o efeito, que não tinha infalível certeza, porque, descoberto engano e maldade de Amã pela rainha Ester, Assuero revogou o edito, e todos os que estavam condenados e sujeitos à morte ficaram livres e vivos (Est. 16). Tão incerta é a morte, ainda quando mais certa.

E se alguém me disser que era decreto humano e falível, e que por isso houve incerteza na morte certa, vamos a outra morte certa por decreto divino, e vereis que também nela pode haver circunstâncias de incerteza. *Certus quod velox est depositio tabernaculi mei, secundum quod, et Dominus noster Jesus Christus significavit mihi* (2 Pdr. 1, 14): Estou certo, diz S. Pedro na sua segunda epístola, estou certo que hei de morrer brevemente, porque assim mo significou o mesmo Cristo. — Pode haver maior certeza, nem mais bem provada? Não pode. Mas ainda assim perguntara eu a S. Pedro: Apóstolo e pontífice santo: a brevidade dessa mesma morte de que estais tão certo, saber-nos-eis dizer quão breve há de ser? Se será neste ano, ou no seguinte? Se será neste mês, ou em algum dos outros? Se será neste mesmo dia, e nesta mesma hora, e neste mesmo lugar em que estais escrevendo? Nada disto podia dizer, nem afirmar S. Pedro, porque debaixo daquela certeza particular, significada e declarada por Cristo, estava ainda encoberta e duvidosa, e igualmente infalível aquela outra incerteza geral, pronunciada pelo mesmo Cristo: *Quia nescitis diem, neque horam*. De sorte que sabia S. Pedro que havia de morrer brevemente, mas o quando e onde, não o sabia; estava certo da morte e da brevidade; mas do dia e da hora não estava, nem podia estar certo; e esta é a certeza da morte que se acaba com a vida. Porém a morte em que se acaba a vida antes de morrer é tão certa em si e em todas as suas circunstâncias, que se eu me resolvo neste ponto (como devo resolver), não só sei com certeza o lugar e o dia, senão com certeza a hora, e com certeza o momento. E a razão desta diferença é a que notou Jó: *Breves dies hominis sunt numerus mensium ejus apud te est*. O quando daquela morte, não o posso saber certamente, porque está em Deus; o quando de estoutra morte posso-o saber com toda a certeza, porque está em mim. Aquele está em Deus, porque depende só da sua vontade; este está em mim, porque a graça do mesmo Deus, que nunca falta, depende da minha.

Agora me não espanto que Deus não deferisse apetição de Davi, porque o despacho, se ele quisesse, estava na sua mão. Que dizia Davi, e que pedia a Deus? Pedia que Deus lhe revelasse o fim de sua vida: *Notum fac mihi Domine finem meum* (Sl. 38, 5). E para Davi, ou qualquer outro homem, sem ser profeta, saber o fim de sua vida, não é necessário que Deus lho revele. Se eu quero saber o fim de minha vida, ponha-lhe eu o fim, e logo o saberei. Então será verdadeiramente fim meu: *Finem meum*, porque será livre, e não necessário; será voluntário, e não forçoso; será da minha eleição e do meu merecimento; será, enfim, fim da minha vida, e não da vida que não é minha, porque só é minha a presente, e não a futura. Que mais pedia e queria Davi? *Et numerum dierum meorum*: queria saber a conta dos seus dias. Inútil desejo, e escusada petição. Pedia o que não importa nada, e deixava o que só importa. Não quero saber a conta aos dias da vida futura; quero saber conta, e tomar conta aos dias da vida passada. Não quero saber de Deus a conta dos dias que hei de viver; quero saber de mim a conta que hei de dar a Deus dos dias que tenho vivido. Esta é a necessária e verdadeira conta dos nossos dias. Finalmente a que fim pedia Davi esta revelação? *Ut sciam quid desit mihi*: Para saber, diz ele, o que me falta. — E que importa saberdes o que vos falta, se é melhor não o saber? Não quero saber da vida o que me falta; quero ignorar o que me sobeja. Quem sabe quando há de morrer, sabe os dias que lhe faltam; quem morre antes de morrer, ignora os dias que lhe sobejam, e esta ignorância é melhor que aquela ciência. Que maior felicidade na incerteza da morte, que sobejar-me a vida? Aos que acabam a vida com a morte, falta-lhes a vida; aos que acabam a vida antes de morrer, sobeja-lhes. E sequer estes sobejos da vida não os daremos de barato a Deus e a alma? Mas vamos à última dificuldade.

V

O maior perigo da morte: ser momentânea. A morte, instante que se desata do tempo que foi, e não se ata com o tempo que há de ser. O exemplo de Carlos Quinto, de Davi e de Jó. S. Antônio e sua preparação para a morte. Meter tempo entre a vida e a morte.

A última dificuldade e o maior perigo e aperto da morte, é ser momentânea. Que coisa é morte? *Momentum unde pendet eternitas*: um momento donde pende a eternidade, ou por melhor dizer, as eternidades. — O momento é um, e as eternidades que dele pendem são duas: ou de ver a Deus para sempre, ou de carecer de Deus para sempre. É uma linha indivisível que divide este mundo do outro mundo; é um horizonte extremo, donde para cima se vê o hemisfério do céu, e para baixo o do inferno; é um ponto preciso e resumido, em que se ajunta o fim de tudo o que acaba, e o princípio do que não há de acabar. Oh! que terrível ponto este, e mais terrível para os que nesta vida se chamam felizes. *Ducunt in bonis dies suos, et in punto ad inferna descendunt.* Se este ponto tivera partes, fora menos temeroso, porque entre uma e outra pudera caber alguma esperança, alguma consolação, algum recurso, algum remédio, mas este ponto não tem partes, nem ata, ou se ata com partes, porque é o último. O instante da morte não é como os instantes da vida. Os instantes da vida, ainda que não têm partes, unem-se com partes, porque unem a parte do tempo passado com a parte do futuro. O instante da morte é um instante que se desata do tempo que foi, e não se ata com o tempo que há de ser, porque já não há de haver tempo: *Et tempus non erit amplius* (Apc. 10, 6). Não vos parece que é terrível coisa ser a morte momentânea? Não vos parece que é terrível momento este? Pois eu vos digo, que nem é terrível, nem é momento, para quem souber fazer pé atrás a acabar a vida antes de morrer, porque ainda que a morte é momento, e não é tempo, quem acaba a vida antes de morrer, mete tempo entre a vida e a morte.

Não vos quero alegar para isto com autoridades de Jerônimo, ou Agostinho, nem com exemplos de Hilariões e Pacômios, senão como exemplo e com a autoridade de um homem de capa e espada, ou de espada sem capa, que é ainda mais. Entrou um soldado veterano a Carlos Quinto, e pediu-lhe licença, com um memorial, para deixar seu serviço e se retirar das armas. Admirou-se o imperador, e parecendo-lhe que seria descontentamento e pouca satisfação do tempo que havia servido, respondeu-lhe, chamando-o por seu nome, que ele conhecia muito bem o seu valor e o seu merecimento, que tinha na lembrança as batalhas em que se achara e as vitórias que lhe ajudara a ganhar, e que as mercês que lhe determinava fazer, lhas faria logo efetivas com grandes vantagens de posto, de honra, de fazenda. Oh! venturoso soldado com tal palavra, e de um príncipe que a sabia guardar! Mas era muito melhor, e muito maior a sua ventura. — Sacra e real majestade, disse, não são essas as mercês que quero, nem essas as vantagens que pretendo: o que só peço e desejo da grandeza da Vossa Majestade é licença para me retirar, porque quero meter tempo entre a morte e a vida: *Inter vitae negotia, et mortis diem oportere spatium intercedere*, diz o vosso, e nosso Lívio na História *De Bello Belgico*. E que vos parece que faria o César neste caso? Concedeu enternecido a licença, retirou-se ao gabinete, tornou a ler o memorial do soldado, e despachou-se a si mesmo. — Oh! soldado mais valente, mais guerreiro, mais generoso, mais prudente, e mais soldado que eu! Tu até agora foste meu soldado, eu teu capitão: desde este ponto tu serás meu capitão, e eu teu soldado: quero seguir tua bandeira. — Assim discorreu consigo César, e assim o fez. Arrima o bastão, renuncia o império, despe a púrpura, e tirando a coroa imperial da cabeça, pôs a coroa a todas suas vitórias, porque saber morrer é a maior façanha. Resolveu-se animosamente Carlos a acabar ele primeiro a vida, antes que a morte o acabasse a ele. Recolheu-se, ou acolheu-se ao convento de Juste, meteu tempo entre a vida e a morte, e porque a primeira vez soube morrer imperador, a segunda morreu santo. Oh! generoso príncipe, e prudente general, que soubeste seguir e aprender do teu soldado! Oh! valente e sábio soldado, que soubeste ensinar e vencer o maior general. Ambos tocaram a recolher a tempo, e por isso seguraram a maior vitória, porque fizeram a seu tempo a retirada.

Estes são os exemplos, senhores, que vos prometi. E se porventura quereis outros mais antigos e mais sagrados, ouvi o de outro general também coroado, e de outro soldado igualmente valoroso e sábio, a quem ele imitou e seguiu. Desenganado Davi, como vimos, de não poder alcançar de Deus o número que lhe restava de seus dias, e o fim e o termo certo de sua vida, reformou o memorial, e pediu assim nas últimas palavras do mesmo salmo: *Remitte mihi, ut refrigerer priusquam abeam, et amplius non ero* (Sl. 38, 14): Já que, Senhor, não sois servido que eu saiba a certeza de minha morte, e os dias que na vossa Providência me tendes determinado de vida, ao menos vos peço que me concedais algum espaço de quietação e sossego, em que possa meter tempo entre a vida e a morte: *Sine me refrigerari et quiescere priusquam moruar, et non existam in vivis, sic enfim postea placide exibo ex hac vita, et sine terroribus conscientiae, qui tunc exoriri solent*, comenta Genebrardo. De maneira que, desenganado Davi, mudou e melhorou de pensamento, e a sua última resolução foi segurar o estreito passo e momento da morte, com meter tempo entre ela e a vida. E de quem aprendeu Davi, de quem aprendeu o rei, general dos exércitos de Deus, esta lição? Aprendeu-a daquele famoso soldado, que pela experiência de suas batalhas dizia: *Militia est hominis vita super terram*. Quase pelas mesmas palavras de Davi, o tinha já dito e pedido Jó: *Nunquid non paucitas dierum meorum finietur brevi? Dimitte me ut plangam paululum dolorem meum, antequam vaiam, et non revertar.* Os dias da minha vida, diz Jó, ou eu queira, ou não queira, hão-se de acabar brevemente. O que pois vos peço, Senhor, é que antes da morte me concedais algum tempo, em que chore meus pecados, em que trate só de compor a minha consciência e aparelhar a minha alma. Vede quão conformes foram nesta galharda resolução o soldado primeiro, e o general depois. Jó tinha dito: *Antequam vadam, et non revertar,* Davi disse: *Priusquam abeam, et amplius non ero*. Um diz *prius*, outro diz *ante*, e nenhum deles se atreveu a deixar a morte para a morte; ambos trataram de ter tempo, e meter tempo entre a morte e a vida.

Mas quem era este general, quem era este soldado? Este Davi e este Jó, que homens eram? Oh! miséria e confusão de nosso descuido e de nossa pouca fé! Davi era aquele homem que, sendo ungido por Deus, quis antes perdoar a seu maior inimigo, que pôr na cabeça a coroa e empunhar o cetro (1 Rs. 24, 7); era aquele que, depois de ser rei, tinha entre noite e dia sete horas de oração, trazendo debaixo da púrpura cingido o cilício, e domando ou humilhando, como ele dizia, seu corpo com perpétuo jejum (Sl. 34, 13); aquele que dos despojos de suas vitórias ajuntava tesouros não para si, e para a vaidade, senão para a fábrica do Templo (2 Rs. 7); aquele que, sendo leigo, ordenou o canto eclesiástico (2 Par. 7, 6), distinguiu os ministros, reformou as cerimônias, e pôs em perfeição todo o culto divino e coisas sagradas (1 Par. 23, 3); aquele que, se cometeu um pecado (3 Rs. 7, 51), ainda depois de absolto e perdoado, o chorou com rio de lágrimas por todos os dias e noites de sua vida (Sl. 41,4); aquele finalmente de quem disse o mesmo Deus que tinha achado nele um homem à medida do seu coração (AL 13, 22). Este era Davi. E Jó, quem era? O espelho da paciência, a coluna da constância, a regra da conformidade com a vontade divina, aquele a quem Deus pôs em campo contra todo o poder, astúcias e máquinas do inferno (Jó 1, 12); aquele que na próspera e adversa fortuna, com a mesma igualdade de ânimo, recebia da mão de Deus os bens, e lhe agradecia os males (Jó 2, 10); aquele com quem nasceu e crescia juntamente com a idade, a compaixão dos trabalhos alheios, a misericórdia, a piedade com todos (Jó 29,15); aquele que, como ele dizia, era os olhos do cego, os pés do manco, o pai dos órfãos, o amparo das viúvas, o remédio dos necessitados, e que nunca comeu uma fatia de pão que não partisse dela com os pobres (Jó 31,17); aquele finalmente a quem canonizou o mesmo Deus, não só por inocente, mas pelo maior justo e santo de todo o mundo (Jó 1, 8). Este era Jó e este Davi, e cada um deles muito mais do que eu tenho dito, e do que se pode dizer. Agora pergunto: E se qualquer de nós se achara com a vida de um destes dois homens, não se atrevera a esperar pela morte muito confiadamente? Se vivemos como os que vivem e como os que vemos morrer, certo é que sim. E contudo, nem Davi, nem Jó, com tanto cabedal de virtudes, com tantos tesouros de merecimento, e o que é mais, com tantos testemunhos do céu, tiveram confiança para que os tomasse de repente o momento da morte: ambos pediram tempo a Deus para meter tempo entre a morte e a vida.

Mas para que me dilato eu em buscar exemplos estranhos, quando tenho presente em sua casa, e no seu dia, o mais nosso, e mais admirável de todos. Acabou Santo Antônio a vida em tempo, que a idade lhe prometia ainda muitos anos, porque não tinha mais de trinta e seis. E que fez, muitos dias antes? Despede-se de todas as ocupações, ainda que tão santas e tão suas; deixa a cidade, vai-se a um deserto, e ali só com Deus e consigo, dispôs muito devagar e muito de propósito para quando o Senhor o chamasse. Verdadeiramente que nenhuma consideração me faz fazer maior conceito da morte, nem me causa maior horror daquele perigoso momento, que esta última ação de Santo Antônio. Que corte Santo Antônio o fio ordinário de sua vida, e que sendo a sua vida qual era, faça mudança de vida para esperar pela morte! Dizei-me, Santo meu, que vida era a vossa? Não era a mais inocente, a mais pura, a mais rigorosa? O vosso vestido, não era um cilício inteiro atado com uma corda? A vossa mesa, não era um perpétuo jejum, e uma pobre e continuada abstinência? A vossa cama, não era uma dura tábua, ou a terra nua? Não passáveis a maior parte da noite em oração e contemplação dos mistérios divinos? Os dias, não gastáveis em pregar, em converter pecadores, em reduzir hereges? Os vossos pensamentos, não eram sempre do céu e de

Deus? As vossas palavras, não eram raios de luz e de fogo, com que alumiáveis entendimentos e abrasáveis corações? As vossas obras, não eram saúde a enfermos, vista a cegos, vida a mortos, finalmente prodígios e milagres estupendos em testemunho da fé que pregáveis? Pois com esta vida, ainda fugis do mundo para um deserto? Com esta vida, ainda vos retirais de vós para vós, e para vos unirdes mais com Deus? Com esta vida, ainda vos não atreveis a morrer? Ainda quereis acabar esta vida e fazer outra? Ainda quereis meter tempo entre esta vida e a morte? Pare o discurso nesta admiração, porque, nem eu sei como ir por diante, nem haverá quem deseje maior, mais apertada e mais temerosa prova de quão necessária seja esta antecipada prevenção para quem sabe que há de morrer, e o que é morrer.

Este é o único antídoto contra o veneno da morte; este é o único e só eficaz remédio contra todos seus perigos e dificuldades: acabar a vida antes que a vida se acabe. Se a morte é terrível por ser uma, com esta prevenção serão duas; se é terrível por ser incerta, com esta prevenção será certa; se é terrível ser momentânea, com esta prevenção será tempo, e dará tempo. Desta maneira faremos da mesma víbora a triaga, e o mesmo pó que somos, será o corretivo do pó que havemos de ser: *Pulvis es, in pulverem reverteris*.

VI

Quantos mortos que ainda lhes faltam por viver muitos anos! Propósitos: À imitação de Elias, seguindo o conselho do Espírito Santo, demos a Deus o tempo que sempre é seu, enquanto é também nosso, e não quando já não temos parte nele.

Parece-me, senhores meus, que tenho satisfeito ao meu argumento, e tanto em comum, como em cada uma das suas partes, demonstrado a verdade dele, mais pela evidência da matéria que pela força das razões, menos necessárias a um auditório de tanto juízo e letras. Para o que se deve colher desta demonstração, quisera eu que subisse agora a este lugar quem com diferente espírito e eficácia perorasse. Mas já que hei de ser eu, ajudai-me a pedir de novo à divina bondade o favor e auxílio de sua graça, que para matéria de tanto peso nos é necessária.

Tudo o que temos dito e ouvido é o que nos ensina nas Escrituras a fé, nos santos o exemplo, e ainda nos gentios o lume e razão natural. Mas quando eu vejo e considero o modo com que comumente vivem os cristãos, e o modo com que morrem, acho que em vez de acabarmos a vida antes da morte, ainda depois da morte continuamos a vida. Parece paradoxo, mas é experiência de cada dia. Que morto há nestas sepulturas, e mais nas mais altas, em quem a morte se não antecipasse à vida? Que morto há que não esperasse e presumisse que havia de viver mais do que viveu? *Dum adhuc ordirer, succidit me.* Nós urdimos a teia, a vida a tece, a morte a corta; e quem há, ou quem houve, a quem não sobejasse depois da morte muita parte da urdidura? É possível, dizia Ezequias, quando o profeta o avisou para morrer, é possível que hei de acabar a vida no meio dos meus dias: *In dimidio dierum meorum vadam ad portas inferni*. E quem lhe disse a este enganado rei, que aquele era o meio, e não o fim de seus dias? Disse-lho a sua imaginação e a sua esperança. Cuidava que havia de viver oitenta anos, e a morte veio aos quarenta. Eis aqui como continuava e estendia a vida quarenta anos além da morte. Quantos estão já debaixo da terra, que ainda lhes faltam por viver muitos anos! Ouçamos a um destes. *Anima mea, habes multa bona in annos plurimos* (Lc. 12, 19): Alma minha, tens muitos bens para muitos anos. *Comede, bibe, epulare* (Lc. ibid. 20): Leva-te boa vida, regala-te, gasta largamente e a teu prazer, já que tiveste tão boa fortuna. — Não tinha acabado de pronunciar estas palavras, quando ouviu uma voz que lhe dizia: *Stulte, hac nocte animam tuam repetent a te* (Lc. ibid.): Néscio, ignorante, insensato, este dia que passou foi o último de tua vida, e nesta mesma noite hás de morrer. — Morreu naquela mesma noite, e os muitos anos que se prometia de vida: *In annos plurimos*, que foi feito deles? Ainda se continuaram e foram correndo em vão, depois da sua morte. Verdadeiramente néscio, e pior que néscio, *stulte*. Os anos de que fazias conta, não eram teus, e os bens que eram teus, serão de outrem. Mas ainda que os anos não foram teus para a vida, serão teus para a conta, porque hás de dar conta a Deus, do modo com que fazias conta de os viver. Quanto melhor conselho fora acabar antes da morte os anos que vivestes, para o remédio, que continuar depois da morte os anos que não viveste, para o castigo!

Agora acabo eu de entender aquele dificultoso conselho do Espírito Santo: *Ne moriaris in tempore non tuo* (Eclo. 7, 18): Não morras no tempo que não é teu. *Ne moriaris*: Não morras? Logo, na minha mão está a morte. *In tempore non tuo*: No tempo que não é teu? Logo, há tempo que é meu, e tempo que não é meu. Assim é. Mas qual é o tempo meu, em que é bem que morra, e qual o tempo não meu, em que é bem que não morra? O tempo meu é o tempo antes da morte; o tempo não meu é o tempo depois da morte. E guardar, ou esperar a morte para o tempo depois da morte, que não é tempo meu, é ignorância, é loucura, é estultícia, como a deste néscio: *stulte*; mas antecipar a morte, e morrer antes de se acabar a vida, que é o tempo meu, esse é o prudente e o sábio, e o bem entendido morrer. E isto é o que nos aconselha quem só tem na sua mão a morte e a vida: *Ne moriaris in tempore non tuo*.

Quem haverá logo, se tem juízo, que se não persuada a um tão justo, tão necessário e tão útil partido, como acabar a vida antes da morte? Faça a nossa alma com o nosso corpo, e o nosso corpo com a nossa alma, o concerto que fez Elias. Ia Elias fugindo pelo deserto à perseguição da Rainha Jesabel, que o queria matar, e vendo quão dificultosa coisa era escapar à fúria de uma mulher poderosa e irada, diz o texto que pediu a morte à sua alma: *Petivi animae suae ut moreretur* (3 Rs. 19, 4). Alma minha, morramos; já que se há de morrer por força, morramos por vontade. Isto pedia o corpo à alma, e isto deve também pedir a alma ao corpo, porque ambos vão igualmente interessados no mesmo partido. Alma minha, diga o corpo à alma; corpo meu, diga a alma ao corpo: Se havemos de morrer depois por força e com perigo, morramos agora e logo, de grado e com segurança. Eu bem vejo que o vir facilmente neste concerto, é mais para os desertos que para as cortes. Na corte fugia Elias da morte; no deserto chamava por ela. Mas se uma tal resolução no deserto é mais fácil, na corte é mais necessária, porque nas cortes é muito mais arriscado o esperar pela morte para acabar a vida.

Suposto pois que o ditame é certo, conveniente e forçoso, desçamos à prática dele, sem a qual tudo o demais é nada. Isto de acabar a vida antes da morte, como se há de fazer? Respondo que fazendo resolutamente por própria eleição, na morte antecipada e voluntária, tudo aquilo que se faz prudente e cristãmente na morte forçosa e precisa. Que faz um cristão quando o avisam para morrer? Primeiramente (que isto deve ser o primeiro) confessa-se geralmente de toda sua vida, arrepende-se de seus pecados, compõe do melhor modo que pode suas dívidas, faz seu testamento, deixa sufrágios pela sua alma, põe-na inteiramente nas mãos do padre espiritual, abraça-se com um Cristo crucificado, e dizendo como ele: *Consummatum est* (Jo. 19, 30), espera pela morte. Este é o mais feliz modo de morrer que se usa. Mas como é forçoso e não voluntário, e aqueles poucos e perturbados atos que então se fazem, não bastam para desfazer os maus hábitos da vida passada, assim como a contrição é pouco verdadeira e pouco firme, e as tentações então mais fortes, assim a morte é pouco segura e muito arriscada. A contrição, diz Santo Agostinho, na enfermidade é enferma, e na morte, diz o mesmo santo, temo muito que seja morta. Deixemos logo os pecados quando nós os deixamos, e não quando eles nos deixam a nós, e acabemos a vida quando ainda podemos viver, e não quando ela se tem acabado. Que damos a Deus, quando ele no-la tira? Demos a vida a Deus, enquanto ele no-la dá; demos a Deus o tempo que sempre é seu, enquanto é também nosso, e não quando já não temos parte nele. Que propósitos são aqueles de não ofender mais a Deus, se eu já não tenho lugar de o ofender? A confissão nos tratos não é jurídica; há-se de ratificar fora dela para fazer fé; e pois se não pode ratificar depois, ratifique-se antes. A fazenda que se há de alijar ao mar no meio da tempestade, não é mais são conselho que fique no porto, e com ganância? Se eu posso ser o testador do meu, e mais o testamenteiro, porque o não serei? Se o meu testamento há de dizer: Item deixo, por que não dirá: Item levo? Não é melhor levar obras pias, que deixar demandas? Se se há de dizer de mim em dúvida: Fulano que Deus tem, não é melhor que seja desde logo, e com certeza?

VII

E os negócios e gostos da vida? Só para os que acabaram a vida antes da morte o mundo é paraíso na terra, como para Henoc e Elias. De quantas sem-razões se livra quem está já morto! Quais são os que seguramente gozam de paz e descanso?

Para a outra vida ninguém haverá (se crê que há outra vida) que não tenha por bom este conselho, e que só ele no negócio de maior importância é o verdadeiro, o sólido, o seguro. Mas, que diremos ao amor deste mundo, a que tão pegados estamos? É possível que de um golpe hei de cortar por todos os gostos e interesses da vida? Aqueles meus pensamentos, aqueles meus desenhos, aquelas minhas esperanças, com tudo isto hei de acabar desde logo, e para sempre, e por minha vontade, e que hei de tomar a morte por minhas mãos, antes que ela me mate, e quando ainda pudera lograr do mundo e da mesma vida muitos anos? Sobretudo, tenho muitos negócios em aberto, muitas dependências, muitos embaraços: comporei primeiro minhas coisas, e depois que tiver acabado com elas, então tomarei esse conselho, e tratarei de acabar a vida antes da morte. Eis aqui o engano e a tentação com que o demônio nos vence depois de convencidos, e com que o inferno está cheio de bons propósitos.

Primeiramente estes vossos negócios e embaraços não devem de ser tão grandes, e de tanto peso, como os de Carlos Quinto; mas dado que o fossem, e ainda maiores, se no meio de todos eles, e neste mesmo dia viesse a febre maligna, que havíeis de fazer? Não havíeis de cortar por tudo, e tratar de vossa alma? Pois o que havia de fazer a febre, não o fará a razão? Se hoje tendes muitos embaraços, amanhã haveis de ter muitos mais, e ninguém se desembaraçou nunca desta meada senão cortando-a. E quanto aos anos que ainda podeis ter e lograr de vida, pergunte-se cada um a si mesmo quantos anos tem? Eu quantos anos tenho vivido? Sessenta. E quantos morreram de quarenta? Quantos anos tenho vivido? Quarenta. E quantos morreram de vinte? Quantos anos tenho vivido? Vinte. E quantos morreram de dez e de dois, e de um, e de nenhum? *De utero translatus ad tumulum*. E se eu tenho vivido mais que tantos, que injúria faço à minha vida em a querer acabar? Que injúria faço aos meus anos em renunciar aos poucos e duvidosos, pelos seguros e eternos?

Finalmente, se tanto amo, e tão pegado estou aos dias da vida presente, por isso mesmo os devo dar a Deus, para que ele me não tire os que ainda naturalmente posso viver, segundo aquela regra geral da providência sua, e aquele justo castigo dos que os gastam mal: *Viri sanguinum, et dolosi, non dimidiabunt dies suos*.

Só resta o mais dificultoso laço de desatar, ou cortar, que são os que vós chamais gostos da vida, os quais, se ela se acaba, também acabam: *Post mortem nulla voluptas*. Ajuda-me Deus a vos desenganar deste ponto, e seja ele, como é, o último. Se nesta vida (vede o que digo) se nesta vida, e neste miserável mundo, cheio, para todos os estados, de tantos pesares, pode haver gosto algum puro e sincero, só os que acabam a vida antes de morrer a gozam. Para todos os outros é a vida e o mundo, vale de lágrimas; só para os que acabaram a vida antes da morte, é paraíso na terra. Dois homens houve só neste mundo que verdadeira e realmente acabaram a vida antes da morte: Henoc e Elias. Ambos acabaram esta vida há muitos anos, e ambos hão de morrer ainda no fim do mundo. E onde estão estes dois homens que acabaram a vida antes de morrer? Ambos, e só eles, estão no paraíso terreal, e com grande mistério. Porque se há e pode haver paraíso na terra, se há e pode haver paraíso neste mundo e nesta vida, só os que acabam a vida antes de morrer o logram. Oh! que vida tão quieta! Oh!

que vida tão descansada! Oh! que vida tão feliz e tão livre de todas as perturbações, de todos os desgostos, de todos os infortúnios do mundo! Depois que Henoc acabou a vida no mundo, sucedeu logo nele a maior calamidade que nunca se viu, nem verá: o dilúvio universal. O mundo grande estava já afogado debaixo daquele imenso mar sem porto nem ribeira; o mundo pequeno, metido em uma arca, já subindo às estrelas, já descendo aos abismos, sem piloto, sem leme, sem luz, flutuava atonitamente naquela tempestade. Os montes soçobrados, as cidades sumidas, o céu de todas as partes chovendo lanças e fulminando raios. E só Henoc no meio de tudo isto, como estava? Sem perigo, sem temor, sem cuidado. Porque ainda que lhe chegassem lá os ecos dos trovões e o ruído da tormenta, nada disto lhe tocava. Eu já acabei com o mundo, o mundo já acabou para mim; que importa que se acabe para os outros? Lá se avenham com os seus trabalhos, pois vivem, que eu já acabei a vida. Neste tempo não era ainda nascido Elias. Nasceu Elias, viveu anos, e antes de morrer acabou a vida do mesmo modo. Mas, que não padeceu o mundo e a terra onde Elias vivia, depois deste seu apartamento? Veio contra Samaria, Senaquerib e Salmanasar; veio contra Jerusalém, Nabucodonosor: tudo guerra, tudo fomes, tudo batalhas, ruínas, incêndios, cativeiros, desterros. As dez tribos de Israel levadas aos assírios, donde nunca tornaram; as duas tribos de Judá e Benjamim, transmigradas à Babilônia, donde voltaram despedaçadas depois de setenta anos. Porém Elias, que noutro tempo o comia tanto o zelo e amor da pátria, estava-se no seu paraíso em suma paz, em suma quietação, em sumo sossego, em suma felicidade. Volte-se o mundo debaixo para cima, reine Joaquim, ou reine Salmanasar, reine Nabuco, ou reine Ciro, vença Jerusalém, ou vença Babilônia, vão uns e tornem, e vão outros para não tornar: que se lhe dá disso Elias? Quem tem acabado a vida, de todos esses vaivéns da fortuna está seguro.

O mesmo acontece, senhores meus, e o mesmo experimenta todo aquele que deveras se resolve a deixar o mundo ao mundo, e acabar a vida antes da morte. Não são necessários para isso arrebatamentos, como os de Henoc, nem carros de fogo, como o de Elias, senão uma valente resolução. Quem assim se resolve, goza como Henoc e Elias todos os privilégios de morto. Corra o mundo por onde correr, nenhuma coisa lhe empece, nem lhe dá cuidado. Um dos professores deste estado foi, como vimos, S. Paulo, e por isso, ainda vivo, dizia: *Vivo autem, jam non ego* (Gál. 2, 20). E que quer dizer: Eu vivo, mas já não sou eu? Quer dizer, diz S. Bernardo: *Ad alia quidem omnia mortuus sum: non sentio, non atrendo, non curo*: Todas as coisas deste mundo são para mim como para os mortos; nem as sinto, nem me dão cuidado, nem faço mais caso delas, que se não foram; porque se elas ainda são, eu já não sou. Considerai as imunidades dos mortos, e vereis o descanso de que gozam e os trabalhos de que se livram os que antecipam a morte. Vieram ao Calvário os executores de Pilatos para quebrar as canelas aos crucificados, e assim o fizeram a Dimas e Gestas com grandes dores daquele tormento, porque estavam ainda vivos (Jo. 19, 31 s.). *Ad Jesum autem cum venissent* (Ibid 32), mas quando chegaram a Cristo, *Ut viderunt eum jam mortuum, non fregerunt ejus crura*: Como viram que estava já morto, não executaram nele aquela crueldade. — De quantos quebrantamentos, de quantas moléstias, de quantas sem-razões se livra quem está já morto! O epitáfio que eu pusera a um morto destes, é aquele verso de Davi:

Inter mortuos líber (Sl. 87, 6):

Entre os mortos livre. Livre dos cuidados do mundo, porque já está fora do mundo. Livre de emulações e invejas, porque a ninguém faz oposição. Livre de esperanças e temores, porque nenhuma coisa deseja. Livre de contingências e mudanças, porque se isentou da jurisdição da fortuna. Livre dos homens, que é a mais dificultosa liberdade, porque se descativou de si mesmo. Livre finalmente de todos os pesares e moléstias e inquietações da vida, porque já é morto.

A todos os mortos se canta piamente por costume: *Requiescant in pace*. Mas esta paz e este descanso, só o logram seguramente os que morreram antes de morrer. Vede-o no mesmo texto de Davi, donde a Igreja tomou aquelas palavras: *In pace in idipsum, dormiam et requiescam*: Morrerei e descansarei em paz para isso mesmo: *In idipsum*. Nesta cláusula *in idipsum* está o mistério, que sendo a sentença tão clara, a faz dificultosa, mas admirável. Que quer dizer: Morrerei e descansarei em paz para isso mesmo? Se dissera: Morrerei para descansar em paz, bem se entendia; mas morrerei e descansarei em paz para isso mesmo? Se há de morrer e descansar em paz para isso mesmo, há de morrer e descansar em paz, para morrer e descansar em paz? Assim é, e esse foi o profundo pensamento de Davi. Como se dissera: Eu quero morrer e descansar em paz na vida. E por que, ou para quê? Para isso mesmo; para morrer e descansar em paz na morte: *In pace in idipsum, dormiam et requiescam*. Por isso, com grande propriedade, significou o morrer pela frase de dormir: dormiam, porque o sono é morte em vida. Daqui se seguem duas consequências últimas, ambas notáveis e de grande consolação para os que morrem antes de morrer. A primeira, que só eles, como há pouco dissemos, gozam seguramente de paz e descanso. A segunda, que da paz e descanso desta morte, se segue também seguramente a paz e descanso da outra, que é o argumento de todo o nosso discurso. Os que morrem quando morrem, perdem o descanso da vida, e não conseguem ordinariamente o da eternidade, porque passam de uns trabalhos a outros maiores. Assim diziam no inferno aqueles miseráveis, que já tinham sido felizes: *Lassati sumus in via iniquitatis*: Chegamos cansados ao inferno. — Ao inferno, e cansados, porque lá não tivemos descanso, e cá teremos tormentos eternos. Pelo contrário os que morrem antes de morrer, morrem descansados, e morrem para descansar: *In pace in idipsum, dormiam et requiescam*. Oh! que paz, oh! que descanso para a vida e para a morte! Creio que ninguém haverá, se tem juízo, que se não resolva desde logo a viver e morrer assim, ou a morrer assim para morrer assim. Acabando desta maneira a vida, esperaremos confiadamente a morte, e por benefício do pó que somos: *Pulvis es*, não temeremos o pó que havemos de ser: *In pulverem reverteris*.

                                                                              LAUS DEO

❖

Sermão de Quarta-Feira de Cinza para a Capela Real que se não pregou por enfermidade do autor

Pulvis es, et in pulverem reverteris

I

A sentença de morte que a Igreja hoje solenemente não só no-la repete aos ouvidos com a voz, mas no-la escreve na testa com a cinza. Assunto do sermão: o pó que somos é a vida, o pó que havemos de ser é a morte: o maior bem da vida é a morte, o maior mal da morte é a vida.

Esta é a sentença da morte fulminada contra Adão e todos seus descendentes, a qual se tem executado em todos quantos até agora viveram, e se há de executar em nós, sem apelação de inocência, sem respeito de estado, sem exceção de pessoa. A Igreja solenemente hoje, não só no-la repete aos ouvidos com a voz, mas no-la escreve na testa com a cinza, como se dissera a seus filhos uma piedosa mãe: – Filhos, ouvi e lede a sentença de vosso pai, e sabei que sois pó, e vos haveis de converter em pó: – *Pulvis es, et in pulverem reverteris* (Gên. 3, 19). – Outras vezes, e por vários modos, neste mesmo dia, e sobre estas mesmas palavras, tenho comparado e combinado entre si o pó que somos com o pó que havemos de ser, e, posto que me não arrependo do que então disse, o que hoje determino dizer não é menos qualificada verdade nem menos importante desengano. O pó que somos é o de que se compõem os vivos; o pó que havemos de ser é o em que se resolvem os mortos. E sendo estes dois extremos tão opostos como o ser e não-ser, não é muito que os efeitos e afetos que produzem em nós sejam também muito diversos: por isso amamos a vida e tememos a morte. Mas porque eu, depois de larga experiência, tenho conhecido que estes dois efeitos no nosso entendimento, e estes dois afetos na nossa vontade andam trocados, o meu intento é pô-los hoje em seu lugar. O amor está fora do seu lugar, porque está na vida; o temor também está fora do seu lugar, porque está na morte: o que farei, pois, será destroçar estes lugares, com tal evidência que fiquemos entendendo todos que a morte, que tanto tememos, deve ser amada, e a vida, que tanto amamos, deve ser a temida. E por quê? Em um e outro pó temos a razão. Porque o maior bem do pó que somos é o pó que havemos de ser, e o maior mal do pó que havemos de ser é o pó que somos. Mais claro. O pó que somos é a vida, o pó que havemos de ser é a morte; e o maior bem da vida é a morte, o maior mal da morte é a vida. Isto é o que hei de provar. Deus nos assista com sua graça para o persuadir.

II

Que juízo fez Salomão, com toda sua sabedoria, e depois de todas as suas experiências, entre a morte e a vida? O que diz a eterna sabedoria de Cristo? Se Cristo se alegra com a morte de Lázaro, por que se entristece com a sua ressurreição? A quem esteve mal a ressurreição de Lázaro?

Que o maior bem do pó que somos seja o pó que havemos de ser, que o maior bem da vida, que tão enganosamente amamos, seja a morte, que enganadamente tememos, só quem mais que todos experimentou os bens da mesma vida o pode melhor que todos testemunhar. Quem mais que todos quis, soube e pode experimentar os bens desta vida, e com efeito fez de todos eles a mais universal e exata experiência foi Salomão. E que juízo fez Salomão, com toda a sua sabedoria e depois de todas as suas experiências, entre a morte e a vida? Ele mesmo o declarou, e com palavras tão expressas que não hão mister comento nem admitem dúvida: *Laudavi mugis mortuos quam viventes* (Ecl. 4, 2): Lançando os olhos por todo este mundo, e considerando bem a vida dos que vivem sobre a terra e a morte dos que jazem debaixo dela, resolvi – diz Salomão – que muito melhor é a sorte dos mortos que a dos vivos: *Laudavi mugis mortuos quam viventes*. – Notai a energia daquela palavra *laudavi*. Como se dissera o mais sábio de todos os homens: Se com toda a minha eloquência houvera de orar pelos mortos e pelos vivos, aos mortos havia de dar os parabéns, e fazer um largo panegírico de suas felicidades, e aos vivos havia de dar os pêsames, e fazer uma oração verdadeiramente fúnebre e triste, em que lamentasse suas misérias e desgraças. Isto disse Salomão, com cuja autoridade nenhuma outra humana pode competir; só foi maior que ela a que juntamente é humana e divina, a da eterna sabedoria de Cristo: *Et ecce plus quam Salomon hic*! E por que também nos não falte esta, ouçamos ao mesmo Cristo, e vejamos o que disse e o que fez em semelhante caso.

Morreu Lázaro e ressuscitou Lázaro. Ponhamos pois a Lázaro ressuscitado entre os vivos, e a Lázaro defunto entre os mortos, e notemos no supremo Senhor da vida e da morte como lhe lamenta a morte e como lhe festeja a vida. Quando Cristo declarou aos discípulos que Lázaro era morto, disse: *Lazarus mortuus est, et gaudeo* (Jo. 11 , 14 s): É morto Lázaro, e folgo. – Partiu dali a ressuscitá-lo o mesmo Senhor, e chegando à sepultura, não só chorou: *Lacrymatus est* (ibid. 35) – mas mostrou que se lhe angustiava o coração: *Rursum fremens in semetipso.* – Repara S. Pedro Crisólogo no encontro verdadeiramente admirável destes dois afetos, um de alegria e gosto na morte, outro de penas e lágrimas na ressurreição do mesmo Lázaro, e diz assim elegantemente: *Certe ipse qui dixerat: Lazarus mortuus est, et gaudeo, de quo gaudet mortuo, ipsum, cum resuscitat, tunc lamentatur; qui cum amittit, non flet, cum recipit, tunc deplorat; tunc fundit mortales lacrymas, vitae spiritum cum refundit*: Notável caso – diz Crisólogo – que o mesmo Cristo sobre o mesmo Lázaro, quando diz que é morto se alegre, e quando o quer ressuscitar o lamente! Notável caso, que quando perde o amigo não chore, e que chore quando o há de ter outra vez consigo! Notável caso que quando lhe há de infundir o espírito de vida se lhe aflija e angustie o coração, e que o haja de receber vivo com as mesmas lágrimas com que nós nos despedimos dos mortos! – Por isso lhe chama lágrimas mortais: *Tunc fundit mortales lacrymas, vitae spiritum cum refundit*. – Pois, se Cristo se alegra com a morte de Lázaro, por que se entristece com a sua ressurreição, e por que chora quando lhe há de dar a vida? Eu não nego que quando Cristo chora por uma causa se pode alegrar por outras. Isso significou o mesmo Senhor quando disse: *Gaudeo propter vos*. – Mas, ainda que tivesse uma causa e muitas para se alegrar com a morte de Lázaro, que causa ou que razão pode ter para chorar a sua ressurreição e a sua vida? *Lacrymatus est non quod mortuus erat, sed quod revocare illum oportebat ad tolerandas rursus hujus vitae miserias* – diz Ruperto, e o mesmo tinha dito antes dele Isidoro Pelusiota. Mas eu tenho melhor autor que ambos, que é o Concílio Toledano terceiro, o qual dá a mesma razão por estas palavras: *Christus noii ploravit Lazarum mortuum, sed ad hujus vitae aerumas ploravit resuscitandum*: Chora Cristo a Lázaro quando o há de ressuscitar, não o chorando morto, porque, estando já livre dos trabalhos, das misérias e dos perigos da vida, por meio da morte, agora, por meio da ressurreição, o tornava outra vez a meter nos mesmos trabalhos, nas mesmas misérias e nos mesmos perigos. A todos esteve bem a ressurreição de Lázaro, e só ao mesmo Lázaro esteve mal. Esteve bem a Deus – se assim é lícito falar– porque foi para sua glória; esteve bem aos discípulos, porque os confirmou na fé; esteve bem aos de Jerusalém, porque muitos se converteram; esteve bem às irmãs, porque recobraram o amparo e arrimo de sua casa; esteve bem ao mesmo Cristo, porque então manifestou mais claramente os poderes da sua divindade, e só a Lázaro esteve mal, porque a ressurreição o tirou do descanso para o trabalho, do esquecimento para a memória, da quietação para os cuidados, da paz para a guerra, do porto para a tempestade, do sagrado da inveja para a campanha do ódio, da clausura do silêncio para a soltura das línguas, do estado da invisibilidade para o de ver e ser visto, de entre os ossos dos pais e avós para entre os dentes dos êmulos e inimigos, enfim, da liberdade em que o tinha posto a morte, para o cativeiro e cativeiros da vida.

III

O exemplo dos bárbaros passianos celebrando com festas a morte dos filhos, e os louvores dos romanos aos suicidas. Os suicídios de Saul, de Aquitofel e de Sansão. S. Paulo, os patriarcas da lei escrita e o desejo da morte.

Persuadidos os homens à verdade deste desengano, não é muito que a morte lhes começasse a parecer menos feia que a vida, antes que a vida lhes parecesse feia, e a morte formosa. Os passianos, e outras nações, que barbaramente se chamam bárbaras, choravam e pranteavam os nascimentos dos filhos, e celebravam com festas as suas mortes, porque entendiam que nascendo entravam aos trabalhos, e morrendo passavam ao descanso. E certamente que as lágrimas dos nascimentos os mesmos nascidos, sem mais ensino que o da natureza, as aprovam e ajudam com as suas, e as festas com que se celebravam as mortes também os mortos, pela experiência do seu descanso, se pudessem falar, as louvariam. Por isso Samuel, obrigado a falar com Saul depois de morto e sepultado, o que disse foi: *Quare inquietasti me* (1 Rs. 28, 15)? Por que me inquietaste? – Muitos filósofos, e particularmente os estoicos, cuja seita, pela preferência da virtude, se avizinhava mais ao lume da razão, não só davam licença aos seus professores para que antepusessem a morte à vida, mas aos que em caso de honra tomavam por suas mãos a mesma morte – a que chamavam porta da liberdade – os introduziam por ela à imortalidade da glória. Assim o fez aquele homem maior que todos os romanos, Catão, cujo juízo e autoridade, na opinião da mesma Roma, se punha em balança com a dos deuses, como soberbissimamente cantou dele Lucano, na demanda imperial de César com Pompeu:

Magno se judice quisque tuetur,
Victrix causa diis placuit, pars vicia Catoni

E se alguém me replicar que estes homens eram gentios, eu lhe perguntarei primeiramente se era gentio Sansão, ou Saul, ou Aquitofel, e que fizeram em semelhantes casos? Sansão não duvidou matar-se a si mesmo, por se vingar, como ele disse, dos filisteus, pela injúria que lhe tinham feito em lhe arrancar os olhos. Saul, por não vir a mãos de seus inimigos, vencido em uma batalha, mandou a seu pajem da lança que o matasse, e porque não foi obedecido, ele, pondo a ponta da espada no peito, com todo o peso do corpo se atravessou nela. Aquitofel, que era o Catão dos hebreus, e cujos conselhos, por testemunho da Escritura Sagrada, eram como os oráculos do mesmo Deus, porque Absalão, cujas partes seguira, os não quis tomar, tornou ele por conselho antecipar por suas próprias mãos a morte, prevendo como sábio, que não podia deixar de ser vencedor Davi, a quem a tinha bem merecido. Mas, porque ainda aqui se pode dizer que as mortes de Aquitofel e Saul foram condenadas, e as razões que defendem haver sido lícita a de Sansão podem parecer duvidosas, ouçamos o que nos casos de antepor a morte à vida desejaram e pediram a Deus os mais abalizados santos, e canonizados por ele.

Moisés, governador supremo do povo de Deus, e o que mais é, com uma vara milagrosa e onipotente na mão, pediu ao mesmo Deus que o livrasse daquele peso, e se não, que o matasse antes, e lhe daria muitas graças por tamanha mercê: *Sin aliter tibi videtur; obsecro ut interficias me, et inveniam gratiam in oculis tuis.* – Elias, fugindo à perseguição da rainha Jesabel, lançado ao pé de uma árvore chamou pela morte: *Petivit animae suae ut moreretur*– e disse a Deus: Basta já o vivido, Senhor, tirai-me a vida, pois não sou melhor que Abraão, Isac e Jacó, os quais descansam na sepultura: *Sufficit mihi, Domine, tolle animam meara: neque enim meliorsum quam palres mei.* – Jó, o maior exemplo da paciência e constância, de tal modo se resolveu a querer antes morrer que viver, que, considerando todos os gêneros de morte possíveis, ainda aquela afrontosa e infame, que se dá aos facinorosos mais vis, tinha por melhor que a vida: *Quamobrem suspendium elegit anima mea, et morrem ossa mea.* – Por isso, quando disse: *Parte mihi* – não foi pedir a Deus perdão dos pecados, senão que o deixasse morrer: *Nequaquam ultrajam vivam, parce mihi.* – Estes eram os ais que, saindo do valente peito de Davi, o obrigavam a bradar, não porque se lhe estreitasse a vida, mas porque se lhe estendiam e alongavam os termos dela: *Heu mihi, guia incolatus meus prolongatus est!* – E para que em um coro tão sublime nos não falte uma voz do terceiro céu, ouçamos a São Paulo: *Infelix ego honro, quis me liberabit de corpore mortis hujus* (Rom. 7, 24)? Miserável de mim, homem infeliz, quem me livrará já deste corpo mortal? – Em suma, que os maiores homens do mundo, em todos os estados do gênero humano, ou com fé, ou sem fé, ou na lei da natureza, ou na escrita, ou na da graça, sempre desejaram mais a morte do que estimaram a vida, e sempre em suas aflições e trabalhos apelaram do pó que somos sobre a terra para o pó que havemos de ser na sepultura.

IV

A distinção dos que dizem que é melhor a morte que a vida em respeito somente dos miseráveis e não dos infelizes. Se Elias fugia de Jesabel por temor da morte, por que deseja e pede a morte no mesmo tempo? As queixas de Sirac contra a morte e as queixas de Jó contra a vida. A morte, medo dos ricos e desejo dos pobres. O que diz Sêneca, o trágico, por boca do tirano Lico? Por que não caíram mortos Adão e Eva ao pé da mesma árvore onde comeram o fruto proibido, tanto que quebraram a lei?

De tudo o dito até aqui se segue que melhor é a morte que a vida, e que o maior bem da vida é a morte. Mas contra esta segunda parte, que é a primeira do meu assunto, inventou o amor da vida uma distinção fundada no que ela mais aborrece, que são as misérias, e no que mais estima, que são as felicidades. Fazendo, pois, uma grande diferença entre os miseráveis e os felizes, dizem os defensores da vida que para os miseráveis é maior bem a morte mas para os felizes não. E verdadeiramente este ditame parece da própria natureza, porque, consideradas a vida e a morte, cada uma por si só e em si mesma, a vida naturalmente é mais amável que a morte; acompanhada, porém, dos trabalhos, das misérias e das aflições que ela traz consigo, não há dúvida que muito melhor e mais para apetecer é a morte que a vida. Em todos os exemplos que acabamos de referir se vê claramente esta verdade, mas em nenhum com mais particular energia e reparo que no de Elias. Quando Elias desejou à morte, e a pediu a Deus, foi quando ia fugindo de Jesabel. E por que fugia Elias de Jesabel? Por temor da morte. Pois, se fugia por temor da morte, por que deseja e pede a morte no mesmo tempo? Porque então acabou de conhecer quanto melhor é a morte que a vida. Antes desta experiência, pela apreensão natural de todos que vivemos, parecia-lhe a Elias que melhor era a vida que a morte; mas, depois que começou a subir montes e descer vales, de dia escondido nas grutas, de noite caminhando pelos horrores das sombras e dos desertos, figurando-se-lhe a cada penedo um homem armado e a cada rugir do vento uma fera, sem outro comer nem beber mais que as raízes das ervas e os orvalhos do céu, cego sem guia, e solitário sem companhia – porque até um criadinho que levava consigo o despediu, por se não fiar dele – tudo miséria, tudo temor, tudo desconfiança, sem luz ou esperança de remédio, ou donde pudesse vir, no meio destas angústias, considerando o miserável profeta – noutras ocasiões tão animoso – quão trabalhosa e cara de sustentar lhe era a mesma vida duvidosa e incerta, pela qual tanto padecia, então acabou de conhecer quanto melhor lhe era o morrer que o viver, e por isso, despedindo-se da vida, pedia a morte: *Tolle animam meam.*

Estes são aqueles dois afetos ou aquelas duas queixas tão encontradas e tão concordes, uma de Sirac contra a morte, e outra de Jó contra a vida. Sirac diz: *O mors, quam amara est memória tua homini pacem habenti* (Eclo. 41, I)! Ó morte, quão amarga é a tua memória para o homem que vive com paz e descanso! – Não diz que para todos, senão para o que vive em paz e descanso, porque para o que vive em paz e descanso é amarga, para o que vive em trabalho e miséria é doce. E Jó dizia: *Quare misero data est lux, et vila his qui in amaritudine sunt? Qui expectant mortem, et non venit, gaudentque vehementer cum invenerint sepulchrum* (Jó 3, 20 ss)? Para que se dá a luz ao miserável, e a vida aos tristes, que esperam pela morte, a qual lhes tarda, e não têm maior alegria que quando acham a sepultura? – Também não diz que a morte tarda a todos, nem que todos se alegram com a sepultura, senão só os miseráveis e tristes, porque, assim como a morte e a sepultura para os contentes da vida é o seu maior temor, assim para os descontentes dela, e miseráveis, é o maior desejo. Por isso aquele filósofo, que refere Laércio, chamado Secundo, perguntado pelo imperador Adriano que era a morte, respondeu que era o medo dos ricos e o desejo dos pobres: *Pavor divitum, desiderium pauperum.* – Melhor ainda, e mais nervosamente o disse Sêneca, o Trágico, por boca de Lico. Era Lico um famosíssimo tirano, o qual, na ausência de Hércules, matou a Creonte, rei legítimo de Tebas, e se lhe apoderou do reino. Este, pois, como tão grande mestre da tirania, dizia que quem matava à todos não sabia ser tirano: *Qui morte cunctos luere supplicium jubet, nescit tyrannus esse.* – Pois, que havia de fazer um tirano, para ser verdadeiramente tirano e cruel? Diz que havia de dar a morte a uns e a vida a outros, conforme a fortuna de cada um: aos felizes a morte, aos miseráveis a vida – *Miserum vita perire, felicem jube*: Ao feliz mandai que morra, ao miserável que viva – porque tanta pena é condenar o feliz à morte como o miserável à vida.

E para que uma doutrina tão conforme à comum estimação humana não fique profanada no nome e no autor, troquemos o nome de tirania no de justiça, e passemo-la do rei mais tirano ao Juiz mais reto. Caso é, assim como o maior do mundo, o mais admirável que, pondo Deus lei a Adão que, comendo da árvore vedada, morreria, comesse Eva e comesse o mesmo Adão, e não morressem. A observância das primeiras leis, e a execução dos primeiros castigos são os que fazem exemplo: faltando este, perde-se o respeito às leis e o temor aos castigos. Essa foi a razão da severidade com que São Pedro, aos primeiros delinquentes da primitiva Igreja, Ananias e Safira, os fez cair de repente mortos a seus pés. Pois, por que não caíram também mortos Adão e Eva ao pé da mesma árvore onde comeram, tanto que quebraram a lei? Por isso mesmo: porque os quis Deus castigar. Para Deus castigar a Adão e Eva foi necessário que lhes comutasse a morte em vida, e o paraíso em desterro, porque só desta maneira se podia ajustar a ameaça da lei com o castigo da culpa. Assim foi. No paraíso ameaçou-os com a morte, no desterro castigou-os com a vida. No paraíso, que era a pátria de todas as felicidades, só podiam ser ameaçados com a morte, porque a morte é o maior terror dos felizes; e no desterro, que era o lugar de todas as misérias, só podiam ser castigados com a vida, porque a vida é todo o tormento dos miseráveis. Cuidam alguns que não matar Deus a Adão e Eva foi misericórdia, e não foi senão justiça, porque, perdidas as felicidades do paraíso, assim como o morrer seria remédio, assim o não morrer foi o castigo: logo, por todas estas razões e exemplos, não só humanos, senão ainda divinos, parece que é verdadeira a distinção dos que dizem que é melhor a morte que a vida, em respeito somente dos miseráveis, mas não dos felizes.

V

Se não há nem pode haver vidas que careçam de misérias, o que se tem dito da vida dos miseráveis se deve entender de todas e de todos. As dobradas misérias a que está sujeita a maior felicidade da natureza, que é a saúde. A morte, médico universal de todas as doenças. Felicidade dos que morreram pelejando por Troia. Em que consiste a bem-aventurança do céu. A dupla morte de Catão.

Eu, que direi? Digo que folgara e estimara muito que esta distinção ou a limitação fora verdadeira, porque a melhor e maior parte do auditório a que prego é dos felizes desta vida, e dos que o mundo inveja e venera por tais. Mas quando Salomão chamou mais ditosos aos mortos que aos vivos, não fez distinção de vivos miseráveis a vivos felizes, senão que de todos os que vivem falou igualmente: *Laudavi magis mortuos quam viventes.* – E para eu refutar os defensores da vida dos felizes, não quero outro argumento senão o seu. Concedem que a morte é maior bem que a vida dos miseráveis: logo, também é maior bem que a vida dos que eles chamam felizes. E se não, os mesmos felizes o digam. Pergunto. Há, ou houve, ou pode haver neste mundo vida alguma tão mimosa da fortuna e tão feliz que careça totalmente de misérias? Ninguém se atreverá a dizer nem imaginar tal coisa: logo, se não há nem pode haver vida que careça de misérias, o que se tem dito da vida dos miseráveis se deve entender de todas e de todos. Os que vulgarmente se reputam e chamam felizes tanto se enganam com a sua felicidade como com a sua vida: por isso amam a vida e temem a morte. Mas este engano lhes descobriremos agora, para que conheçam que em todo o estado e em toda a fortuna a morte é o maior bem da vida, e o pó que havemos de ser o maior bem do pó que somos.

Todos os bens de que é capaz o homem, enquanto vive neste mundo, ou são bens da natureza, ou bens da fortuna, ou bens da graça; mas nenhum deles é tão sólido, inteiro e puro bem que o goze sem tributo de misérias a vida, nem a possa livrar deste tributo senão a morte. Entre os bens da natureza, o mais excelente, o mais útil e o mais necessário é aquele sem o qual nenhum outro bem se pode gozar, a saúde. E só quem compreender o número sem número de enfermidades e dores a que está sujeita e exposta a saúde, ou geradas dentro do mesmo homem, ou nascidas e ocasionadas de fora, poderá conhecer exatamente quão carregado de duríssimas pensões, e não cheio de misérias ou deu ou emprestou à mesma natureza, ainda aos mais sãos e robustos, este calamitoso bem. Pois, que remédio? Os egípcios, entre os quais nasceu a medicina, para cada enfermidade, como refere Heródoto, tinham um médico particular; mas nem por isso saravam todos, nem de todas. El-rei Ezequias mandou queimar os livros de Salomão, porque o povo, recorrendo às virtudes das ervas em suas enfermidades, deixava de acudir a Deus, que é a verdadeira raiz da saúde. Assim o refere Eusébio Cesariense. Mas enquanto duraram os mesmos livros, nem aos enfermos particulares, nem ao mesmo Salomão aproveitou aquela grande ciência médica. Até quando? Até que as próprias doenças os sujeitaram ao médico universal, que, sem aforismos nem receitas, cura em um momento a todas, que é a morte. *O mors, veni nostris certus medicus malis*! Ó morte, vinde, que só vós sois o verdadeiro e certo médico para todos os nossos males! – É exclamação proverbial dos gregos, referida por Plutarco. Morrestes, acabaram-se as enfermidades, acabaram-se as dores, acabaram-se todas as moléstias e aflições que martirizam um corpo humano; e até o temor da mesma morte se acabou, porque os mortos já não podem morrer.

Vede a grande diferença dos mortos aos vivos. Os vivos sobre a terra temem a morte, os mortos debaixo da terra esperam a ressurreição, e quanto vai do esperar ao temer, e das isenções da imortalidade às sujeições de mortal, tanto melhor é o estado dos mortos que o dos vivos. Os que escaparam vivos do incêndio de Troia chamavam bem-aventurados aos que morreram pelejando por ela:

O terque quaterque beati,
Queis ante hora patrum, magnae sub moenibus urbis,
Contigit oppetere!

sem conhecer a bem-aventurança, nem entender o que diziam, levantaram um admirável pensamento porque a felicidade de que gozam os mortos por benefício da morte, se não é como toda a bem-aventurança do céu, é como a metade dela. A bem-aventurança do céu, enquanto positiva e negativa, compõe-se daquelas duas partes em que a dividiu Santo Agostinho quando disse: *Ibi erit quidquid voles, et non,erit quidquid nolles.* – A primeira parte consiste na posse e fruição de todos os bens, e a segunda na privação e isenção de todos os males. Ouçamos agora a S. João no seu Apocalipse, descrevendo a mesma bem-aventurança: *Et absterget Deus omnem lacrymam ab oculis eorum: et mors ultra non erit, negue clamor; negue dolor erit ultra, guia prima abierunt* (Apc. 21, 4): Aos que forem ao céu, enxugar-lhes-á Deus todas as lágrimas, e já não haverá morte, nem clamores, nem gemidos, nem dores, porque estas misérias e penalidades todas pertenciam ao estado da primeira vida, que já passou. – E haverá quem possa negar que todas estas queixas e causas delas são as de que estão isentos os mortos na sepultura? Já para eles não há lágrimas, nem gemidos, nem dores, nem enfermidades, nem a mesma morte. As dores e enfermidades desta vida têm dois remédios ou alívios: um natural, que são as lágrimas e os gemidos, e outro violento e artificial, que são os medicamentos. E a morte, não só nos livra das misérias da vida, senão também dos remédios dela. Já dissemos que Catão matou a si mesmo, mas não se matou de uma vez, senão de duas, com modo e circunstâncias notáveis. Estando são e valente, meteu um punhal pelos peitos; acudiram logo, e curaram-lhe as feridas, mas ele, depois de curado, metendo a mão na mesma ferida, a fez maior, e se acabou de matar. De sorte que começou a se matar são, e acabou de se matar curado. São, para se livrar da vida, curado, para se livrar da vida e mais dos remédios. Por isso disse Santo Agostinho que quantas são as medicinas tantos são os tormentos. E tais são as dobradas misérias a que está sujeita a maior felicidade da natureza, que é a saúde, bastando para a tirar padecidas, e não bastando para a conservar remediadas.

VI

Os bens da fortuna. Quão certo é, ainda no maior auge dos bens da fortuna, qual é a dos reis, ser o maior bem da vida a morte. Os reis a todos mandam como reis e de todos são julgados como réus. As miseráveis felicidades dos que, postos na região dos raios, dos trovões e das tempestades, a dignidade e a lisonja chama Sereníssimos. O que respondeu o oráculo de Apoio a Giges, inchado com a singular prosperidade de sua fortuna. Como pagou Deus a el-rei Josias o zelo demonstrado na restauração do culto do verdadeiro Deus?

Passemos aos bens da fortuna. E, subindo ao mais alto ponto aonde ela pode chegar, preguemos um cravo na sua roda, para que, concedendo às suas felicidades a constância que não têm, vejamos se se podem jactar ou presumir de que carecem de misérias. Os cetros e as coroas são as que, postas no cume da majestade, levam após si, com o império, os aplausos e adorações do mundo, e ao mesmo mundo, o qual, cego com os reflexos daquele esplendor, os aclama felizes e felicíssimos, não penetrando o interior e sólido da felicidade, mas olhando só, e parando no sobredourado das aparências. *Omnium istorum quos incedere altos vides, bracteata felicitas est* disse sábia e elegantemente Sêneca. Assim como os tetos sobredourados dos templos e dos palácios o que mostram por fora é ouro, e o que escondem e encobrem por dentro são madeiros comidos do caruncho, pregos ferrugentos, teias de aranha, e outras sevandijas, assim debaixo da pompa e aparatos com que costumamos admirar os que vemos levantados ao zênite da fortuna, se víramos juntamente os cuidados, os temores, os desgostos e tristezas que os comem e roem por dentro, antes havíamos de ter compaixão das suas verdadeiras misérias, que inveja à falsa representação e engano do que neles se chama felicidade. Quem duvidou jamais de reputar a Carlos Quinto por felicíssimo, com tantas vitórias, tanta fama, tantos aumentos da monarquia? E, contudo, no dia em que renunciou o governo, confessou que em todo o tempo dele nem um só quarto de hora tivera livre de aflições e moléstias. O diadema antigo, insígnia dos reis e imperadores, era uma faixa atada na cabeça. E dizia Seleuco, rei da Ásia, que, se os homens soubessem quão pesada era aquela tira de pano, e quão cheia de espinhas por dentro, nenhum haveria que a levantasse do chão para a pôr na cabeça. El-rei Antígono, vendo que seu filho, pelo ser, se ensoberbecia, com que lhe abateria os fumos?

An ignoras, o fili, regnum nostrum non esse aliud nisi splendidam servitutem? Não sabes, filho – lhe disse – que o nosso reino não é outra coisa que um cativeiro honrado? – Os reis são senhores de todos, mas também cativos de todos. A todos mandam como reis, e de todos são julgados como réus. Como o rei é a alma do reino, tem obrigação de viverem todos seus vassalos, e padecer neles e com eles quanto eles padecem. Se não padece assim não é rei, e, se padece, que maior martírio? Há-se de matar e morrer para que eles vivam, há-se de cansar para que eles descansem, e há de velar para que eles durmam, sendo mais quieto e sossegado o sono do cavador sobre uma cortiça, que o do rei debaixo de céus de brocado. Ali, desvelado, marcha pelas campanhas com os seus exércitos; ali navega os mares com as suas armadas, e a qualquer bandeira, que tremula com o vento lhe palpita o coração na contingência dos sucessos. Tais são as miseráveis felicidades, ou as adoradas misérias dos que, postos na região dos raios, dos trovões e das tempestades, a dignidade com razão, e a lisonja sem ela chama Sereníssimos.

Que seria se eu aqui ajuntasse as catástrofes e fins trágicos dos Xerxes, dos Cressos, dos Darios, e infinitos outros? Mas o meu intento só é descobrir as misérias dos felizes. A este propósito há muito que tenho notado uma coisa para mim admirável, e é que, sendo Valério Máximo tão universal nas histórias e notícias do mundo e, trazendo tantos exemplos, assim domésticos como estrangeiros, em todas as matérias, quando veio a tratar da felicidade só a achou entre os romanos a Metelo, homem particular, e entre os reis de todas as nações a Giges, rei de Lídia. Esta é a mesma salva com que ele começa dizendo: *Volubilis fortunae complura exempla retulimus, constanter propitiae admodum pauta narrari possunt.* – Inchado, pois, Giges com a singular e contínua prosperidade de sua fortuna, quis-se canonizar pelo mais feliz homem do mundo, e a este fim consultou pessoalmente o Oráculo de Apolo, para que a resposta, de que não duvidava, fosse uma prova autêntica e divina da sua felicidade; enganou-se, porém, ou acabou de se enganar o já enganado rei, porque respondeu o oráculo que Aglau Sofídio era mais feliz que ele. E quem era Aglau Sofídio? Era um lavradorzinho velho, o mais pobre de toda a Arcádia, ao qual um pequeno enchido, que tinha junto à sua choupana, cultivado por suas próprias mãos, sem inveja sua ou alheia, lhe dava o que era bastante para sustentar a vida. Pois este Aglau assim pobre era mais feliz que Giges com todas as suas fortunas? Sim, porque essas mesmas fortunas, ainda que grandes e contínuas, não o livravam do temor da sua inconstância, o qual só bastava para o fazer infeliz. Debaixo deste temor se compreendiam os cuidados, as dúvidas, as imaginações, os indícios falsos ou verdadeiros da ruína que se lhe maquinasse ou podia maquinar, e todos os infortúnios possíveis, no mar e na terra, na guerra e na paz, na inveja dos êmulos, no ódio e potência dos inimigos, no descontentamento e rebelião dos vassalos, enfim, as violências secretas, os roubos, os subornos, as traições, os venenos, com que nem o sustento necessário à vida, nem a mesma respiração é segura. Para que se veja se era feliz quem todo este tumulto de inquietações, que só conhecia o oráculo, trazia dentro no peito. E como os bens da fortuna, ainda os maiores, quais são os dos reis, e ainda nos singular e unicamente felizes, estão sujeitos a tantas misérias, ou padecidas em si mesmas, ou no temor e receio, que não é tormento menor, nenhum outro remédio tem para escapar e se livrar delas a vida, senão o da morte.

Seja a prova em caso e pessoa, não de outra, senão da mesma suposição e dignidade, o modo com que Deus livrou a el-rei Josias. Quando Josias começou a reinar, todo o reino – que era o de Jerusalém e Judá – não só privada, mas publicamente professava a idolatria, com templos, com altares, com ídolos, com sacerdotes, e com todas as outras superstições gentílicas. A primeira coisa, pois, que fez o zelosíssimo e santo rei foi arrasar os templos e altares, queimar os ídolos, e sacrificar-lhes os seus próprios sacerdotes, mandando degolar a todos; e logo tratou de reformar e restaurar o culto do verdadeiro Deus, repondo em seu lugar a Arca do Testamento, restituindo a seus ofícios os sacerdotes e levitas, e tornando a introduzir a observância da celebridade das festas e sacrifícios, com todos os ritos e cerimônias da lei. Mas, como pagou Deus a Josias este zelo, esta piedade, e esta valorosa resolução? Aqui entra o admirável do caso. Duas coisas mandou Deus anunciar e notificar ao rei: a primeira, que Jerusalém seria destruída, e todos seus habitadores rigorosissimamente castigados; e assim foi, porque, conquistados pelos exércitos de Nabucodonosor, todos foram levados cativos a Babilônia. A segunda, que ele, rei, morreria antes deste cativeiro; e assim sucedeu também, porque, saindo a uma batalha, foi morto nela. Pois o rei pio, zeloso e santo há de morrer, e o idólatra não? Antes, foi tanto pelo contrário que durou o cativeiro setenta anos, que era todo o tempo que os que tinham sido idólatras podiam viver. E por que ordenou Deus que os idólatras vivessem tantos anos, e o rei morresse tão antecipadamente, que não chegou a contar quarenta? A razão desta justiça verdadeiramente divina foi para que, vivendo eles, e morrendo o rei, o rei fosse premiado e os idólatras castigados. De sorte que aos idólatras, para que padecessem as calamidades e misérias do cativeiro, estendeu-lhes Deus a vida, e ao rei, para o livrar das mesmas calamidades e misérias, antecipou-lhe a morte. Assim o disse o mesmo Deus: *Id circo colligam te ad patres tuos, et colligeris ad sepulchrum tuum in pace, ut non videant oculi tui mala quae inducturus sum super locum istum.* – Em suma, que conservou Deus a vida ao povo porque o quis castigar, e antecipou a morte ao rei porque o quis livrar do castigo, que tão certo é, ainda no maior auge dos bens da fortuna, qual é a dos reis, ser o maior bem da vida a morte.

VII

Os bens da graça. Quem poderá melhor defender a graça da alma, senão a morte? A grande energia e alto pensamento com que disse Jó que a vida do homem é uma perpétua guerra. Quais são os combatentes entre os quais se dão as batalhas da vida do homem? Por que diz Davi, que na sepultura descansará em paz para isso mesmo? A diferença do sono e paz dos mortos em comparação dos vivos. A natural impecabilidade e a fortificação da morte.

Nos bens da graça, que são os que só restam, passa o mesmo. Sendo estes os maiores de todos, e os que própria e verdadeiramente só merecem nomes de bens, nenhuns são mais dificultosos de guardar nem mais sujeitos à miséria de se perderem. Os anjos perderam a graça no céu, Adão perdeu a graça no paraíso, e depois destas duas ruínas universais, quem houve que a conservasse sempre? Só a Mãe de Deus, pelo ser, a conservou inteira, e os demais, ou a perderam por culpas graves, ou a mancharam com as leves. *Qui stat, videat ne cadat* (1 Cor. 10, 12): Quem está de pé, veja que não caia – diz S. Paulo. – E ele, depois de subir ao terceiro céu, se viu tão arriscado a cair, que três vezes rogou a Deus o livrasse de uma tentação, que, se o não tinha derrubado, o afrontava: *Angelus Satanae, qui me colaphizet.* – Caiu Sansão, caiu Salomão, caiu Davi, e nem ao primeiro a sua fortaleza, nem ao segundo a sua sabedoria, nem ao último a sua virtude os tiveram mão para que não caíssem. O mundo todo é precipícios, o demônio todo é laços, a carne toda é fraquezas. E contra estes três inimigos tão poderosos da alma, estando ela cercada de um muro de barro tão quebradiço, quem a poderá defender, e nela a graça? Já sabem todos que hei de dizer que só a morte: e assim é.

Diz Jó que a vida do homem é uma perpétua guerra: *Militia est vita hominis super terram* – tanto assim que ao mesmo viver chama ele militar: *Cunctis diebus quibus nane milito*. – Qual seja a campanha desta guerra, não é Cartago ou Flandres, ou, como agora, Portugal, senão o mundo e a terra toda em qualquer parte: *super terram*. – Mas, como o mesmo Jó não faça menção de muitos, senão de um só ou de qualquer homem – *vita homimnis* – com razão podemos duvidar quem são os combatentes entre os quais se faz esta guerra e se dão estas batalhas? Se foram gentes e diversas nações, também ele o dissera, mas só faz menção de um homem, porque dentro em cada um de nós, como de inimigos contra inimigos, se faz esta guerra, se dão estes combates, e vence ou é vencida uma das partes. O homem não é uma só substância, como o anjo, mas composto de duas totalmente opostas, corpo e alma, carne e espírito, e estes são os que entre si se fazem a guerra, como diz S. Paulo: *Caro concupiscit adversas spiritum, spiritus autem adversas cornem* (Gal. 5, 17): A carne peleja contra o espírito, e o espírito contra a carne. – Por parte da carne combatem os vícios com todas as forças da natureza, por parte do espírito resistem as virtudes com os auxílios da graça; mas como o livre alvedrio subordinado do deleitável, como rebelde e traidor, se passa à parte dos vícios, quantos são os pecados que o homem comete tantas são as feridas mortais que recebe o espírito, e basta cada uma delas para se perder a graça. Por isso com razão exclama Santo Agostinho, como experimentado em outro tempo: Continua pugna, rara victoria: A batalha é contínua, e a vitória rara.

Haverá, porém, quem possa por em paz estes dois tão obstinados inimigos, e um deles tão cruel e pernicioso? Nesta vida, enquanto a mesma vida dura, não; mas no fim dela sim, porque só a morte pode fazer e faz estas pazes. Que coisa é a morte? *Est separatio animae a corpore*: É a separação com que a alma se aparta do corpo – e como por meio da morte a alma se divide do corpo e o espírito da carne, no mesmo ponto, divididos os combatentes, cessou a guerra, e ficou tudo em paz. Esta é a grande energia e alto pensamento com que disse Jó que aquela guerra era nomeadamente do homem vivo sobre a terra: *Militia est vita hominis super terram* (Jó 7, I) – porque, enquanto o homem vive e está sobre a terra padece a guerra da carne contra o espírito; mas, depois que o homem morre e jaz debaixo da terra, toda essa guerra se acabou, e se segue entre a carne e o espírito uma, não trégua, senão paz perpétua, e para sempre. Por isso, quando lançamos os defuntos na sepultura, essas são as palavras de consolação com que nos despedimos deles, dizendo: *Requiescat in pace*. – É cumprimento tirado e aprendido de um salmo de Davi, onde excelentemente descreve a perpetuidade desta paz. *In pace in idipsum dormiam et requiescam* (Sl. 4, 9): Quando eu jazer na sepultura – diz Davi – dormirei e descansarei em paz para isso mesmo: *in idipsum*. – Que quer dizer para isso mesmo? Não se podia significar mais admiravelmente a diferença do sono, do descanso e da paz dos mortos em comparação dos vivos. Os vivos dormimos, descansamos e temos paz, mas não para isso mesmo, porque dormimos para acordar, descansamos para tornar a cansar, e temos paz para tornar outra vez à guerra; pelo contrário, os mortos dormem, descansam e estão em paz para isso mesmo: *In pace in idipsum dormiam et requiescam*. – Dormem para isso mesmo, porque dormem, não para acordar, senão para dormir; descansam para isso mesmo, porque descansam, não para tornar a cansar, senão para descansar; e gozam a paz para isso mesmo, porque não gozam a paz para tornar à guerra, senão para a lograr perpétua e quietamente: *Requiescat in pace*.

E como por meio desta perpétua paz cessa a guerra da carne contra o espírito, e cessam as vitórias do pecado e perigos da graça, esta natural impecabilidade da morte é a mais cabal razão de ser a morte o maior bem da vida, porque, sendo o maior mal da vida o pecado, e estando a mesma vida sempre sujeita e arriscada a pecar, só a morte a livra e segura deste maior de todos os males. Morreu um moço virtuoso e pio na flor de sua idade, e admirou-se muito o mundo de que morresse tão depressa o bom, ficando vivos e sãos no mesmo mundo muitos maus, que pareciam mais dignos da morte. Mas a causa desta admiração é, diz o Espírito Santo, porque os homens não entendem as razões de Deus. Três razões teve Deus para antecipar ou apressar a morte àquele moço: a primeira, porque lhe agradou a sua alma, e a quis levar para si: *Placita enim eras Deo anima illius*; a segunda, porque o quis livrar das ocasiões da maldade: *Properavit educere illum de medio iniquitatum*; a terceira, porque o quis fortificar: *Quare munierit illum Dominus*. – Aqui reparo. Se Deus lhe tirou a vida para o fortificar, que fortificação é esta, e contra quem? O contra quem são os vícios e pecados; a fortificação é aquela onde a morte defende os que matou, que é a sepultura. O homem vivo, com todas as portas dos sentidos abertas, é como a praça sem fortificação, que pode ser acometida e entrada por toda a parte; porém o morto, com as mesmas portas cerradas, e cerrado ele dentro da sepultura, não há castelo tão forte, nem fortaleza tão inexpugnável a todo o inimigo, porque nem pode ser vencida do pecado, nem ainda acometida. Muitas fortificações inventaram os santos para defender do pecado os vivos, sendo a principal de todas os muros da religião; mas nem os muros, nem os claustros, nem os templos, nem os sacrários bastam para defender e segurar do pecado os vivos: basta uma só pedra, ou a pouca terra de uma sepultura, para ter tão defendidos e seguros os mortos, que nem pequem jamais, nem seja possível pecarem. E esta é a sua impecabilidade.

VIII

O maior bem da vida entre os sábios da gentilidade. A resposta de Sileno a el-rei Midas. Biton e Cleobo, Agamedes e Trofônio e o maior bem que lhes podiam conceder os deuses.

Resumindo, pois, as três partes deste último discurso, delas consta que os bens da natureza, da fortuna e da graça, todos estão sujeitos a grandes misérias, das quais só nos pode livrar a morte; donde se segue que a mesma morte, sem controvérsia, é o maior bem da vida. E para que em uma só demonstração vejamos inteira, e não por partes, esta mesma prerrogativa da morte, não inculcada de novo, mas crida, aprovada e impressa no juízo dos homens, ouçamos uma notável antiguidade. Como é inclinação natural do homem conhecer o bem com o entendimento e apetecê-lo com a vontade, foi questão antiquíssima entre os homens, ainda quando eram gentios, em que consistisse o maior bem desta vida. E porque Deus, como diz S. Paulo, não só governa com sua universal providência os fiéis, senão também os infiéis, sendo falsos naquele tempo os mestres, que os homens ouviam, e falsos os deuses que adoravam, não só permitiu, mas quis a mesma providência que destas duas fontes tão erradas bebessem uma verdade tão importante, como ser, dentro dos limites e ordem da natureza, o maior bem da vida a morte. E foi desta maneira.

Houve entre os sábios da gentilidade um homem chamado Sileno, semelhante na opinião aos nossos profetas, cujas respostas, como inspiradas por instinto mais que natural, eram recebidas e cridas como oráculos. A este Sileno, pois, consultou el-rei Midas, sobre qual fosse o maior bem desta vida, e, depois de muitos rogos e instâncias, a resposta que dele alcançou foi esta: *Non nasci omnium est optimum: mortuum autem esse longe est melius quam vivere*: O melhor de tudo é não nascer; mas, no caso de haver nascido, muito melhor é ao homem o morrer que o viver. – Assim o disse Sileno, e não só do vulgo foi recebido como provérbio este dito, mas o aprovaram e celebraram sempre os dois maiores lumes da filosofia racional, Platão e Aristóteles. Píndaro, príncipe dos poetas líricos da Grécia, parece que, duvidoso ainda desta verdade, quis fazer maior exame dela, e como pelo oráculo de Delfos lhe fosse respondido o mesmo, que faria? Fez o que devera fazer com semelhante desengano todo o cristão. Deixou as musas, e em vez de compor versos, tratou de compor a vida, *His auditis, ad mortein se comparasse, et pauto post vivendi finem fecisse* – diz Plutarco.

Não parou aqui a providência divina, mas, para maior prova deste desengano, obrigou ao pai da mentira que falava e obrava nos ídolos, a que muito a seu pesar o confirmasse com dois notáveis prodígios. Agria era sacerdotisa da deusa Juno, e como na mesma hora em que havia de fazer o sacrifício tardassem os cavalos que a costumavam levar em carroça, dois filhos que tinha, chamados Biton e Cleobo, se meteram no lugar dos cavalos; e com tanta força e pressa tiraram a carroça, que nem um momento de tempo faltou a mãe à pontualidade do sacrifício. Foi tão admirado e estimado este ato, verdadeiramente heróico de piedade para com a mãe, e de religião para com a deusa, que deu confiança a Agria para pedir a Juno, em prêmio dela, que desse àqueles seus dois filhos não menos que a melhor coisa que os deuses desta vida podiam dar aos homens. Concedeu a deusa, como tão bem servida, o que a mãe pedia. E qual seria o despacho da petição? No mesmo ponto caíram mortos debaixo dos seus olhos os mesmos filhos, confirmando a falsa deidade, com verdadeiro documento, que entre os bens e felicidades naturais, que ao homem podem suceder nesta vida, o maior e o mais seguro é a morte. A este famosíssimo par, Biton e Cleobo, ajunta Platão outro não menos famoso, Agamedes e Trofônio. Edificaram estes dois um templo a Apolo Pítio, e no dia da dedicação oraram ao deus desta maneira: que se aquela obra lhe agradava, o seu intento era pedirem que lhes concedesse o que melhor podia estar a um homem nesta vida; e porque eles não sabiam que coisa fosse esta melhor, ele, de quem esperavam a mercê, o resolvesse. Respondeu Apolo que dali a sete dias lhes concederia o que pediam, e o que sucedeu ao sétimo dia foi que, deitando-se a dormir Agamedes e

Trofônio, nunca mais acordaram: *Cumque obdormissent, nunquam deinde surrexisse*.

Já dissemos que estes prodígios foram efeitos da providência divina, a qual nestes casos, como em outros muitos, desenganou aos homens pelos mesmos de quem eram enganados. Pois, se Deus respondeu com aqueles sinais aos que desejavam e pediam o maior bem da vida, por que deu a uns a morte e a outros o sono de que não acordaram? Porque em frase também divina o dormir é morrer, e o tornar a viver, acordar: *Lazarus, amicus noster, dormit, sed vado ut a somno excitem eum*. – E como um e outro sinal, ou era declaradamente, ou significava a morte, a uns e outros quis ensinar Deus – e neles a todos os homens – que a mesma morte, que eles não pediam nem desejavam, era o maior bem da vida, que desejavam e pediam. Desejais e pedis o maior bem da vida? Pois acabai de viver, e gozá-lo-eis na morte. E esta verdade, então admirada, e antes e depois tão mal entendida, quis a mesma providência, para que a acabássemos de entender, que ficasse estabelecida e perpetuada como em quatro estátuas, não levantadas, mas caídas: em Biton e Cleobo mortos, e em Agamedes e Trofônio dormindo.

IX

Se o pó que havemos de ser é o maior bem do pó que somos, que devemos fazer os vivos? A resolução de S. Paulo: viver como mortos, viver em Deus e em Cristo, e não com o mundo. A morte, correção geral que emenda em nós todos os vícios. Conclusão: que devemos fazer para que o pó que somos e o pó que havemos de ser, sobre a terra, como planta, e debaixo da terra, como raiz, seja fecundo.

A vista, pois, destas quatro estátuas, as quais, enquanto vivas e em pé eram o pó que somos e, enquanto caídas e jazendo em terra, são o pó que havemos de ser, que fará todo o entendimento racional e cristão? Se o pó que havemos de ser é o maior bem do pó que somos, e se o maior bem da vida é a morte, que havemos ou que devemos fazer os vivos? Hereges houve, como de seu tempo refere Santo Agostinho, os quais, interpretando impiamente aquelas palavras de Jesus Cristo: *Adhuc autem et animam suam* – em que parece nos manda ter ódio à vida, se matavam com suas próprias mãos. Porém S. Paulo, que mais vivia em Cristo que em si mesmo, como verdadeiro e canônico intérprete do espírito interior de seus divinos oráculos não diz que o cristão se mate, senão que viva, mas que viva como morto. Em uma parte: *Quasi morientes et ecce vivimus* – e em outra: *Mortui estis, et vita vestra abscondita est cum Christo in Deo.* – Assim ajuntou e concordou o apóstolo dois extremos tão contrários, como a morte e a vida; assim quis introduzir no mundo uma morte viva e uma vida morta, persuadindo os vivos a que vivamos como mortos, e com grande razão e conveniência. Se o melhor bem da vida é a morte, passemos como mortos à melhor vida. E se dos mortos dizemos também que os levou Deus para si, deixemo-nos levar de Deus, e vivamos como mortos, para viver nele e com ele. Esta vida escondeu Cristo como morto e Deus como imortal, não em outro lugar menos secreto, nem em outro extremo menos contrário à mesma vida que a morte: *Mortui estis, et vita vestra abscondita est cum Christo in Deo.* – Na vida e morte comum, os mortos estão escondidos e os vivos andam manifestos; mas na vida e morte de que fala o apóstolo, a morte e os mortos andam manifestos: *Mortui estis* – e a vida e os vivos escondidos: *Et vita vestra abscondita est cum Christo in Deo.*

E se perguntarmos ao mesmo S. Paulo de que modo havemos de viver como mortos, bastavam por resposta as mesmas palavras com que diz que vivamos com Cristo e em Deus: *Cum Christo in Deo.* – Quem vive em Deus não vive em si, quem vive com Cristo não vive com o mundo, e quem não vive em si nem com o mundo, este verdadeiramente vive como morto. O morto tem olhos, e não vê; tem ouvidos, e não ouve; tem língua, e não fala; tem coração, e não deseja; e, posto que o morto vivo pode desejar, falar, ouvir e ver, nem vê o que não é lícito que se veja, nem ouve o que não é lícito que se ouça, nem fala o que não convém que se fale, nem deseja o que não convém que se deseje, porque é morto às paixões e aos apetites e, posto que viva o sentimento, não vive à sensualidade. Isto é viver em Deus, e não em si. E que é viver com Cristo, e não com o mundo? É estar morto a tudo o que o mundo ama, a tudo o que o mundo estima, a tudo o que o mundo venera, a tudo o que o mundo adora, a tudo o que chama honra, a tudo o que chama interesse, a tudo o que chama boa ou má fortuna, porque tudo o que é próspero ou adverso, alto ou baixo, precioso ou vil, pesado na balança da morte viva, é vaidade, é fumo, é vento, é sombra, é nada. E a todos os que assim vivem, ou viverem, podemos dizer com S. Paulo: *Mortui estis.*

Mas porque o pó que somos é solto, inquieto, vão, e com qualquer sopro de ar se levanta e desvanece, e de si mesmo forma remoinhos e nuvens, com que na maior luz do sol fica às escuras, por isso o mesmo apóstolo nos remete, como por ilação necessária, do pó que somos ao pó que havemos de ser, dizendo: *Mortificate ergo membra vestra, quae sunt super terram* (Col. 3, 5): Pelo que, mortificai os membros do vosso corpo, que estão sobre a terra. – A energia da palavra *super terram* não está muito à flor da terra. Mas, ainda que parece supérflua, é certo que não carece de grande mistério. Pois, se bastava dizer: mortificai vosso corpo – por que acrescenta: que está sobre a terra? A mortificação só pertence aos que vivem, e todos os que vivem estão sobre a terra; pois, se isto por si mesmo estava dito, por que o nota e pondera o apóstolo como coisa particular? Porque falou do nosso corpo enquanto está sobre a terra, com alusão ao mesmo corpo quando estará debaixo da terra. O mesmo corpo nosso, que enquanto vivemos está sobre a terra, depois da morte está debaixo da terra. E se o corpo que está sobre a terra se comparar consigo mesmo, quando estiver debaixo da terra nenhuma consideração pode haver mais eficaz para o persuadir a que viva como morto. Dize-me, corpo meu, depois que estiveres debaixo da terra, que hás de fazer? Hás de continuar nos mesmos vícios em que todo te empregavas quando estavas sobre a terra? Hás de continuar nos mesmos vícios que, pode ser, foram os que te mataram e te apressaram a sepultura? Agora o não podes negar com a voz, e depois confessarás que não com o silêncio. Todo o mundo é como aquele de quem disse Tácito: *Magis sine vitiis, quam cum virtutibus*. – O morto não tem virtudes, mas também não tem vícios. Não tem ódios, não tem invejas, não tem cobiça, não tem ambição, não tem queixa, não murmura, não se vinga, não mente, não adula, não rouba, não adultera. Pois, se tudo hás de carecer debaixo da terra, por que te não absténs disso mesmo enquanto estás sobre ela?

O morto, quando o levam à sepultura pelas mesmas ruas por onde passeava arrogante, tão contente vai envolto em uma mortalha velha e rota como se fora vestido de púrpura ou brocado. Chegado à sepultura, tão satisfeito está com sete pés de terra como com os mausoléus de Cária ou as pirâmides do Egito; e se até essa pouca terra que o cobre lhe faltasse, diria se pudesse falar, que a quem não cobre a terra cobre o céu: *Caelo tegitur Qui non habet urnam*. – Pois, se então tão pouca diferença hás de fazer da riqueza ou pobreza das roupas, por que agora te desvanecem tantos e gastas o que não tens na vaidade das galas? Pois, se então hás de caber em urna cova tão estreita, por que agora te não metes entre quatro paredes, e procuras a largueza da morada tanto maior que a do morador, e invejas a ostentação e magnificência dos palácios? Ainda resta por te dizer o que mais me escandaliza. Se quando estás debaixo da terra todos passam por cima de ti, e te pisam, e te não alteras por te ver debaixo dos pés de todos, agora, que és o mesmo, e não outro, só porque estás com os pés sobre menos terra da que então hás de ocupar, por que te ensoberbeces, por que te iras, por que te inchas e enches de cólera, de raiva, de furor, e a qualquer sombra ou suspeita de menos veneração ou respeito o queres vingar, não menos que com o sangue e a morte? Mas é porque a mesma morte te não amansa e emenda. Ouve, enquanto não perdes o sentido de ouvir, um notável dito de Davi: *Quoniam supervenit mansuetudo, et corripiemur.* – A palavra *corripiemur* quer dizer seremos emendados, porque a morte é uma correção geral que emenda em nós todos os vícios. E de que modo? Por meio da mansidão, porque a todos amansa: *Quoniam supervenit mansuetudo.* – Morreu o leão, morreu o tigre, morreu o basilisco: onde está a braveza do leão, onde está a fereza do tigre, onde está o veneno do basilisco? Já o leão não é bravo, já o tigre não é fero, já o basilisco não é venenoso, já todos esses brutos e monstros indômitos estão mansos, porque os amansou a morte: *Quoniam supervenit mansuetudo.* – E se assim emenda, e tanta mudança faz a morte nas feras, por que a não fará nos homens?

Seja esta a última razão – a qual devem os racionais levar na memória – para que considerem, enquanto estão sobre a terra, o que hão de ser quando estiverem debaixo dela, e com este espelho posto diante dos olhos de seu próprio corpo, o persuadam a que se acomode a ser por mortificação, enquanto vivo, aquilo mesmo que há de ser, enquanto morto, depois de sepultado. Perguntou um monge ao abade Moisés, famoso padre do ermo, como poderia um homem adquirir a mortificação que ensina São Paulo, tal que, estando vivo, vivesse como morto? E respondeu o abade que de nenhum outro modo nem tempo, senão quando totalmente se persuadisse que havia já um triênio que estava debaixo da terra: *Nisi quis arbitratus fuerit se habere Jaza triennium in sepulchro, ad hunc sermonem pervenire non potest.* – E quem está certo que o seu corpo há de estar debaixo da terra, não três anos, nem três séculos, senão enquanto durar o mundo até o fim, como não persuadirá ao mesmo corpo, e o sujeitará a que viva como morto estes quatro dias, e incertos, em que pode tardar a morte? Se este corpo, que hoje é pó sobre a terra, amanhã há de ser nó debaixo da terra, por que se não acomodará e concordará consigo mesmo, a viver e morrer de tal modo que na vida logre o maior bem da morte, e na morte não padeça o maior mal da vida? Assim faremos que o pó que somos e o pó que havemos de ser – o qual como pó é estéril – sobre a terra, como planta, e debaixo da terra, como raiz, seja fecundo, e na vida colhamos o fruto da graça, e na morte o da glória. *Quam mihi et vobis praestare dignetur Dominas Deus omnipotens.*

❖

GUIA DE LEITURA

Sermões Escolhidos*

Padre Antônio Vieira

TEXTO INTEGRAL

1. Considerando que a obra de padre Antônio Vieira foi produzida no período Barroco, identifique qual o contexto histórico no Brasil em que ela se desenvolveu e qual sua relação com o estilo Barroco.

2. Como se explicam as seguintes palavras de padre Vieira quando afirma que ao Demônio muito temos que imitar?
" (...) mas ter nas tentações do Demônio que imitar? Sim; porque somos tais os homens por uma parte, e é tal a força da verdade por outra, que as mesmas tentações do Demônio, que nos servem de ruim, nos podem servir de exemplo."

3. Argumente a seguinte postura de Vieira: "Nós homens, como nos governamos pelos sentidos corporais, e a nossa alma é espiritual, não a conhecemos; e como não a conhecemos, não a estimamos, e por isso a damos tão barata."

4. Qual a postura de padre Vieira (que representa neste caso o Clero) diante da escravidão? Explique quais os argumentos que utiliza para justificar sua postura.

---

* Para que o professor possa trabalhar o Guia de Leitura com os alunos em sala de aula, não publicamos, aqui, o gabarito das questões. No entanto, pode-se obtê-lo entrando em contato conosco pelo telefone: (11) 3672 8144. Disponibilizamos o gabarito apenas para professores.

5. Em um de seus sermões, Vieira acusa o governo de Portugal de perseguir os padres, os mesmos religiosos que ajudaram a nação a levantar seu império e a conquistar terras selvagens. A que fato histórico (político) se refere o orador? Por que os jesuítas passaram a ser perseguidos pela coroa portuguesa? Quais as consequências deste fato para o Brasil?

6. Qual a intenção de Vieira em estabelecer diversas vezes as semelhanças entre os peixes e os homens no Sermão de Santo Antônio? Por que razão, neste mesmo sermão, o orador fala a seu público como se estivesse se dirigindo aos peixes?

7. Explique, com as suas palavras, qual a ideia defendida por Vieira no Sermão do Bom Ladrão. Estabeleça um paralelo entre aquele tempo e nossa sociedade. O Sermão em questão encontraria ecos entre nós? Por quê?

8. Explique as seguintes palavras de Vieira: "(...) O estilo era que o pregador explicasse o Evangelho; hoje o Evangelho há de ser a explicação do pregador".

9. Quais as principais denúncias que Vieira faz sobre o homem, a sociedade e as leis de Deus?

10. Qual foi o papel dos jesuítas na história da colonização do Brasil e o que representou a figura do marquês de Pombal para nossa história? O que foi feito dos jesuítas depois que deixaram o Brasil?

11. Atualmente, nossa sociedade é semeada de injustiças sociais e perseguições. Na sua opinião, que assuntos contemporâneos teriam lugar nos sermões de Vieira? Discuta esta questão em grupo.

12. Vieira era um clérigo, portanto defendia as posições dadas pela fé católica. Independentemente de sua religião, faça uma pesquisa para saber qual a postura religiosa atualmente diante dos seguintes assuntos: aborto, eutanásia, controle da natalidade como processo de controle da miséria e a questão dos sem-terra e dos sem-teto? Como é visto o homossexualismo pela Igreja, já que todos somos filhos de Deus? E a questão da clonagem? Todos estes questionamentos são importantes e devemos saber as diferentes posturas religiosas sobre estes temas, para que possamos escolher a nossa postura através de uma análise crítica baseada em nossos princípios e em nossa ética. Bom trabalho.

❖

Questões de vestibular

1. (UFMG) Um dos recursos utilizados pelo padre Antônio Vieira em seus sermões consiste na "agudeza" – maneira de conduzir os argumentos que aproxima os objetos e/ou ideias distantes, diferentes, por meio de um discurso artificioso, que se costuma chamar de discurso "engenhoso".
Assinale a alternativa em que, no trecho transcrito do "Sermão da Sexagésima", o autor utiliza esse recurso.

a) "Lede as histórias eclesiásticas, e achá-las-eis todas cheias de admiráveis efeitos da pregação da palavra de Deus. Tantos pecadores convertidos, tantas mudanças de vida, tanta reformação de costumes; os grandes desprezando as riquezas e vaidades do mundo; os reis renunciando os cetros e as coroas; as mocidades e as gentilezas metendo-se pelos desertos e pelas covas [...]."

b) "Miseráveis de nós, e miseráveis de nossos tempos, pois neles se veio cumprir a profecia de S. Paulo: [...] 'virá o tempo, diz S. Paulo, em que homens não sofrerão a doutrina sã.' [...] Mas para seu apetite terão grande número de pregadores feitos a montão e sem escolha, os quais não façam mais que adular-lhes as orelhas."

c) "Para um homem ver a si mesmo são necessárias três coisas: olhos, espelhos e luz. [...] Que coisa é a conversão de uma alma, senão entrar um homem dentro de si e ver a si mesmo? Para esta vista são necessários olhos, é necessária luz e é necessário espelho. O pregador concorre com o espelho, que é a doutrina; Deus com a luz, que é a graça; o homem concorre com os olhos, que é o conhecimento."

d) "Quando Davi saiu a campo com o gigante, ofereceu-lhe Saul as suas armas, mas ele não as quis aceitar. Com as armas alheias ninguém pode vencer, ainda que seja Davi. As armas de Saul só servem a Saul, e as de Davi a Davi, e mais aproveita um cajado e uma funda própria, que a espada e a lança alheia."

2. (UFRS) Assinale a alternativa que preenche adequadamente as lacunas do texto abaixo, na ordem em que aparecem.

Padre Antônio Vieira é um dos principais autores do _____, movimento em que o homem é conduzido pela _____ e que tem, entre suas características, o _____, com seus jogos de palavras, de imagens e de construção, e o _____, o uso de silogismo, processo racional de demonstrar uma asserção.

a) Gongorismo – exaltação vital – Cultismo – preciosismo
b) Conceptismo – fé – preciosismo – Gongorismo
c) Barroco – depressão vital – Conceptismo – Cultismo
d) Conceptismo – depressão vital – Gongorismo – preciosismo
e) Barroco – fé – Cultismo – Conceptismo

3. (Mackenzie) Assinale a alternativa **incorreta**.

a) Em seus sermões, de estilo conceptista, o padre Antônio Vieira segue os moldes da parenética medieval.
b) Caracteriza o Barroco a tentativa de unir os valores medievais aos renascentistas.
c) O poema épico "Prosopopeia" foi escrito em versos decassílabos em oitava-rima e é considerado o marco inicial do Barroco no Brasil.
d) Apesar de conhecido como poeta satírico, Gregório de Matos também escreveu poesia lírica e religiosa.
e) O cultismo caracteriza-se como uma sequência de raciocínios lógicos, usando uma retórica aprimorada, que despreza a linguagem rebuscada.

4. (UNESP)

"Tão inteiramente conhecia Cristo a Judas, como a Pedro e aos demais; mas notou o Evangelista com especialidade a ciência do Senhor, em respeito de Judas, porque em Judas, mais que em nenhum dos outros campeou a fineza do seu amor. Ora vede: definindo S. Bernardo o amor fino, diz assim: *"Amor non quaerit causam, nec fructum"*: O amor fino não busca causa nem fruto. Se amo, porque me amam, tem o amor causa; se amo, para que me amem, tem fruto: e amor fino não há de ter por quê, nem para quê. Se amo porque me amam, é obrigação, faço o que devo; se amo para que me amem, é negociação, busco o que desejo. Pois como há de amar o amor para ser fino? *"Amo, quia amo, amo, ut amem"*: amo, porque amo, e amo para amar. Quem ama porque o amam é agradecido; quem ama para que o amem é interesseiro; quem ama não porque o amam nem para que o amem, esse só é fino. E tal foi a fineza de Cristo, em respeito de Judas, fundada na ciência que tinha dele e dos demais discípulos."

O padre Antônio Vieira (1608-1697), em cuja prosa oratória coexistem os princípios barrocos do cultismo e do conceptismo, é considerado um dos maiores oradores de todos os tempos, em língua portuguesa. Em seus sermões, se serve frequentemente do simbolismo das Sagradas Escrituras para desenvolver argumentos de raciocínio complexo, mas sempre de modo claro e preciso. No fragmento acima transcrito, Vieira aborda fundamentalmente o tema do "amor". Releia o texto dado e, a seguir, responda: quantas e quais são as espécies de "amor", segundo Vieira?

5. (Fuvest) Dê argumentos que permitam considerar o padre Antônio Vieira como um expoente tanto da literatura portuguesa quanto da literatura brasileira.

❖

O objetivo, a filosofia e a missão da Editora Martin Claret

O principal objetivo da Martin Claret é contribuir para a difusão da educação e da cultura, por meio da democratização do livro, usando os canais de comercialização habituais, além de criar novos.

A filosofia de trabalho da Martin Claret consiste em produzir livros de qualidade a um preço acessível, para que possam ser apreciados pelo maior número possível de leitores.

A missão da Martin Claret é conscientizar e motivar as pessoas a desenvolver e utilizar o seu pleno potencial espiritual, mental, emocional e social.

O livro muda as pessoas. Revolucione-se: leia mais para ser mais!

MARTIN CLARET

Relação dos Volumes Publicados

1. **Dom Casmurro**
   Machado de Assis
2. **O Príncipe**
   Maquiavel
3. **Mensagem**
   Fernando Pessoa
4. **O Lobo do Mar**
   Jack London
5. **A Arte da Prudência**
   Baltasar Gracián
6. **Iracema / Cinco Minutos**
   José de Alencar
7. **Inocência**
   Visconde de Taunay
8. **A Mulher de 39 Anos**
   Honoré de Balzac
9. **A Moreninha**
   Joaquim Manuel de Macedo
10. **A Escrava Isaura**
    Bernardo Guimarães
11. **As Viagens - "Il Milione"**
    Marco Polo
12. **O Retrato de Dorian Gray**
    Oscar Wilde
13. **A Volta ao Mundo em 80 Dias**
    Júlio Verne
14. **A Carne**
    Júlio Ribeiro
15. **Amor de Perdição**
    Camilo Castelo Branco
16. **Sonetos**
    Luís de Camões
17. **O Guarani**
    José de Alencar
18. **Memórias Póstumas de Brás Cubas**
    Machado de Assis
19. **Lira dos Vinte Anos**
    Álvares de Azevedo
20. **Apologia de Sócrates / Banquete**
    Platão
21. **A Metamorfose/Um Artista da Fome/Carta a Meu Pai**
    Franz Kafka
22. **Assim Falou Zaratustra**
    Friedrich Nietzsche
23. **Triste Fim de Policarpo Quaresma**
    Lima Barreto
24. **A Ilustre Casa de Ramires**
    Eça de Queirós
25. **Memórias de um Sargento de Milícias**
    Manuel Antônio de Almeida
26. **Robinson Crusoé**
    Daniel Defoe
27. **Espumas Flutuantes**
    Castro Alves
28. **O Ateneu**
    Raul Pompeia
29. **O Noviço / O Juiz de Paz da Roça / Quem Casa Quer Casa**
    Martins Pena
30. **A Relíquia**
    Eça de Queirós
31. **O Jogador**
    Dostoiévski
32. **Histórias Extraordinárias**
    Edgar Allan Poe
33. **Os Lusíadas**
    Luís de Camões
34. **As Aventuras de Tom Sawyer**
    Mark Twain
35. **Bola de Sebo e Outros Contos**
    Guy de Maupassant
36. **A República**
    Platão
37. **Elogio da Loucura**
    Erasmo de Rotterdam
38. **Caninos Brancos**
    Jack London
39. **Hamlet**
    William Shakespeare
40. **A Utopia**
    Thomas More
41. **O Processo**
    Franz Kafka
42. **O Médico e o Monstro**
    Robert Louis Stevenson
43. **Ecce Homo**
    Friedrich Nietzsche
44. **O Manifesto do Partido Comunista**
    Marx e Engels
45. **Discurso do Método / Regras para a Direção do Espírito**
    René Descartes
46. **Do Contrato Social**
    Jean-Jacques Rousseau
47. **A Luta pelo Direito**
    Rudolf von Ihering
48. **Dos Delitos e das Penas**
    Cesare Beccaria
49. **A Ética Protestante e o Espírito do Capitalismo**
    Max Weber
50. **O Anticristo**
    Friedrich Nietzsche
51. **Os Sofrimentos do Jovem Werther**
    Goethe
52. **As Flores do Mal**
    Charles Baudelaire
53. **Ética a Nicômaco**
    Aristóteles
54. **A Arte da Guerra**
    Sun Tzu
55. **Imitação de Cristo**
    Tomás de Kempis
56. **Cândido ou o Otimismo**
    Voltaire
57. **Rei Lear**
    William Shakespeare
58. **Frankenstein**
    Mary Shelley
59. **Quincas Borba**
    Machado de Assis
60. **Fedro**
    Platão
61. **Política**
    Aristóteles
62. **A Viuvinha / Encarnação**
    José de Alencar
63. **As Regras do Método Sociológico**
    Émile Durkheim
64. **O Cão dos Baskervilles**
    Sir Arthur Conan Doyle
65. **Contos Escolhidos**
    Machado de Assis
66. **Da Morte / Metafísica do Amor / Do Sofrimento do Mundo**
    Arthur Schopenhauer
67. **As Minas do Rei Salomão**
    Henry Rider Haggard
68. **Manuscritos Econômico-Filosóficos**
    Karl Marx
69. **Um Estudo em Vermelho**
    Sir Arthur Conan Doyle
70. **Meditações**
    Marco Aurélio
71. **A Vida das Abelhas**
    Maurice Materlinck
72. **O Cortiço**
    Aluísio Azevedo
73. **Senhora**
    José de Alencar
74. **Brás, Bexiga e Barra Funda / Laranja da China**
    Antônio de Alcântara Machado
75. **Eugênia Grandet**
    Honoré de Balzac
76. **Contos Gauchescos**
    João Simões Lopes Neto
77. **Esaú e Jacó**
    Machado de Assis
78. **O Desespero Humano**
    Sören Kierkegaard
79. **Dos Deveres**
    Cícero
80. **Ciência e Política**
    Max Weber
81. **Satíricon**
    Petrônio
82. **Eu e Outras Poesias**
    Augusto dos Anjos
83. **Farsa de Inês Pereira / Auto da Barca do Inferno / Auto da Alma**
    Gil Vicente
84. **A Desobediência Civil e Outros Escritos**
    Henry David Toreau
85. **Para Além do Bem e do Mal**
    Friedrich Nietzsche
86. **A Ilha do Tesouro**
    R. Louis Stevenson
87. **Marília de Dirceu**
    Tomás A. Gonzaga
88. **As Aventuras de Pinóquio**
    Carlo Collodi
89. **Segundo Tratado Sobre o Governo**
    John Locke
90. **Amor de Salvação**
    Camilo Castelo Branco
91. **Broquéis/Faróis/Últimos Sonetos**
    Cruz e Souza
92. **I-Juca-Pirama / Os Timbiras / Outros Poemas**
    Gonçalves Dias
93. **Romeu e Julieta**
    William Shakespeare
94. **A Capital Federal**
    Arthur Azevedo
95. **Diário de um Sedutor**
    Sören Kierkegaard
96. **Carta de Pero Vaz de Caminha a El-Rei Sobre o Achamento do Brasil**
97. **Casa de Pensão**
    Aluísio Azevedo
98. **Macbeth**
    William Shakespeare

99. **Édipo Rei/Antígona**
   Sófocles
100. **Lucíola**
   José de Alencar
101. **As Aventuras de Sherlock Holmes**
   Sir Arthur Conan Doyle
102. **Bom-Crioulo**
   Adolfo Caminha
103. **Helena**
   Machado de Assis
104. **Poemas Satíricos**
   Gregório de Matos
105. **Escritos Políticos / A Arte da Guerra**
   Maquiavel
106. **Ubirajara**
   José de Alencar
107. **Diva**
   José de Alencar
108. **Eurico, o Presbítero**
   Alexandre Herculano
109. **Os Melhores Contos**
   Lima Barreto
110. **A Luneta Mágica**
   Joaquim Manuel de Macedo
111. **Fundamentação da Metafísica dos Costumes e Outros Escritos**
   Immanuel Kant
112. **O Príncipe e o Mendigo**
   Mark Twain
113. **O Domínio de Si Mesmo Pela Auto-Sugestão Consciente**
   Émile Coué
114. **O Mulato**
   Aluísio Azevedo
115. **Sonetos**
   Florbela Espanca
116. **Uma Estadia no Inferno / Poemas / Carta do Vidente**
   Arthur Rimbaud
117. **Várias Histórias**
   Machado de Assis
118. **Fédon**
   Platão
119. **Poesias**
   Olavo Bilac
120. **A Conduta para a Vida**
   Ralph Waldo Emerson
121. **O Livro Vermelho**
   Mao Tsé-Tung
122. **Oração aos Moços**
   Rui Barbosa
123. **Otelo, o Mouro de Veneza**
   William Shakespeare
124. **Ensaios**
   Ralph Waldo Emerson
125. **De Profundis / Balada do Cárcere de Reading**
   Oscar Wilde
126. **Crítica da Razão Prática**
   Immanuel Kant
127. **A Arte de Amar**
   Ovídio Naso
128. **O Tartufo ou O Impostor**
   Molière
129. **Metamorfoses**
   Ovídio Naso
130. **A Gaia Ciência**
   Friedrich Nietzsche
131. **O Doente Imaginário**
   Molière
132. **Uma Lágrima de Mulher**
   Aluísio Azevedo
133. **O Último Adeus de Sherlock Holmes**
   Sir Arthur Conan Doyle
134. **Canudos - Diário de Uma Expedição**
   Euclides da Cunha
135. **A Doutrina de Buda**
   Siddharta Gautama
136. **Tao Te Ching**
   Lao-Tsé
137. **Da Monarquia / Vida Nova**
   Dante Alighieri
138. **A Brasileira de Prazins**
   Camilo Castelo Branco
139. **O Velho da Horta/Quem Tem Farelos?/Auto da Índia**
   Gil Vicente
140. **O Seminarista**
   Bernardo Guimarães
141. **O Alienista / Casa Velha**
   Machado de Assis
142. **Sonetos**
   Manuel du Bocage
143. **O Mandarim**
   Eça de Queirós
144. **Noite na Taverna / Macário**
   Álvares de Azevedo
145. **Viagens na Minha Terra**
   Almeida Garrett
146. **Sermões Escolhidos**
   Padre Antonio Vieira
147. **Os Escravos**
   Castro Alves
148. **O Demônio Familiar**
   José de Alencar
149. **A Mandrágora / Belfagor, o Arquidiabo**
   Maquiavel
150. **O Homem**
   Aluísio Azevedo
151. **Arte Poética**
   Aristóteles
152. **A Megera Domada**
   William Shakespeare
153. **Alceste/Electra/Hipólito**
   Eurípedes
154. **O Sermão da Montanha**
   Huberto Rohden
155. **O Cabeleira**
   Franklin Távora
156. **Rubáiyát**
   Omar Khayyám
157. **Luzia-Homem**
   Domingos Olímpio
158. **A Cidade e as Serras**
   Eça de Queirós
159. **A Retirada da Laguna**
   Visconde de Taunay
160. **A Viagem ao Centro da Terra**
   Júlio Verne
161. **Caramuru**
   Frei Santa Rita Durão
162. **Clara dos Anjos**
   Lima Barreto
163. **Memorial de Aires**
   Machado de Assis
164. **Bhagavad Gita**
   Krishna
165. **O Profeta**
   Khalil Gibran
166. **Aforismos**
   Hipócrates
167. **Kama Sutra**
   Vatsyayana
168. **O Livro da Jângal**
   Rudyard Kipling
169. **De Alma para Alma**
   Huberto Rohden
170. **Orações**
   Cícero
171. **Sabedoria das Parábolas**
   Huberto Rohden
172. **Salomé**
   Oscar Wilde
173. **Do Cidadão**
   Thomas Hobbes
174. **Porque Sofremos**
   Huberto Rohden
175. **Einstein: o Enigma do Universo**
   Huberto Rohden
176. **A Mensagem Viva do Cristo**
   Huberto Rohden
177. **Mahatma Gandhi**
   Huberto Rohden
178. **A Cidade do Sol**
   Tommaso Campanella
179. **Setas para o Infinito**
   Huberto Rohden
180. **A Voz do Silêncio**
   Helena Blavatsky
181. **Frei Luís de Sousa**
   Almeida Garrett
182. **Fábulas**
   Esopo
183. **Cântico de Natal / Os Carrilhões**
   Charles Dickens
184. **Contos**
   Eça de Queirós
185. **O Pai Goriot**
   Honoré de Balzac
186. **Noites Brancas e Outras Histórias**
   Dostoiévski
187. **Minha Formação**
   Joaquim Nabuco
188. **Pragmatismo**
   William James
189. **Discursos Forenses**
   Enrico Ferri
190. **Medeia**
   Eurípedes
191. **Discursos de Acusação**
   Enrico Ferri
192. **A Ideologia Alemã**
   Marx & Engels
193. **Prometeu Acorrentado**
   Ésquilo
194. **Ialá Garcia**
   Machado de Assis
195. **Discursos no Instituto dos Advogados Brasileiros / Discurso no Colégio Anchieta**
   Rui Barbosa
196. **Édipo em Colono**
   Sófocles
197. **A Arte de Curar pelo Espírito**
   Joel S. Goldsmith
198. **Jesus, o Filho do Homem**
   Khalil Gibran
199. **Discurso sobre a Origem e os Fundamentos da Desigualdade entre os Homens**
   Jean-Jacques Rousseau
200. **Fábulas**
   La Fontaine
201. **O Sonho de uma Noite de Verão**
   William Shakespeare

202. **Maquiavel, o Poder**
José Nivaldo Junior

203. **Ressurreição**
Machado de Assis

204. **O Caminho da Felicidade**
Huberto Rohden

205. **A Velhice do Padre Eterno**
Guerra Junqueiro

206. **O Sertanejo**
José de Alencar

207. **Gitanjali**
Rabindranath Tagore

208. **Senso Comum**
Thomas Paine

209. **Canaã**
Graça Aranha

210. **O Caminho Infinito**
Joel S. Goldsmith

211. **Pensamentos**
Epicuro

212. **A Letra Escarlate**
Nathaniel Hawthorne

213. **Autobiografia**
Benjamin Franklin

214. **Memórias de Sherlock Holmes**
Sir Arthur Conan Doyle

215. **O Dever do Advogado / Posse de Direitos Pessoais**
Rui Barbosa

216. **O Tronco do Ipê**
José de Alencar

217. **O Amante de Lady Chatterley**
D. H. Lawrence

218. **Contos Amazônicos**
Inglês de Souza

219. **A Tempestade**
William Shakespeare

220. **Ondas**
Euclides da Cunha

221. **Educação do Homem Integral**
Huberto Rohden

222. **Novos Rumos para a Educação**
Huberto Rohden

223. **Mulherzinhas**
Louise May Alcott

224. **A Mão e a Luva**
Machado de Assis

225. **A Morte de Ivan Ilitch / Senhores e Servos**
Leon Tolstói

226. **Álcoois e Outros Poemas**
Apollinaire

227. **Pais e Filhos**
Ivan Turguéniev

228. **Alice no País das Maravilhas**
Lewis Carroll

229. **À Margem da História**
Euclides da Cunha

230. **Viagem ao Brasil**
Hans Staden

231. **O Quinto Evangelho**
Tomé

232. **Lorde Jim**
Joseph Conrad

233. **Cartas Chilenas**
Tomás Antônio Gonzaga

234. **Odes Modernas**
Antero de Quental

235. **Do Cativeiro Babilônico da Igreja**
Martinho Lutero

236. **O Coração das Trevas**
Joseph Conrad

237. **Thais**
Anatole France

238. **Andrômaca / Fedra**
Racine

239. **As Catilinárias**
Cícero

240. **Recordações da Casa dos Mortos**
Dostoiévski

241. **O Mercador de Veneza**
William Shakespeare

242. **A Filha do Capitão / A Dama de Espadas**
Aleksandr Púchkin

243. **Orgulho e Preconceito**
Jane Austen

244. **A Volta do Parafuso**
Henry James

245. **O Gaúcho**
José de Alencar

246. **Tristão e Isolda**
Lenda Medieval Celta de Amor

247. **Poemas Completos de Alberto Caeiro**
Fernando Pessoa

248. **Maiakóvski**
Vida e Poesia

249. **Sonetos**
William Shakespeare

250. **Poesia de Ricardo Reis**
Fernando Pessoa

251. **Papéis Avulsos**
Machado de Assis

252. **Contos Fluminenses**
Machado de Assis

253. **O Bobo**
Alexandre Herculano

254. **A Oração da Coroa**
Demóstenes

255. **O Castelo**
Franz Kafka

256. **O Trovejar do Silêncio**
Joel S. Goldsmith

257. **Alice na Casa dos Espelhos**
Lewis Carrol

258. **Miséria da Filosofia**
Karl Marx

259. **Júlio César**
William Shakespeare

260. **Antônio e Cleópatra**
William Shakespeare

261. **Filosofia da Arte**
Huberto Rohden

262. **A Alma Encantadora das Ruas**
João do Rio

263. **A Normalista**
Adolfo Caminha

264. **Pollyanna**
Eleanor H. Porter

265. **As Pupilas do Senhor Reitor**
Júlio Diniz

266. **As Primaveras**
Casimiro de Abreu

267. **Fundamentos do Direito**
Léon Duguit

268. **Discursos de Metafísica**
G. W. Leibniz

269. **Sociologia e Filosofia**
Émile Durkheim

270. **Cancioneiro**
Fernando Pessoa

271. **A Dama das Camélias**
Alexandre Dumas (filho)

272. **O Divórcio / As Bases da Fé / e Outros Textos**
Rui Barbosa

273. **Pollyanna Moça**
Eleanor H. Porter

274. **O 18 Brumário de Luís Bonaparte**
Karl Marx

275. **Teatro de Machado de Assis**
Antologia

276. **Cartas Persas**
Montesquieu

277. **Em Comunhão com Deus**
Huberto Rohden

278. **Razão e Sensibilidade**
Jane Austen

279. **Crônicas Selecionadas**
Machado de Assis

280. **Histórias da Meia-Noite**
Machado de Assis

281. **Cyrano de Bergerac**
Edmond Rostand

282. **O Maravilhoso Mágico de Oz**
L. Frank Baum

283. **Trocando Olhares**
Florbela Espanca

284. **O Pensamento Filosófico da Antiguidade**
Huberto Rohden

285. **Filosofia Contemporânea**
Huberto Rohden

286. **O Espírito da Filosofia Oriental**
Huberto Rohden

287. **A Pele do Lobo / O Badejo / o Dote**
Artur Azevedo

288. **Os Bruzundangas**
Lima Barreto

289. **A Pata da Gazela**
José de Alencar

290. **O Vale do Terror**
Sir Arthur Conan Doyle

291. **O Signo dos Quatro**
Sir Arthur Conan Doyle

292. **As Máscaras do Destino**
Florbela Espanca

293. **A Confissão de Lúcio**
Mário de Sá-Carneiro

294. **Falenas**
Machado de Assis

295. **O Uraguai / A Declamação Trágica**
Basílio da Gama

296. **Crisálidas**
Machado de Assis

297. **Americanas**
Machado de Assis

298. **A Carteira de Meu Tio**
Joaquim Manuel de Macedo

299. **Catecismo da Filosofia**
Huberto Rohden

300. **Apologia de Sócrates**
Platão (Edição bilingue)

301. **Rumo à Consciência Cósmica**
Huberto Rohden

302. **Cosmoterapia**
Huberto Rohden

303. **Bodas de Sangue**
Federico García Lorca

304. **Discurso da Servidão Voluntária**
Étienne de La Boétie

305. CATEGORIAS
Aristóteles

306. MANON LESCAUT
Abade Prévost

307. TEOGONIA / TRABALHO E DIAS
Hesíodo

308. AS VÍTIMAS-ALGOZES
Joaquim Manuel de Macedo

309. PERSUASÃO
Jane Austen

310. AGOSTINHO - *Huberto Rohden*

311. ROTEIRO CÓSMICO
Huberto Rohden

312. A QUEDA DUM ANJO
Camilo Castelo Branco

313. O CRISTO CÓSMICO E OS ESSÊNIOS - *Huberto Rohden*

314. METAFÍSICA DO CRISTIANISMO
Huberto Rohden

315. REI ÉDIPO - *Sófocles*

316. LIVRO DOS PROVÉRBIOS
Salomão

317. HISTÓRIAS DE HORROR
Howard Phillips Lovecraft

318. O LADRÃO DE CASACA
Maurice Leblanc

SÉRIE OURO
(Livros com mais de 400 p.)

1. LEVIATÃ
Thomas Hobbes

2. A CIDADE ANTIGA
Fustel de Coulanges

3. CRÍTICA DA RAZÃO PURA
Immanuel Kant

4. CONFISSÕES
Santo Agostinho

5. OS SERTÕES
Euclides da Cunha

6. DICIONÁRIO FILOSÓFICO
Voltaire

7. A DIVINA COMÉDIA
Dante Alighieri

8. ÉTICA DEMONSTRADA À MANEIRA DOS GEÔMETRAS
Baruch de Spinoza

9. DO ESPÍRITO DAS LEIS
Montesquieu

10. O PRIMO BASÍLIO
Eça de Queirós

11. O CRIME DO PADRE AMARO
Eça de Queirós

12. CRIME E CASTIGO
Dostoiévski

13. FAUSTO
Goethe

14. O SUICÍDIO
Émile Durkheim

15. ODISSEIA
Homero

16. PARAÍSO PERDIDO
John Milton

17. DRÁCULA
Bram Stocker

18. ILÍADA
Homero

19. AS AVENTURAS DE HUCKLEBERRY FINN
Mark Twain

20. PAULO – O 13º APÓSTOLO
Ernest Renan

21. ENEIDA
Virgílio

22. PENSAMENTOS
Blaise Pascal

23. A ORIGEM DAS ESPÉCIES
Charles Darwin

24. VIDA DE JESUS
Ernest Renan

25. MOBY DICK
Herman Melville

26. OS IRMÃOS KARAMAZOVI
Dostoiévski

27. O MORRO DOS VENTOS UIVANTES
Emily Brontë

28. VINTE MIL LÉGUAS SUBMARINAS
Júlio Verne

29. MADAME BOVARY
Gustave Flaubert

30. O VERMELHO E O NEGRO
Stendhal

31. OS TRABALHADORES DO MAR
Victor Hugo

32. A VIDA DOS DOZE CÉSARES
Suetônio

33. O MOÇO LOIRO
Joaquim Manuel de Macedo

34. O IDIOTA
Dostoiévski

35. PAULO DE TARSO
Huberto Rohden

36. O PEREGRINO
John Bunyan

37. AS PROFECIAS
Nostradamus

38. NOVO TESTAMENTO
Huberto Rohden

39. O CORCUNDA DE NOTRE DAME
Victor Hugo

40. ARTE DE FURTAR
Anônimo do século XVII

41. GERMINAL
Émile Zola

42. FOLHAS DE RELVA
Walt Whitman

43. BEN-HUR — UMA HISTÓRIA DOS TEMPOS DE CRISTO
Lew Wallace

44. OS MAIAS
Eça de Queirós

45. O LIVRO DA MITOLOGIA
Thomas Bulfinch

46. OS TRÊS MOSQUETEIROS
Alexandre Dumas

47. POESIA DE ALVARO DE CAMPOS
Fernando Pessoa

48. JESUS NAZARENO
Huberto Rohden

49. GRANDES ESPERANÇAS
Charles Dickens

50. A EDUCAÇÃO SENTIMENTAL
Gustave Flaubert

51. O CONDE DE MONTE CRISTO (VOLUME I)
Alexandre Dumas

52. O CONDE DE MONTE CRISTO (VOLUME II)
Alexandre Dumas

53. OS MISERÁVEIS (VOLUME I)
Victor Hugo

54. OS MISERÁVEIS (VOLUME II)
Victor Hugo

55. DOM QUIXOTE DE LA MANCHA (VOLUME I)
Miguel de Cervantes

56. DOM QUIXOTE DE LA MANCHA (VOLUME II)
Miguel de Cervantes

57. AS CONFISSÕES
Jean-Jacques Rousseau

58. CONTOS ESCOLHIDOS
Artur Azevedo

59. AS AVENTURAS DE ROBIN HOOD
Howard Pyle